Paradis Blues

Du même auteur
chez le même éditeur

Éditions Payot

Les Bâtards de Voltaire
Le Compagnon du doute
La Civilisation inconsciente

Éditions Rivages

Baraka (n° 142)
De si bons Américains (n° 189)
Mort d'un général (n° 216)

John Saul

Paradis Blues

Roman traduit de l'anglais (Canada)
par Henri Robillot

Rivages

Couverture : Design Pentagram/Illustration : Chris Corr

Titre original : *The Paradise Eater*
Grafton Books, Londres, 1988

106, boulevard Saint-Germain – 75006 Paris

ISBN : 2-7436-0786-6
ISSN : 1160-0977

Pour John McBeth,
qui a révélé l'affaire du Laos ;

Sulak Sivaraksa,
monarchiste de gauche ;

le père Joe Maier,
des taudis de Klong Toey.

D'un triple anneau encercle-le
Et subjugué ferme les yeux
Car il a goûté le nectar
Et bu le lait du paradis.

COLERIDGE.

Chapitre premier

« La schizophrénie n'est qu'un état d'esprit. » Le Dr Michael Woodward haussait la voix pour couvrir le souffle asthmatique du climatiseur qui haletait derrière lui. « D'origine chimique, en général. Mais pas dans mon cas. »

Connu des Thaïs sous le nom de Doctor Meechaï Wuthiwat, il aurait sans doute évité de plaisanter sur sa propre condition s'il ne s'était trouvé en compagnie d'un étranger – un *farang* –, doublé d'un ami, John Field. L'odeur et la pesanteur de l'Orient, filtrant à travers les murs, surgissant par vagues avec l'air artificiellement refroidi, envahissaient la pièce comme pour rappeler que Woodward, sans nul doute, aurait été encore moins enclin à discuter d'un tel sujet hors de son propre bureau au Centre hospitalier de Bangkok, dans Convent Road.

Le Centre avait été le premier hôpital occidental de Bangkok. S'incurvant sur un hectare de jardins, il évoquait le style colonial du XIXe avec ses longs toits inclinés couverts de tuiles rouges et ses murs en stuc d'une éclatante blancheur. À l'étage, les chambres aux plafonds équipés de ventilateurs ouvraient sur de larges vérandas meublées de canapés et de tables en rotin. Les patients vivaient peu dans leurs chambres – à moins d'être assujettis par des tubes à quelque appareil – et beaucoup sur leurs vérandas, contemplant à tous les degrés de la souffrance la vaste collection presque botanique d'arbres et de fleurs tropicaux que l'on taillait constamment pour leur conserver une forme stricte. La nature à Bangkok devait être dominée, si l'on ne voulait pas être dominé par elle. Même couchés, les malades pouvaient distinguer à travers les barreaux de la balustrade les voitures amenant des malades – sinon des amis, du moins des visages connus – qui serpentaient à travers les arbres en direction du vaste porche destiné à les abriter durant la saison des pluies. Cette possibilité d'identifier les nouveaux malades jouait un rôle essentiel pour les cancans de Bangkok. Le hall s'ouvrait directement sur le porche dont ne le séparaient ni portes, ni murs. Le Centre avait été bâti avant l'avènement des ventilateurs et on avait donc laissé le plus d'ouvertures possible dans l'espoir de créer des courants d'air.

Un peu plus haut dans la rue se dressait l'église du Christ, de style mi-anglican, mi-normand. De l'autre côté se trouvaient tout d'abord Saint-Joseph, une école religieuse fondée par les Français pour les riches, puis la Pension suisse, dont la clientèle était essentiellement constituée de missionnaires baptistes, descendus des collines ou venus des rizières ; les Carmélites s'abritaient de l'autre côté de la rue derrière un mur de pierre, encore surélevé récemment de panneaux de plastique ondulé pour mieux isoler les religieuses de la ville qui s'agrandissait autour d'elles. Convent Road était ainsi devenue une sorte d'îlot, long d'environ deux cents mètres, consacré à Dieu et à la santé. À chaque extrémité, une mer d'iniquités en ciment venait battre ses rives.

De l'autre côté de Sathorn, la large avenue transversale

au-delà de l'église du Christ, un salon de massage occupant cinq étages, de la largeur et de la profondeur d'un grand magasin, sa façade ornée de décorations lumineuses d'arbres de Noël, donnait sur toute la longueur de Convent Road. À l'autre bout, au-delà de la Pension suisse et de Silom Road, des centaines de bars et de salons de massage de moindre importance s'entassaient les uns contre les autres le long de Patpong, Patpong 2 et toute une série de petites ruelles.

Le Centre hospitalier de Bangkok, depuis des dizaines d'années, avait cessé d'être l'unique endroit où se pratiquait la médecine moderne. Les Thaïs disposaient de meilleurs hôpitaux et, d'ailleurs, de meilleurs docteurs que le tout-venant de l'émigration. La communauté européenne, toutefois, attachait une extrême importance à la notion d'homogénéité, même si cette attitude présentait des risques de mort. L'homogénéité était une forme de religion ; la Foi de l'Expatrié. Le Dr Woodward, à la fois dans ses incarnations anglaise et thaïe, était un bon docteur, mais c'était sa moitié anglaise qui gagnait son pain en sacrifiant à cette foi.

« Ne sois pas si prolixe, mon vieux, ajouta-t-il, mettant un terme à la conversation. Et baisse ton pantalon. »

Field fixa son regard sur la mince silhouette en face de lui ; sa sobre élégance ne pouvait être que d'origine thaïe et Woodward avait dû, par conséquent, l'hériter de sa mère. Avec son complet sombre et très britannique, sa moitié siamoise avait tendance à s'effacer.

« Tu devrais être fixé maintenant, se plaignit Field.

– Je n'éprouve aucun désir particulier de voir tes organes sexuels malades et d'une remarquable banalité, mon vieux. Tu me dis que les écoulements continuent. Dans ce cas, il me faut voir l'objet. Les bijoux de famille, mon cher. En fait, il me faut même les avoir en main, malgré ma répugnance. »

Field n'écoutait plus et laissait errer son regard. Il n'avait aucune envie de s'exécuter. Quant aux exigences du docteur, elles étaient bien loin de ses préoccupations. Ses yeux effleurèrent le plafond en bois, descendirent le long des murs laqués d'un bleu terne, gondolés par l'humidité et de trop nombreuses couches de peinture, et dévièrent vers la gauche du docteur où était accroché un groupe de photos.

Parmi elles se trouvait celle du père de Woodward en uniforme de capitaine de la marine siamoise. Le cliché était daté de 1914. Il avait quitté l'Angleterre en 1912, ayant peu à peu compris que son sang juif, bien qu'il ne fût apparent ni dans son nom ni dans son physique, était une entrave à sa carrière dans la Royal Navy. Une entrave discrète. Aucune allusion n'y avait jamais été faite, du moins en sa présence, pas même à l'école. Personne ne l'avait jamais traité de juif, ou ne lui avait fait sentir consciemment qu'il était un marginal. Et c'était pourtant ce qu'il avait toujours éprouvé. Bizarrement, sur cette photo, il avait l'air d'un Thaï, peut-être à cause du style du photographe, car si jamais un marin avait été coulé dans le moule de la tradition de l'amiral Beatty, c'était bien Woodward. En août 1914, dès le début de la guerre, il avait renoncé à sa citoyenneté, cessant d'être un sujet du roi George V, avait changé son nom en Wuthiwat, traduction littérale de Woodward, et avait épousé une Thaïe de bonne famille. La jeune femme avait aussitôt attendu un enfant. La naissance de sa première fille fut sa véritable déclaration d'indépendance. Il ne retournerait pas en Angleterre pour la guerre. Ils n'avaient pas voulu de lui quand ils n'en avaient pas besoin, il n'était plus disponible maintenant.

Field porta la main à sa braguette. Le métal de la fermeture était glacé ; il eut l'impression qu'une aiguille perçait sa peau brûlante. Tout était brûlant. La climatisation ne faisait qu'accentuer la chaleur. Les bouffées d'air froid éructées par le vieil appareil rudimentaire qui occupait la moitié de la fenêtre n'étaient guère plus efficaces qu'un désodorisant appliqué sur de la sueur rancie. Il baissa les yeux vers sa propre main. Les ongles étaient coupés en quartiers de lune parfaits. Toujours d'une extrême propreté en toutes circonstances, il se montrait plus soigneux encore lorsqu'il était infecté.

« Bon sang, John, dépêche-toi. »

Field émit un grognement – une sorte de rire, pour manifester son approbation – et, d'un seul geste, rabattit à la fois son pantalon et son caleçon. Le courant d'air contre ses parties génitales soulagea un bref instant la douleur cuisante qui le taraudait. Soulagement tout illusoire. Il releva la tête vers Woodward pour le regarder préparer un tampon sur un bâtonnet, puis avança d'un pas. Il laissa ensuite son regard dévier de nouveau vers le mur.

Il y avait une deuxième photographie, dans un cadre aussi baroque que celui de 1914. On y voyait le père en amiral, en 1942. Sa première femme était déjà morte et, avec l'entrée de la Thaïlande dans la Seconde Guerre mondiale aux côtés de l'Axe, il s'était remarié, avec une Thaïe de nouveau, et avait immédiatement engendré Michael, le dernier de ses neuf enfants et l'unique garçon. L'amiral vivait encore – âgé maintenant de quatre-vingt-quinze ans – et il était toujours suffisamment vigoureux pour terroriser ses filles, mariées, et leurs époux.

Deux autres photos montraient Michael adolescent en robe de moine bouddhiste durant une retraite dans un monastère et le même Meechaï en complet rayé à la faculté de médecine d'Édimbourg. Michael et Meechaï signifiaient tous deux « force ».

Field sentit le docteur saisir fermement son pénis, le décalotter et introduire son écouvillon dans le méat. Il réussit à demander : « À ton avis, ceci correspond à quel degré de plaisir dans la balance ?

– Voilà bien une idée de catholique. » Woodward était trop occupé à tourner le bâtonnet pour en dire plus. « J'ai eu assez de mal à te guérir la dernière fois. Je veux un bon échantillon, sacrebleu.

– Plus personne ne dit "sacrebleu" de nos jours, bon Dieu ! Je te l'ai déjà dit, Michael. Plus personne ! »

Il parlait pour lutter contre la douleur incandescente que le prélèvement provoquait dans son sexe. Sur le visage du docteur se lisait l'expression que peut arborer un homme appâtant un hameçon. Field n'avait pas pêché depuis trente ans. Depuis son enfance. En tout cas depuis qu'il avait quitté Montréal pour Bangkok vingt ans plus tôt. On ne pêche pas en Extrême-Orient, pensa-t-il. Les autres pêchent pour vous. Les autres font tout pour vous. Attraper une maladie vénérienne est une des rares activités à votre portée et, bien entendu, le choix de la fille qui vous en gratifiera.

« Tu vas à la pêche quelquefois, Michael ?

– Pour quoi faire, grands dieux ? » demanda Woodward avec l'innocence d'un Thaï cultivé. Il extirpa le bâtonnet d'une rotation des doigts et se détourna pour étaler le prélèvement sur un plateau de verre circulaire d'une vingtaine de centimètres de diamètre.

Field baissa les yeux vers son ventre plat ; musclé, songea-t-il, mais cela ne constituait ni une compensation ni un palliatif à son problème. Le pénis paraissait tout à fait normal. Un peu rouge peut-être. Il replaça le Kleenex souillé dans son caleçon et songea aux trois filles avec lesquelles il avait couché la semaine précédente ; ou plutôt, la semaine avant que l'écoulement habituel et les élancements déchirants ne se soient déclenchés. Peut-être les trois filles y avaient-elles contribué. Peut-être était-ce cette miraculeuse combinaison – la rencontre de germes qui n'étaient pas destinés à se rencontrer – qui avait rendu cette infection rebelle à la première attaque d'antibiotiques. Il songea à exposer cette théorie à Woodward mais se ravisa.

« Qu'est-ce que tu m'as donné la semaine dernière ? »

Woodward leva les yeux.

« De la kanamycine. Deux grammes, mercredi dernier, non ? Un gramme aujourd'hui – jeudi, vendredi, samedi. » Il prit un ton quelque peu rassurant : « Ne t'inquiète donc pas, John ; j'ai vu pas mal de cas récalcitrants. Tu n'es certes pas le seul à avoir ce problème. Et le côté positif, c'est qu'il y a vingt-quatre antibiotiques étalés sur ce plateau. L'un d'entre eux en viendra à bout. Non, non, ne remonte pas ton pantalon. Profitons de la nudité de tes fesses pour traiter ton cas à la streptomycine ; pour passer le temps, disons, pendant que les autres se livrent une lutte à mort sur la plaque. Pourquoi pas ? Considère que c'est la roulette russe.

– Quoi ?

– Sauf que je presse la détente pendant que le germe attend d'être abattu. » Il couvrit le plateau et le rangea dans une glacière avant de se mettre à fouiller dans une armoire à pharmacie. « Deux piqûres de deux grammes chacune, une par fesse, tout de suite. Un gramme par jour pour les trois jours à venir, fesse gauche ou droite, à ton choix. Merveilleux. Je vais beaucoup te voir. Toi en général, j'entends, et pas seulement ton arrière-train. » Il se dirigea vers son bureau, soulevant avec soin à chaque pas ses massives chaussures noires luisantes. Le dossier de

Field était ouvert sur le bureau. « C'est ta deuxième gonorrhée de l'année.

– La précédente date de l'an dernier.

– Je crains que non. Tu es venu me consulter ici le 10 janvier. La période d'incubation durant moins de deux semaines, sauf à de rares exceptions, tu l'as très certainement attrapée cette année. L'an dernier, le spectacle était bien différent. La chlamydia en était la vedette. Quatre infections.

– Une seule, Michael. C'était toujours la même. Tu le sais très bien. Je n'arrivais pas à m'en débarrasser. Allez, bon sang, fais-moi donc ces piqûres que je puisse me reculotter. Il y a des courants d'air ici. Tu ne pourrais pas te débarrasser de cette vieillerie ? » Il parlait du climatiseur. « Mes honoraires suffiraient à payer un nouvel appareil.

– Non. » Woodward demeurait immobile. « Pas d'après mes calculs. Tu comprends, chaque infection compte séparément si un mois s'écoule avant la suivante. Tu as eu aussi une urétrite non spécifique.

– Rien.

– Presque rien. Et une gonorrhée qui traîne depuis 83.

– Tu ne peux pas la compter deux fois.

– Loin de moi cette idée. Je n'y songe même pas. Voyons... voilà vingt ans que tu es à Bangkok. Je ne t'ai néanmoins pas vu avant le 7 mai 1969 ; une visite provoquée par une urgence, à savoir une gonorrhée incontrôlable. Tu étais resté coincé dans les collines sans aucun médicament à ta disposition. Néanmoins, il y avait des filles.

– Il y a toujours des filles.

– Je crois que tu as perdu ton dossier médical précédent, je ne sais donc rien de tes quatre premières années ici. Tu en es, néanmoins, aujourd'hui, à huit chaudes-pisses, une syphilis...

– C'était un coup de malchance.

– Absolument, je suis bien d'accord. Tu as dû l'attraper avec une Européenne... Six chlamydioses. Cinq urétrites assorties non spécifiques. Voilà. Il existe au moins huit infections qui manquent à ton palmarès. La maladie de La Peyronie, par exemple. J'aimerais bien en voir un cas.

– Vraiment ?

– Induration des corps caverneux, voilà ce qui arrive. Un gonflement d'un côté du pénis. Il peut devenir énorme et se déformer... Très pénible, paraît-il. Il faut de la patience. Ou encore le syndrome de Reiter...

– Fais-moi mes piqûres.

– En fait, il n'y a pas de traitement. Il faut attendre que ça passe tout seul. Un peu comme la chlamydiose, sauf que, en l'occurrence, il y a arthrite inflammatoire. Des petites crêtes. Cette maladie pourrait également abîmer tes beaux yeux bleus. »

Field, dans sa frustration, passa la main dans ses épais cheveux blonds. Woodward remarqua son geste.

« Pas le cuir chevelu. Non. Ça n'affecte pas le cuir chevelu, mais je comprends que tu puisses penser le contraire. Nous traitons cette maladie avec des stéroïdes, qui finissent par donner une face de lune. Un peu comme un eunuque chinois, si tu vois ce que je veux dire. »

Field pivota sur lui-même et se pencha en avant, offrant son postérieur, pour attirer l'attention de Woodward, toujours occupé à examiner le dossier.

« Ah, bon. Tu es prêt. » Il se leva pour préparer les aiguilles. « Tu ne viens pas encore en tête de liste. J'ai deux autres malades qui te font la pige, mais tu es en train de les rattraper rapidement.

– Crappe et Trésor ?

– Non. Justement pas. Crappe est d'une prudence surprenante et Trésor, comme tu l'appelles, a une veine inouïe. » Il planta la première aiguille. « Évidemment, tu n'as que quarante-quatre ans. Tu auras tout le temps de rattraper le temps perdu lorsque nous serons venus à bout de celle-ci.

– Je devrais écrire à Wojtyla.

– Wojtyla ?

– Le pape. Écoute, quand je ne suis pas malade, qu'est-ce que je veux ? Baiser. Pas frénétiquement, pas plus que la moyenne des gens. Ce désir est sans doute le sentiment le plus naturel, le plus irrésistible et le plus persistant au monde. Là-dessus, j'attrape une de tes saloperies et crac, je n'ai plus envie de baiser. Crac. Plus de désir. Et il n'est pas là question de morale. La douleur tue le désir. C'est même un concept chrétien. Les maladies vénériennes sont donc amies de la chasteté. Elles viennent à bout des tentations qui rendent la chasteté si difficile. Collez la vérole à tous les prêtres et la faiblesse du clergé pour le péché de chair disparaîtra. Je sais de quoi je parle, moi, le petit Irlandais des bas quartiers de Montréal. Nous sommes une pépinière de prêtres. »

Field ne s'attardait jamais sur le fait que seule sa mère catholique était d'origine irlandaise alors que son père protestant était d'origine anglaise.

« Sauf que la douleur ne dure pas, John. Le désir revient et tu es toujours malade. Maintenant fous le camp ! Va voir la vieille taupe à côté. Elle te donnera des pilules pour enrayer l'effet des piqûres qui risquent de te flanquer par terre.

– Je t'invite à déjeuner.

– Non. On m'attend à Klong Toey.

– Je vais t'accompagner.

– Pas question. J'en ai pour tout l'après-midi à la clinique. C'est déjà assez épuisant sans ta présence en plus.

– Saint Michael parmi les pauvres, hein ? Je vais t'y poser.

– Non. Tu n'as donc rien à faire ?

– Pas quand je suis de cette humeur. Je paierai le taxi.

– Non. Il faut que je me change.

– En effet. Savile Row dans les taudis. Ça détonnerait.

– File, John ! »

Il poussa en direction de la porte l'homme blond vêtu avec soin.

La vieille taupe – elle avait à peine trente ans et de longs cheveux noirs – donna ses pilules à Field qui prit congé et descendit l'escalier. Il s'efforçait de ne pas prêter attention à la douleur irradiant dans son bas-ventre, marchant les jambes légèrement plus écartées qu'en temps normal, et il s'arrêta au bas des marches pour examiner le tableau où était affiché le nom des malades. Tous des *farang*. La plupart anglo-saxons. Le tableau était laqué blanc et comportait trente-cinq porte-cartes en cuivre brillant alignés sur quatre rangées ; un carton blanc avait été glissé dans chacun d'entre eux, avec le nom du malade inscrit en noir d'une élégante écriture. Le tout évoquait le plan de table pour un dîner à l'ambassade. Non. Il n'y avait personne à qui il eût envie de rendre visite.

L'entrée ornée de piliers n'était pas séparée du jardin ou de l'allée par un mur ou un écran quelconque, et un entêtant parfum de fleurs et d'herbe flottait dans l'air, composant avec les odeurs pharmaceutiques un étrange mélange. Une femme était en train de descendre de l'arrière d'une BMW. Une domestique la suivit, portant un enfant malade ; le chauffeur arriva en dernier, une petite valise à la main. Field ne la connaissait pas. La chaleur et l'humidité l'enveloppèrent. Il les sentait s'appesantir, sachant qu'elles allaient s'amplifier tout au long de la journée jusqu'aux pluies de l'après-midi. Field avança dans le soleil. Étrange. Après toutes les années qu'il avait passées à Bangkok, il éprouvait encore un plaisir conscient chaque fois que le soleil, la chaleur et l'humidité s'abattaient sur lui d'un seul coup. Ce plaisir n'était pas dépourvu de masochisme. Il sentait son sang affleurer la surface de son corps pour le protéger et ses yeux s'étrécir pour échapper à l'aveuglante lumière, tandis que ses poumons se gonflaient avec précaution pour se ménager. Et pourtant, c'était bien du plaisir qu'il éprouvait. Du plaisir, sous un ciel limpide, incandescent. Sa revanche sur une enfance hantée par les hivers et une gêne frisant la pauvreté. Si le soleil avait voulu le frapper à mort, il aurait été parfaitement heureux d'accepter sa décision. Il avait toujours imaginé que cela arriverait un jour. Field descendit l'allée à pas précautionneux, fixant son attention sur l'étroit espace qui le précédait.

Une voix l'appela d'un balcon derrière lui.

« John ! Hello, John ! »

John reconnut la voix d'une femme qui venait deux fois par an passer là deux semaines de repos, estimant que le Centre était à Bangkok le meilleur hôtel à l'ancienne doublé d'un cercle mondain, à condition de se faire apporter ses repas de l'extérieur. Field agita une main par-dessus son épaule sans se retourner et sans ralentir le pas.

Dans Convent Road, son regard se détourna automatiquement de la circulation pour se fixer sur le trottoir, ou plutôt sur l'enchevêtrement de dalles de ciment disloquées, de bouches d'égout et de monceaux d'ordures. Il tourna à droite et commença à avancer sur le côté ensoleillé de la rue. Il avait trois cents mètres à parcourir pour parvenir à Patpong et au Napoléon. Là, il ne manquerait pas de trouver quelqu'un pour lui remonter le moral pendant qu'il mangerait un steak. De l'autre côté de la route, une Chevrolet Impala de 1959 commença à le suivre, se laissant dépasser par les taxis et les *tuc-tuc*. Vert pâle et blanc, c'était une énorme voiture, étincelante et bardée de chromes qui reflétaient la lumière avec la force d'un appareil de chauffage solaire. Une vitre arrière se baissa et une chaude voix de femme appela :

« John ! John ! Venez par ici. »

Field continua comme s'il n'avait pas entendu.

« John ! Oh, arrêtez ! » Elle tapa sur l'épaule de son chauffeur. « Arrêtez ! »

La voiture accosta le long du trottoir tel un galion et un vieux Thaï, desséché jusqu'à l'os, quitta le volant pour aller ouvrir la portière arrière. Mme Norman A. Laker apparut comme si elle émergeait d'une longue limousine dans Park Avenue. Le mur des Carmélites, dont le faîte en plastique ondulé se dressait derrière elle, lui fournissait une zone d'ombre. Elle avait les cheveux relevés en un édifice neigeux rigide mais parfait. Une savante couche de maquillage rehaussait l'ossature de son visage et une ligne noire soulignait le contour de ses lèvres pleines. On sentait que ce visage avait été lifté, mais sans en voir de traces évidentes. Vêtue d'un tailleur de lin clair, elle s'avança dans le soleil d'une démarche hautement étudiée, mais sans affectation. Ses pupilles mêmes, comme insensibles à la lumière, semblaient à peine se contracter. Globalement, elle offrait une interprétation extrêmement personnelle de la beauté. Un *tuc-tuc* à trois roues freina bruyamment pour l'éviter, puis décrivit un arc de cercle, klaxonnant au passage.

« John ! »

Field s'arrêta et revint sur ses pas, plissant les yeux face au soleil.

« Bonjour, Catherine.
– Qu'est-ce qui vous arrive ? Vous êtes malade ?
– Rien de grave.
– Alors n'allez pas dans cet endroit. Vous pourriez attraper quelque chose. Voilà des heures que vous y êtes...
– Si j'avais su que vous attendiez... » Voyant qu'elle était inaccessible à l'ironie, il renonça à poursuivre. « J'étais en train de faire perdre son temps à Michael Woodward.
– Évitez de le voir, John. Il est constamment fourré dans les taudis. Les maladies sont très contagieuses. Et que faites-vous dehors à pied ? Venez donc dans la voiture. » Elle lui faisait signe de ses doigts manucurés aux articulations de mécano. « Je veux vous parler. Je suis déjà allée chez vous. Cette vieille femme crasseuse que vous payez à faire... Dieu sait quoi, m'a envoyée ici.
– Elle n'est pas si vieille. »

Field se laissa entraîner de l'autre côté de la route et pousser à l'arrière de la voiture. Mme Laker le suivit et il fut forcé de se glisser à l'autre bout de la banquette en similicuir ouvragé.

Il tapota le plastique jauni.

« Quand la plus riche *farang* de Bangkok va-t-elle s'offrir une nouvelle voiture ?
– C'est Norman qui a commandé cette Chevrolet. » Elle sembla regretter son ton emporté et baissa les yeux vers la décoration élaborée du siège dans le style des selles mexicaines avant de poursuivre, d'une voix plus mesurée. « Elle est arrivée... j'ai trouvé cela très étrange, soixante jours exactement après sa mort... dans cet endroit. » Sans se retourner, elle leva la main droite et indiqua le Centre hospitalier du doigt par la lunette arrière, puis la ramena en avant et d'un petit coup sec, comme s'il se fût agi d'une cravache, tapa sur l'épaule

du chauffeur. « Au cimetière, Lek... C'était, c'était la première voiture climatisée à Bangkok... Soixante jours exactement. »

Le chauffeur, amorçant une lente courbe semblable à celle décrite par un navire de ligne, s'engagea sur la route, roulant à quarante-cinq à l'heure. La voiture, bien qu'américaine, semblait parfaitement adaptée à une ville où l'on conduisait toujours à gauche. De toute façon, tout ce qui était moderne à Bangkok – et le modernisme était omniprésent – prenait rapidement des allures disgracieuses, lourdes, désuètes, à tel point que les gratte-ciel en verre et les Mercedes ressemblaient immédiatement à des pyramides et à des dinosaures. L'Impala de Mme Laker, par conséquent, ne détonnait pas du tout.

« Je veux que vous alliez à Vientiane, dit-elle.

– J'allais déjeuner.

– Quand vous venez de marcher en pleine chaleur ? reprit Mme Laker après un instant de réflexion. De toute façon, vous ne devriez rien avaler avant le coucher du soleil, John. Manger tôt et tard. C'est le secret de la santé ici. Je veux que vous alliez à Vientiane demain.

– Je n'irai nulle part. Et depuis vingt ans que j'habite ici, j'ai toujours déjeuné à midi.

– Vous le paierez plus tard. On s'alimente avant le lever du soleil et après son coucher. J'ai passé une commande de cent tracteurs. Il vous suffit de régler les détails de la transaction et de signer. De l'argent facilement gagné.

– Dans ce cas, n'importe qui peut s'en charger.

– Vous connaissez le Laos, John. Vous y alliez souvent. Entre les détails à régler et la signature, il faut tenir les rênes d'une main ferme.

– Il existe des tas de vieilles mains laotiennes plus fermes que la mienne. »

Ils émergèrent sur la mer sans vent de Silom Road et s'engagèrent à gauche dans la cohue de petits taxis, de *tuc-tuc* et de bus. Catherine Laker, silencieuse, essayait apparemment d'évaluer son degré de résistance. Dans un concert de coups de klaxon, les vapeurs d'essence les enveloppaient comme une brume de mer polluée par une flottille de vieux rafiots à moteur.

L'irritation parut soudain prendre le dessus chez elle et elle lança d'un ton sec :

« Vous auriez dû continuer dans la voie du journalisme si vous n'êtes pas prêt à partir en voyage à l'improviste. C'est ainsi que les agents gagnent de l'argent, John. Flexibilité ! Agilité ! »

Field la dévisageait d'aussi loin qu'il pouvait en se collant contre sa portière. Elle le regardait droit dans les yeux, d'un regard qu'elle voulait sincère, pénétrant. Il songea à lui rappeler que depuis dix-sept ans il n'avait rien fait d'autre que sauter dans des avions pour Vientiane, Saigon, Phnom Penh, la plaine des Jarres, Chiang Raï, Mae Hong Son et tous les autres endroits où il y avait un combat, un coup à réaliser, une saisie de drogue, un effort de paix, un camp de réfugiés, sans parler des innombrables généraux, anthropologues et sénateurs américains qu'il avait dû suivre durant leurs brèves participations à la lutte qui se livrait pour la conquête du Sud-Est asiatique. Mais bien sûr, elle savait tout ça. Et en général, elle manifestait toujours un parfait sang-froid. Une sorte de congélateur aseptisé, autodégivrant, calamistré roulant avec indifférence dans la canicule et l'humidité. Il n'était pas dans sa nature de laisser percer son impatience. Il y songea donc avant de répliquer :

« Alors, Catherine, c'est quoi, cette grosse affaire ? »

La porte du congélateur se referma et le masque d'impénétrabilité se remit en place.

« Ce n'est pas une grosse affaire.
– Enfin, Catherine, je veux dire, pourquoi vous énerver comme ça ?
– Ne soyez pas puéril. L'argent, c'est l'argent. Et, en l'occurrence, facile à gagner. »
Il haussa les épaules et répéta :
« Je n'irai pas cette semaine, Catherine.
– Tarif maximum...
– Et alors ?
– Plus un pour cent.
– La semaine prochaine, Catherine. J'irai la semaine prochaine. »
Mme Laker retomba dans le silence, digérant sa défaite, tout en continuant à fixer Field d'un regard intense.
« Alors, vous devez être malade, dit-elle enfin.
– Catherine, quel pouvoir de déduction ! » Il la sentit à son tour s'écarter de lui sur la banquette. « Ce n'est pas contagieux... Et les déjeuners ne sont pas responsables. »
Elle détourna soudain les yeux pour contempler la circulation dans laquelle la voiture se frayait un passage à dix kilomètres à l'heure, une moyenne normale pour Bangkok. Haussant les épaules, Field l'imita, se tournant vers sa propre fenêtre. Si les banques n'étaient pas attaquées à Bangkok, selon l'explication populaire, c'était parce que les voleurs ne pouvaient s'enfuir en voiture. On allait plus vite en courant qu'en roulant, sauf qu'il faisait trop chaud pour courir. De part et d'autre de Silom Road se dressaient des bâtisses de trois étages en ciment brut noirci par les pluies polluées. De temps à autre s'y intercalait la tour revêtue de marbre d'une banque. Dans tous les quartiers d'affaires de Bangkok, l'omniprésence d'un mauvais ciment pisseux dans les constructions s'imposait. Comme Field ne trouvait rien d'autre pour le dis-

traire, il prit de nouveau conscience de la douleur dans son bas-ventre.

« Où va-t-on, bordel de merde ? »

Avant que Mme Laker ait pu répondre, la voiture commença à déboîter vers la gauche pour tourner dans une allée entre deux terrains non bâtis. L'un et l'autre étaient fermés de hauts murs délabrés au-dessus desquels dépassaient seulement des cimes d'arbres et çà et là une croix.

« Au cimetière.

– Pour quoi faire ?

– Norman. »

Toute la communauté étrangère catholique avait été et demeure tassée dans ces deux terrains, situés autrefois aux lisières de la ville, mais qui se trouvaient maintenant en plein centre. La voiture s'arrêta devant une petite entrée de service du cimetière ouverte sur le côté gauche de l'allée. Le terrain à droite était réservé aux catholiques chinois. Mme Laker descendit de voiture, sans attendre qu'on vînt lui ouvrir, et disparut par la porte. Field la trouva juste de l'autre côte, contemplant depuis un endroit dégagé un fouillis de végétation aux allures de jungle.

« Bon sang ! »

Elle le dévisagea d'un œil calme.

« Vous n'êtes jamais venu ici ?

– Je ne suis pas encore mort. »

Dans l'angle où ils se trouvaient, le gardien s'était bâti une petite cabane en tôle dont les cloisons étaient soutenues par quatre pierres tombales. La lessive de sa famille séchait sur les barres horizontales des croix ornant une douzaine d'autres monuments. Le gardien n'avait lutté contre la nature que dans la zone qu'il utilisait. Partout ailleurs, les roseaux et les bambous avaient poussé, cachant les tombes. Un manguier s'était frayé un passage entre deux monuments en bois de trois mètres de haut, les écartant sous un angle de quarante-cinq degrés. Ils ne restaient debout que parce qu'un enchevêtrement de branches et de lianes les enveloppait d'un filet protecteur. Field s'en approcha pour jeter un coup d'œil. Un conseiller royal, Basil Southend, 1836-1889, au service du roi du Siam, se trouvait ainsi séparé de force de son épouse Emily par un mur de racines indifférentes.

Se tournant pour regagner l'entrée, il trouva Mme Laker tenant deux paires de bottes en caoutchouc. Derrière elle, le chauffeur portait un seau d'eau et une bouteille d'eau de Javel. Elle tendit à Field une des paires de bottes.

« Voyez si vous arrivez à les mettre. Lek devient trop vieux pour ce genre d'activité. Essayez. »

Les bottes une fois enfilées, il avait les doigts de pied recroquevillés au fond. Mme Laker tendit à Field le seau du chauffeur et à Lek les chaussures de Field pour qu'il les mît de côté, puis elle s'engagea sur un étroit sentier surélevé recouvert de végétation, avec de part et d'autre une eau verdâtre hérissée de roseaux qui avait inondé les allées entre les tombes, formant des îlots marécageux quand elles n'étaient pas complètement englouties. Cinquante mètres plus loin, elle coupa brusquement sur la droite, s'enfonçant dans trente centimètres de boue où poussait une forêt verdoyante de roseaux aussi grands qu'elle. D'un revers du bras, elle les écarta et continua à avancer péniblement. Field hésita, puis lui emboîta le pas. Elle parcourut encore vingt mètres avant de s'arrêter devant une dalle de marbre verdi, dont la surface dépassait le niveau de l'eau de quelques centimètres à peine. Tout autour de la tombe les roseaux avaient été fauchés assez récemment et commençaient seulement à repousser. Field posa son seau sur la pierre tombale. L'inscription, encrassée, était à peine lisible.

NORMAN A. LAKER
1916-1959
Tu es toujours présent
et toujours aimé

Il se rendit compte alors seulement que la dalle de marbre n'était pas verte mais blanche, et couverte de moisissures.

« Vous venez souvent ici, Catherine ?

– Tous les mardis. Ce n'est pas trop pénible pendant la saison sèche. L'eau n'atteint plus que huit ou dix centimètres. En ce moment, la situation devient critique. Le mois prochain, la pierre sera sous l'eau. L'allée aussi. Tout sera noyé. » Elle lui tendit un chiffon et une paire de gants, puis versa l'eau de Javel dans le seau d'eau. « Tenez, mettez-les. Sinon, vous aurez la peau brûlée. Il faut un liquide très concentré pour venir à bout de cette vase. »

Elle plongea son propre chiffon dans le seau, l'essora légèrement, puis se mit à frotter la dalle. Field l'imita sans enthousiasme.

« Vous aimeriez savoir combien il y a de cobras à Bangkok ? demanda-t-il. Cet endroit doit être leur quartier général.

– Frottez, John. Je ne tiens pas à passer plus de temps qu'il n'est nécessaire au soleil. » Elle s'activait avec énergie en parlant, sa coiffure aussi immuable qu'un casque malgré toute cette agitation. « Dégoûtant ! Dégoûtant ! » Elle plongea de nouveau son chiffon dans l'eau, l'essora. « En vingt-six ans, je n'ai vu que trois cobras autour de la tombe de Norman. »

Field leva la tête. Le visage de Mme Laker était exempt de toute trace d'humour ou de transpiration. Évidemment, songea-t-il, il fait à peine trente-cinq degrés. Et l'humidité ne doit guère dépasser quatre-vingt-dix-huit. Il se remit à frotter.

« Combien de temps avez-vous été mariés ?

– Nous sommes toujours mariés.

– Oui. Mais je veux dire avant les funérailles.

– Onze ans. Six à New York et cinq ici.

– Et vous venez toutes les semaines ?

– J'y suis bien obligée, John. Il ne me le pardonnerait pas.

– Pourquoi ne payez-vous pas quelqu'un ?

– Quand la pierre tombale de Norman a été posée ici, je n'en avais pas les moyens. Maintenant, ma visite ici fait partie de notre vie de couple. » Elle leva la tête pour attirer l'attention de Field, pour appuyer ses dires. « Vous avez les plus beaux yeux que je connaisse, John, savez-vous ? D'un bleu si profond, si pénétrant... Un regard pensif. »

Elle continua à frotter comme si cette remarque faisait partie d'une banale conversation.

La vase s'en allait aisément, sans doute parce qu'elle ne datait que d'une semaine et n'avait pas eu le temps de s'incruster dans la pierre. Ils travaillèrent sans mot dire pendant encore dix minutes. Field remarqua que la douleur de son bas-ventre avait cédé le pas aux crampes qui tenaillaient ses orteils, recroquevillés au fond des bottes. Il remarqua également que les mains de Mme Laker avaient les mêmes gestes saccadés au-dessus de la dalle que lorsqu'elle tenait une conversation mondaine. Ce détail, par une logique indirecte, l'amena à se demander ce qu'il pouvait bien faire là en bottes de caoutchouc trop petites, assoiffé et affamé comme il l'était. Il demanda d'une voix sonore : « Vous l'aimiez, en somme ? »

Elle ne prit pas la peine de répondre. Lorsqu'ils furent de retour à la porte qui donnait accès à l'allée extérieure,

Mme Laker remit dix baht au gardien et, une fois sortie du cimetière, laissa Lek lui enlever ses bottes, adossée à la voiture pour ne pas perdre l'équilibre.

Fred s'était empressé de libérer ses pieds et remuait ses orteils avec délices.

« Si vous n'avez pas d'autres projets amusants, je vais aller déjeuner maintenant.

– Je vous emmène ?

– Vous m'avez déjà emmené assez loin. »

Field parcourut les quelques mètres qui le séparaient de la route principale où il héla un *tuc-tuc* passant dans l'allée centrale. L'engin vira brusquement sur deux de ses trois roues et fonça en diagonale au milieu de la circulation.

« Patpong », annonça Field.

Le conducteur jeta un coup d'œil de dessous la capote pour jauger ses chances.

« Cinquante baht, m'sieu. »

Field eut un rire bon enfant et répondit en thaï : « Je ne suis pas un *farang*. J'habite ici. Vingt baht.

– Quarante baht.

– Non. Vingt, c'est déjà deux fois le tarif. Allons-y, ajouta-t-il d'un ton encourageant, et il sourit. O.K. Allons-y. O.K.

– O.K., msieu. »

Field monta à l'arrière juste au moment où Mme Laker lui criait de loin : « Je vais m'occuper de votre départ pour Vientiane lundi. Envoyez-moi votre passeport. »

Il ne répondit pas. Tassé sur la banquette en plastique rayée de bandes orange, bleues, jaunes et vertes, il écarta les mains pour empoigner de part et d'autre les barres métalliques, sa seule chance de ne pas être projeté dehors, et il rejeta la tête en arrière pour éviter l'ombre de la capote en plastique tendue au-dessus de lui. Le *tuc-tuc* bondit en avant pour se faufiler parmi les autres véhicules ; le rugissement de son petit moteur assourdissait Field et ses gaz d'échappement se rabattaient en arc de cercle sur le siège du passager. Il laissa ces vapeurs d'essence et celles des centaines d'autres véhicules tassés et klaxonnant autour de lui remplir ses poumons et envelopper d'abord son corps, puis son esprit. Quelque part devant lui, le transistor accroché au tableau de bord émettait les sons nasillards d'une musique rock thaï. Field ferma les yeux, la douleur de son bas-ventre soudain lointaine ; Mme Laker se dissolvait dans l'oxyde de carbone. Cette immense toile d'araignée de crasse et de bruit lui procurait comme toujours une merveilleuse sensation de plaisir, dénuée de sens.

Chapitre 2

Le visage d'Henry Crappe était le seul familier au Napoléon, ou plutôt, c'était le seul que Field se sentait d'humeur à reconnaître. Deux négociants avec qui il avait autrefois été en affaires – il leur avait vendu un container de meubles en osier destinés à l'exportation – étaient assis dans un coin. Field prit soin de ne pas les voir en traversant la salle pour aller se glisser en face de Crappe. Celui qui signait « Crappe au cinoche » et « Crappe a lu pour vous » et « Le Bangkok de Crappe » ; cette dernière rubrique hebdomadaire étant un exposé sur les nouveaux bars et les nouvelles filles qu'on y trouvait. Les trois colonnes paraissaient sous sa signature dans le *Bangkok Post*.

Field pianota du bout des doigts sur la table.

« Je croyais que vous dormiez jusqu'à minuit. »

Crappe leva les yeux de ses cacahuètes et de sa bière. Il haussa les sourcils pour souligner son anxiété. Ils étaient incrustés de pellicules.

« Je suis débordé. Je dois visionner deux vidéos cet après-midi pour en faire la critique, essayer de dormir quelques heures et revenir ici pour travailler. » Il indiqua d'un geste la chaise sur laquelle Field était assis. « Considérez-vous comme invité à ma table. Que se passe-t-il ?

– Mais... rien.
– Vous ne m'avez pas l'air dans votre assiette.
– Je vais très bien. Un peu démoralisé, simplement. »
Crappe le dévisagea longuement. En dépit de son amitié pour lui, Field détourna les yeux. Non que Crappe fût laid. Pas vraiment. À l'approche de la quarantaine il s'était épaissi et son corps ainsi que son visage avaient pris la forme d'une poire, propre à inspirer la sympathie, tout comme l'expression d'innocence qu'il avait réussi à conserver malgré vingt-cinq années à Bangkok. L'homme n'était pas propre... C'était là le problème. Outre les sourcils, il avait des cheveux graisseux et constellés de pellicules. Field s'était fait une règle de ne jamais le regarder à cette hauteur. Un bouton de fièvre enflammait sa lèvre inférieure et ses ongles étaient d'une étrange couleur brunâtre, teintés sans doute par son mélange personnel de tabac qui, d'après Crappe, devait être préparé à la dernière seconde, pipe après pipe. Les zestes de pamplemousse frais, coupés chaque matin par son épouse thaïe, rendaient cette précaution obligatoire.
Crappe se décida enfin à détourner son regard.
« Vous avez attrapé la vérole. »
Field ne put dissimuler sa surprise.
« Oui, dit-il.
– Ça se voit dans les yeux. Aux iris. L'expérience joue un rôle très important dans ce genre de diagnostic.
– Vous auriez dû être médecin. »
Une fille s'approcha et posa les doigts avec douceur sur l'épaule de John.
« Bonjour, John. Une bière ?
– Non. Je n'y ai pas droit. Du café. Et un sandwich à la viande. » Il tendit la main pour garder la fille à son côté. « Et, dis-moi, Phet, baisse donc ce putain de clima-

tiseur, tu veux bien, chérie ? Je ne suis pas une carcasse de bœuf.

– Quoi, John ?

– Froid. Il fait trop froid. »

Avec les doigts, il fit mine de tourner un bouton.

« La musique est trop forte ?

– Non. La musique, ça va. Trop froid. *Yen maak.*

– O.K., John. »

Mis à part les filles thaïes en robes de soie avec un badge portant un numéro, le Napoléon ressemblait à un bar confortable n'importe où dans le monde. Peut-être était-ce là le secret de son succès auprès des *farang*.

« En fait, commença Crappe, légèrement désapprobateur, j'aime qu'il fasse froid. Mais puisque vous êtes malade, je souscrirai à vos désirs. Quant à la médecine, c'était en réalité une des deux professions que j'envisageais d'exercer. L'autre étant l'histoire ; enfin, l'histoire enseignée au niveau universitaire.

– Et vous n'avez choisi ni l'une ni l'autre ?

– J'ai opté pour les communications. On ne peut pas tourner le dos à son siècle. Ni céder à ses propres fantasmes quand le cœur même de votre époque vous fait signe.

– Le *Bangkok Post* ?

– Je vais vous dire, Field : je suis sans aucun doute le journaliste le plus controversé et le plus lu de cette ville. Je reconnais que certains me lisent parce qu'ils ne m'aiment pas, mais c'est en soi un signe de succès. Mon nom est inscrit sur les murs de la moitié des toilettes de Bangkok. Et pourquoi ça ? Parce que je fais vibrer une fibre chez chacun de mes lecteurs. Et pourquoi, encore une fois ? Parce que mes opinions sont étayées par la culture, l'intelligence et l'expérience.

– Crappe, tout ce que vous faites, c'est indiquer à un tas d'hommes sans imagination où baiser agréablement.

– Oui, en un sens. Bien que j'attire votre attention sur trois points : A. La majeure partie des êtres humains manquent d'imagination ; B. Ils ont par conséquent besoin d'être guidés ; C. Je les guide dans l'un des domaines clefs de la vie. Je vous signale cela sans même mentionner les conseils que je donne dans d'autres colonnes concernant la littérature et le septième art. Mais oublions mes propres problèmes. Vous avez donc la vérole. Ça n'est pas une raison pour sombrer dans le marasme. »

Field haussa les épaules. On lui servit son café et son sandwich.

« Il doit y avoir autre chose.

– Non. Rien. Une semaine cafardeuse simplement.

– Qui vit avec vous ?

– Je l'ai virée le mois dernier. »

Crappe eut l'air soulagé.

« Vous n'êtes donc pas tenu de vous lancer dans des explications embarrassées du genre : “Non, pas ce soir, je suis fatigué”, ou encore : “Non, je me suis assis sur mes couilles et elles me font mal.”

– Quoi ?

– Ça arrive plus souvent que vous ne l'imaginez chez les hommes qui portent des caleçons, lesquels sont, et c'est leur côté positif, meilleurs pour l'élaboration du sperme que les slips serrés. En tout cas, si vos préférences vont aux caleçons, il ne faut jamais vous asseoir précipitamment sur un siège dur. Jamais. C'est, par ailleurs, l'explication que je préfère en cas de défaillance sexuelle. On ne peut y avoir recours que tous les cinq ans environ, le caractère inhabituel de cette indisposition rendant l'argument difficile à répéter. Mais quand vous l'utilisez, qui oserait mettre votre parole en doute ?

– Personne, Crappe.
– C'est exact. Personne.
– Votre femme, par exemple, vous croirait-elle ?
– Ma femme ? » Crappe parut stupéfait par la question. « Mais ce qui importe, ce n'est pas que l'on vous croie. L'essentiel est de leur donner une explication suffisamment plausible pour qu'elles puissent faire mine de vous croire sans passer pour naïves, voire stupides. Une femme d'expérience ne vous pardonnera jamais de paraître naïve à vos yeux. Elles détestent ça. »

Il vida sa bière et se remit à grignoter ses cacahuètes, une à une. Crappe, de notoriété publique, préférait être invité plutôt que de payer ses propres repas, chaque fois que c'était possible, et il pouvait faire durer une bière et quelques cacahuètes pendant des heures en attendant une invitation éventuelle.

« Je vous invite à déjeuner ?
– Non, Field. C'est très aimable à vous. Juste une bière, peut-être. » Lorsque la bouteille fut devant lui, il leva la tête, arborant une expression à la fois critique et sagace. « Je vais vous dire quel est votre problème. Le métier de journaliste vous manque. Vous avez besoin d'exercer une activité qui ait un sens.
– Crappe, si vous cessiez de me dire ça chaque fois que nous nous rencontrons ? Vous me rendez dingue.
– C'est un aveu. Une réaction excessive témoigne invariablement de la précision d'un jugement. Qu'êtes-vous devenu, Field ? Vous, le meilleur journaliste que je connaisse ? Vous êtes devenu un changeur du temple. Rien de plus.
– Moyennant quoi je gagne trois fois plus qu'avant.
– L'argent est une tentation. Je ne le conteste pas.
– Je ne suis pas obligé de me lever le matin. Je peux

prendre de longues vacances. Je peux mettre ma fille dans la meilleure université. »

Crappe haussa les épaules, comme s'il se sentait blessé par ces renseignements.

« Tentant. Tentant. Tout ça est très tentant.

– C'est vous, insista Field, qui avez renoncé à parler de la drogue dans cette ville pour écrire des articles sur les danseuses nues.

– Voilà que vous versez dans l'imprécision. Je dirai même plus : vous êtes dans l'erreur. Je perdais inutilement mon temps. Les chiffres, par exemple, sont éloquents. Un jour – alors que je me consacrais encore à la drogue – j'étais assis à mon bureau en train de lire les statistiques annuelles. Eh bien, lorsque j'ai eu fini, quelque chose était mort en moi. J'ai immédiatement envoyé ma démission. Trente-deux tonnes d'héroïne par an proviennent de cette région. Une demi-tonne, voilà ce que la police a saisi en tout. L'héroïne, c'est comme un commando de guérilla ; elle emprunte les voies de moindre résistance. Elle se terre. Elle circule dans les innombrables vallées de la société humaine. Je pouvais personnellement passer un an à dénoncer les crimes d'un certain trafiquant et les succès remportés par une certaine filière. Le jour où la police finissait par arrêter l'homme et par fermer cette vanne, le flot bifurquait simplement en direction d'une nouvelle vallée. Cette parodie de justice m'a amené à envisager les événements d'un point de vue d'historien. Désire-t-on vraiment endiguer ce flot ? Vous ? Moi ? Notre société ? Le trafic profite à trop de gens maintenant. Nous sommes comme les Chinois que l'Occident il y a une centaine d'années forçait à fumer l'opium. C'est maintenant le processus inverse. Pire. La moitié du temps, nous nous forçons nous-mêmes. Le sexe, en revanche, est une activité positive ; certainement plus importante que la drogue. Je me spécialise dans le désir et son assouvissement, Field ; les faiblesses humaines les plus importantes et les plus constantes. Je recherche à l'intérieur de moi-même la signification des fluides corporels.

– Et que trouvez-vous ?

– Disons simplement que je suis connu comme le plus grand marathonien de la ville. J'ai couché avec un tas de filles thaïes, mais je n'en ai épousé qu'une. »

Field esquissa un vague signe de tête, l'esprit ailleurs. Il avait toujours eu des difficultés à suivre une conversation. À une époque, il avait fait de gros efforts pour concentrer son attention sur une ligne de pensée, mais il avait depuis cessé de s'intéresser aux usages, un peu comme Crappe avait renoncé à dénoncer le trafic de drogue, et à partir de ce moment-là, il avait laissé son esprit errer à sa guise.

Crappe avait raison, bien entendu : Field n'éprouvait aucune satisfaction à colporter des meubles en rotin et des tracteurs dans le Sud-Est asiatique. Ce n'était pas l'écriture qui lui manquait. Non. C'était la charge d'adrénaline qui le galvanisait autrefois à chaque nouvelle enquête. Mais quand il mettait en balance ce plaisir disparu et son désir de continuer à vivre à Bangkok, le plateau penchait si nettement d'un côté que le choix était évident. On ne pouvait gagner assez d'argent à pondre le genre d'article que Field avait écrit pour pouvoir survivre dans une ville comme Bangkok lorsqu'on n'était plus tout jeune. Non pas que Field vécût maintenant de façon plus confortable que par le passé. En fait, il vivait moins bien. Il virait la majeure partie de son argent sur un compte numéroté à Hong Kong, ne gardant à Bangkok que le nécessaire pour vivre, et entretenir ses femmes, la mère de sa fille et, bien entendu, Songlin, sa fille.

Elle était le produit de ses premières amours à son arrivée en Thaïlande. Ses origines de prolétaire irlandais de Montréal avaient amené Field à considérer cette grossesse comme un piège tendu par une femme pauvre et inculte en vue de se procurer un billet pour l'Amérique du Nord. Il l'avait donc rejetée. En même temps, il avait commencé à l'entretenir plus libéralement qu'il ne s'entretenait lui-même, afin de s'assurer que sa fille était élevée convenablement. Cette paternité exercée par contrôle à distance était la plus grande réussite de sa vie. Songlin s'était révélée intelligente. Il avait réussi à la faire admettre à la Mater Dei, la meilleure école privée pour Thaïs, malgré ses origines catholiques. Et lorsqu'elle avait été diplômée en 1984, il avait payé pour la faire entrer à Chulalongkorn, l'université des jeunes gens riches et bien nés. Rien de tout cela n'aurait été possible si elle n'avait pas été douée. En fait, Field était convaincu qu'elle était beaucoup plus que simplement intelligente. L'argent qu'il avait amassé à Hong Kong était destiné à lui acheter la liberté de faire ce qu'elle voudrait dans la vie ; épouser le Thaï de son choix, se lancer dans les affaires, entrer dans le corps diplomatique. Tout comme Field résistait désespérément à la respectabilité pour lui-même, il était bien décidé à la lui assurer.

« Alors, où vais-je trouver le nouveau châssis le plus intéressant, Crappe ?

– Beaucoup de gens me posent cette question. Je suggérerais le Fire Cat cette semaine. La saison touristique est si mauvaise qu'elles se sont mises à danser les fesses à l'air.

– Ah. »

Crappe, déçu par la tiédeur de cette réaction, pinça les lèvres.

« Merci de m'avoir aimablement offert cette bière. Le monde de la vidéo m'attend. »

S'extirpant de derrière la table, il se dirigea vers la porte de sa démarche dandinante. Son pantalon avait une coupe à la taille si haute que la ceinture faisait l'effet d'un col autour du cou de sa silhouette en poire ou plutôt de ce qui lui en tenait lieu.

Field le vit disparaître par la porte, puis contempla d'un regard indécis les restes de son steak sandwich jusqu'à ce qu'il fût certain qu'il n'avait aucun message à lui transmettre ; il se leva alors brusquement et sortit dans la chaleur. Il enjamba avec soin le barrage de cinquante centimètres construit en arc de cercle devant l'entrée. Ce bourrelet en ciment grossier avait été décoré à l'origine, mais les pluies de l'année précédente avaient emporté les carreaux de céramique. Il hésita un moment sous le soleil, dont les rayons brûlants absorbaient sur sa peau la fraîcheur laissée par la climatisation. D'après Woodward, le meilleur traitement pour les maladies vénériennes, c'était le repos et l'abstinence dans tous les domaines. Il songea à rentrer chez lui se coucher. L'idée le laissa indifférent. Totalement indifférent.

À sa droite, contre un mur, quelqu'un avait peint une échelle des crues. 1983 détenait le record, avec un mètre d'eau environ déferlant sur la ville en septembre. Le problème n'était pas, bien entendu, la montée des eaux, mais le fait que la ville s'enfonçait ; jusqu'à douze centimètres par an. La médiocrité du réseau de distribution d'eau avait amené les gens à creuser des puits artésiens privés, près de dix mille en trente ans, et la ville, construite comme elle l'était sur la boue de l'estuaire du Chao Phraya, s'enfonçait un peu plus chaque fois qu'on ouvrait un robinet ou qu'on tirait une chasse d'eau. Après la tragédie de 1983, un gigantesque programme de contrôle des inondations avait été annoncé.

Field examina l'échelle des crues. Elle avait été peinte récemment. Peut-être était-ce une plaisanterie. Ou une protestation. Après tout, on était déjà en août, il restait moins d'un mois avant la grande crue d'automne, et les indispensables barrages et vannes de contrôle n'existaient toujours que sur le papier. Les seuls habitants assez fortunés ou influents pour faire promouvoir des mesures d'urgence n'étaient guère motivés, car ils possédaient les rares immeubles qui n'étaient pas en train de s'enfoncer, à savoir les nouveaux gratte-ciel édifiés sur des assises ancrées en profondeur. Field éclata de rire. Le cynisme était l'un des moyens faciles dans lesquels il puisait un certain réconfort.

Il contourna un amoncellement de bitume défoncé et de boue pour accéder à la route. De l'autre côté de Patpong, une banale enseigne – « RÉSIDENCE PAGA » – était accrochée à la façade d'un banal immeuble de trois étages. C'était là que Paga, reine de Patpong, avait commencé son ascension quinze ans auparavant. Elle était maintenant propriétaire d'une douzaine de bars et de salons de massage et contrôlait plus de cinq cents filles. Field monta les marches en bois jusqu'à une galerie délabrée sur laquelle donnaient un bar, un coiffeur pour hommes et un bureau, clos de vitrages maintenant la climatisation. Les appartements étaient situés à l'étage au-dessus. C'était de là que Paga dirigeait son empire.

La fille attendant sur la galerie l'avait interpellé avant même qu'il soit arrivé à sa hauteur.

« Bonjour, monsieur. Massage. Vous voulez massage ?

– Je veux voir Paga.

– Paga ? Vous voulez quoi ? »

Moulée dans sa robe de cocktail, elle souriait.

« Dis que c'est un ami.
– Grand ami ou petit ami ?
– Pourquoi ?
– Parce que peut-être elle dormir là-haut.
– Grand ami.
– Revenez plus tard quand même, O.K. ?
– Va, insista-t-il. Tu me connais. Dis-lui que c'est Field. »

Lui et Paga avaient débarqué tous les deux à Bangkok vingt ans auparavant et s'étaient rencontrés, pour ainsi dire, immédiatement. Elle avait vingt ans et était arrivée plus ou moins pieds nus d'un village du Nord-Est, traînant à sa suite ses trois enfants. Elle avait abandonné derrière elle dans les rizières l'homme qu'elle avait épousé sept ans plus tôt et avait commencé sa carrière à Bangkok comme hôtesse au Café de Paris à deux cent cinquante baht par mois ; environ dix dollars. Somme qu'elle pouvait doubler en couchant avec les clients. Field avait contribué modestement à ses gains en ramenant Paga chez lui trois fois en tout, mais déjà, à l'époque, elle était à la recherche d'hommes susceptibles d'arrondir son compte en banque. Elle avait en conséquence essayé de limiter l'usure de son corps en le réservant à des candidats possibles. Il lui avait suffi de jeter un coup d'œil au premier appartement de Field pour qu'il fût disqualifié. En revanche, ils étaient devenus des amis.

« Field, répéta-t-il, ne sachant plus trop s'il avait couché avec la fille. Allez. » Il lui donna une petite tape sur le derrière. « Va la prévenir. »

Elle le considérait d'un air indécis.

« Vous revenir plus tard, O.K. ? »

Sur quoi Paga arriva en courant de l'étage au-dessus.

« Tu vois, John. Tous les *farang* se ressemblent. » Elle l'empoigna par le bras en passant. « Tu viens avec moi. »

Ça n'était pas une suggestion.

Faisant pivoter Field sur lui-même, elle l'entraîna dans l'escalier. Une fois sur le trottoir, elle scruta le bout de la rue, le menton pointé en avant, l'air impatient.

« Mon fils... tellement lent ! Je devrais le renvoyer au village. Où est-il ?

– Beaucoup de travail ? »

Son menton se fit plus agressif encore. Il était large et volontaire. En fait, tout son visage évoquait une proue de navire.

Avec le temps son buste et sa croupe avaient atteint des dimensions respectables. Non qu'elle fût grosse. Non. Elle avait simplement pris des proportions qui témoignaient de sa réussite et sous-entendaient que son corps n'était plus à vendre. De toute façon, elle n'avait jamais été d'une grande beauté. Son succès auprès des hommes avait toujours étayé l'argument selon lequel le contenu primait le contenant. Elle portait un pantalon en polyester et un corsage lâche en coton.

« Le voilà ! » Elle se précipita sur la route et sauta à l'arrière d'un coupé Mercedes. « Où tu étais ? Où tu étais ? » Elle assena une claque sur l'épaule de son fils et le jeune garçon, maigre et anguleux, se ratatina sur son siège. Il ne dit mot, ne geignit même pas. « Phetchaburi Road. *Soï* 37. Allez, va ! » Ses doigts ronds et courts se posèrent sur la cuisse de Field qu'elle serra amicalement. « Beaucoup de travail tous les jours, John. J'ai passé ma matinée à former de nouvelles filles. »

Field se mit à rire.

« Qu'est-ce qu'il y a de drôle ? » Elle pointa son menton sur lui. « Quand j'ai ouvert mon premier bar, tu te rappelles, les affaires étaient pas fameuses. J'essaie tout, je change tout, mais c'est toujours pas fameux. Alors je comprends. D'abord, trouver les filles qu'il faut. Leur apprendre comment plaire aux hommes. Le sexe, seulement vingt pour cent. Dure quelques minutes. Important, mais la fille doit apprendre le reste. Comment faire pour que l'homme se sente un héros.

– Allons, allons, Paga.

– Mais si. Tous les hommes veulent être des héros. Alors j'apprends tout à mes filles. Comment faire l'amour. C'est la partie facile – comment bouger, comment faire des bruits, quand gémir, la façon de respirer. Tu connais tout ça, John. La partie difficile, c'est la façon de s'y prendre pour qu'un homme se sente bien. Tu comprends, l'homme, il veut être intelligent, alors la fille apprend à avoir l'air stupide. L'homme veut être lion, elle apprend à être agneau.

– Tu veux dire que je n'ai jamais donné une seconde de plaisir à personne ? En vingt ans ?

– Tu lui donnes de l'argent, John. L'argent, c'est une forme de plaisir, quand on n'en a pas. L'amitié peut-être. L'amitié, c'est une forme de plaisir quand une fille te connaît bien.

– Formidable, Paga. Formidable. Qu'est-ce qu'elle ressent, quand elle est avec un homme qui sait se servir de sa queue ?

– Oh, fit Paga, rejetant l'idée d'une notion aussi abstraite, elle ressent rien. Elle se demande comment faire mieux. Tu vas bien, John ? Tu n'as pas bonne mine. »

Field ne releva pas la question.

« Un demi-million de filles qui jouent la comédie ?

– Seulement les meilleures. C'est pourquoi mon métier, c'est comme une grande école de théâtre. Une bonne actrice, elle me rapporte de l'argent. Je suis pas maligne. Je me connais. Et la plupart des filles, elles sont exactement comme moi. Elles travaillent dur. Elles savent qu'elles peuvent jamais compter sur un homme. Les hommes, tous des merdes.

– Qu'est-ce qui te prend, Paga ? J'aurais bien besoin d'un peu d'encouragement aujourd'hui.

– Oh, toi, O.K. Une merde aussi, mais O.K. Pourquoi t'as l'air si cafardeux ?

– Peut-être que je n'ai pas une bonne actrice pour tenir ma maison en ce moment.

– Tu vieillis, John. Quand j'ai commencé, j'étais jeune. Maintenant, je suis vieille aussi, mais j'apprends. Toi tu apprends rien, John. Toujours un enfant. Leçon numéro un, la vie est simple. Tous les hommes veulent du sexe tout le temps. Ils peuvent pas, mais ils en ont envie. Pas les femmes. Pas tout le temps. Elles doivent apprendre comment faire l'amour même quand elles en ont pas envie. »

Wireless Road était complètement bloquée au-delà du carrefour devant eux, et le fils de Paga bifurqua à gauche dans Phloenchit Road sans regarder et dut freiner dans un hurlement de pneus, pris dans un embouteillage pire encore.

« Idiot ! »

Paga lui flanqua une taloche sur la tête. Ils se trouvaient en face de l'ambassade britannique et Paga tendit la main vers la haute statue de la reine Victoria qui se dressait sur une vaste pelouse entre la grille et la façade de l'immeuble.

« Elle est obligée de faire l'amour tout le temps.

– Ça en valait la peine. » Field vit que des guirlandes étaient accrochées au cou de la statue. « Si elle n'avait pas été baisée si souvent, personne ici ne se souviendrait d'elle. »

La reine Victoria avait la réputation en Thaïlande

d'être une déesse de la Fertilité. Les femmes qui n'arrivaient pas à avoir d'enfants lui apportaient des cadeaux.

« Ne sois pas idiot, John. S'il suffit de coucher avec des hommes, je connais un tas de femmes comme elle. » Paga se pencha brusquement en avant par-dessus l'épaule de son fils pour klaxonner. Un rictus d'impatience lui retroussait les lèvres, découvrant deux rangées de petites dents régulières et serrées. « J'ai jamais aimé Bangkok. Bangkok, c'est un endroit où gagner de l'argent. Mais tu sais, l'air malpropre me rend malade. Une heure dans un embouteillage, et je suis malade pendant un mois.

– Retourne dans les rizières.

– Tu ris, mais bientôt j'y retourne. Tu verras. »

Ils restèrent encore une demi-heure dans la voiture. Le secret de la vie à Bangkok, si vous étiez soit très occupé, soit délicat, c'était de vous rendre au minimum d'endroits dans la même journée, car chaque trajet prenait entre une demi-heure et une heure.

Lorsque Field vit qu'ils quittaient Phetchaburi pour emprunter une petite allée parallèle à la voie express surélevée, il se tourna, surpris, vers Paga.

« Nous allons à cet hôtel chinois ? »

Elle acquiesça d'un signe de tête indifférent.

« Tu n'es pas en cheville avec eux ?

– Associée, disons plutôt. Leurs filles, qui peut les former ? Si personne les forme, elles valent rien quand elles grandissent. Qu'est-ce qu'elles font alors ? Elles ont rien dans les mains. Tu y vas quelquefois ? »

Field secoua la tête.

« Elles me rappellent ma fille. »

Elle accueillit cette remarque avec détachement.

« C'est la seule raison ?

– Ça me déplaît aussi qu'une fille soit bouclée. Ça

enlève, disons, le peu qui reste du sentiment de vivre une aventure. »

Field vit que Paga n'avait pas compris qu'il plaisantait.

« Ça ne gêne pas les autres *farang*. »

Il haussa les épaules.

« Ou les Thaïs. Tu fais de la morale ? »

Elle n'eut pas le temps de répondre. Ils étaient arrivés dans la cour et Paga descendait déjà de voiture et se dirigeait vers la bâtisse en béton de trois étages. L'entrée et l'escalier étaient en ciment brut, avec pour seul élément décoratif un vieillard chaussé de tongs en caoutchouc qui leur indiqua l'escalier alors qu'ils le gravissaient déjà. Le premier palier était occupé par deux hommes vautrés dans de médiocres fauteuils en train d'écouter un transistor tonitruant. Les échos de *Born in U.S.A.* se répercutaient dans la cage de l'escalier.

« Les gardiens du zoo ? » demanda Field.

Paga acquiesça et continua à monter. Au deuxième palier, une douzaine environ de filles très jeunes étaient accroupies par terre en train de se coiffer mutuellement, ou se tenaient debout, bavardant et se limant les ongles. À l'apparition de Paga elles levèrent la tête et observèrent le silence ; un silence respectueux. À gauche et à droite s'étendait un couloir sur lequel s'ouvraient une soixantaine de portes. D'autres filles sortaient de leurs chambres ou y entraient, dans un léger brouhaha de voix. Il était encore tôt pour le travail, et la plupart étaient donc en jean, en short ou en sarong. Quelques-unes portaient déjà des robes de cocktail, lourdement maquillées comme des adultes. À côté des autres sans apprêt, leur déguisement ne donnait pas le change. On avait l'impression de voir des petites filles jouant à la dame. Elles avaient toutes entre douze et dix-huit ans et souriaient avec empressement à Paga qui cherchait quelqu'un des yeux.

« On m'aime bien ici. Je suis populaire. Je viens donner mes leçons et, quelquefois, j'emmène les plus grandes si elles sont douées et je leur donne un travail décent.

– Décent ?

– Sans être bouclées. » Elle haussa le ton pour demander, à personne en particulier : « Où est Yang ? » Il n'y eut pas de réponse. « Yang ! » Elle frappa dans ses mains par deux fois d'un coup sec qui résonna dans le couloir. « Yang ! » Elle frappa dans ses mains de nouveau.

Un homme sortit de l'une des chambres, avec la mine chiffonnée de quelqu'un qu'on vient de réveiller. Il reprit ses esprits en s'engageant dans le couloir et rejoignit les autres. En pantalon blanc et chemise sans col ouverte sur une poitrine glabre où brillaient deux chaînes en or. Il donnait l'impression d'un élégant Californien. Sur la défensive, il déclara d'une voix geignarde : « Je vous ai attendue toute la journée. »

Le visage méprisant, Paga ne parut pas entendre ses récriminations.

« Où est la fille ? demanda-t-elle.

– Qui c'est, celui-là ?

– Monsieur Field, inspecteur de la santé. »

La stupeur se peignit sur le visage de Yang.

« Comment ça, inspecteur de la santé ?

– Tu ne comprends pas ce qu'on te dit ? Va chercher la fille. »

Elle poussa Yang d'un geste brusque et, lorsqu'il eut le dos tourné, regarda Field en haussant le sourcil pour lui faire signe de garder le silence.

Yang les conduisit à une chambre sans doute semblable aux autres, sauf qu'elle contenait quatre chaises et qu'il n'y avait pas de lit ; une sorte de salle de réception où les clients pouvaient choisir une fille. Yang gratifia Field d'un regard intrigué, puis sortit, fermant la porte derrière lui.

« Qu'est-ce que c'est que cette histoire d'inspecteur ? chuchota Field.

– J'ai inventé, répondit Paga, très contente d'elle-même.

– Je le sais bien.

– Yang est un porc. Fais-le souffrir. O.K. ? »

La porte se rouvrit et Yang apparut, poussant une fille devant lui. Vêtue d'un sarong marron, elle paraissait des plus banales, mais en présence de Paga, il est vrai, toute autre femme était ravalée au rang d'une ombre.

Elle hurla en thaï à la fille :

« Alors, tu es encore malade. Comment tu fais ? Tu dois pas travailler. Alors ? Il t'a fait travailler ? »

La fille, sans lever les yeux, secoua la tête.

« Ça ne s'attrape pas dans les courants d'air. Alors, lequel ment ? Yang, tu l'as fait travailler ?

– Non !

– Tu t'imagines que je te crois ? Tu la forcerais à mentir. » Elle se retourna vers la fille. « Alors, tu as mal ?

– Oui. Très mal.

– Comme la dernière fois ? »

La fille hésita, essayant de décider ce qui pouvait bien être le pire ; la douleur ou les ennuis qu'elle lui procurait.

« Un peu.

– Et tu as des pertes ?

– Oui.

– Idiote. Montre-moi ta cicatrice. »

La fille retroussa son sarong. Elle portait une culotte en dentelle de coton et juste au-dessus une cicatrice de quinze centimètres lui barrait le ventre.

« Tu ne peux pas danser avec ça. »

Field s'avança pour regarder. Quand il effleura la peau

de la fille, il la sentit trembler et, levant la tête, il vit qu'elle avait les yeux rivés sur lui, comme si elle s'attendait à être frappée. Elle avait le regard d'une enfant terrifiée. Il lui adressa un petit sourire et elle ferma brusquement les yeux. La cicatrice était fine et nette. Les chirurgiens thaïs étaient très habiles, mais Paga avait raison. On ne peut pas onduler de l'abdomen, si joli soit-il, sous des projecteurs soulignant une cicatrice de quinze centimètres. Elle pouvait, évidemment, devenir masseuse. Les masseuses ne dansaient pas et ne se déshabillaient pas, sinon intégralement et pour passer à l'action, et à ce stade une cicatrice n'aurait sans doute aucune importance.

Si la fille n'avait pas été aussi visiblement terrifiée par tous ceux qui se trouvaient dans la pièce, Yang en particulier, Field aurait consenti à reconnaître qu'il n'avait pas été indifférent à ses longues jambes droites et ses cuisses harmonieuses. Pour son âge, elle était plus grande que la plupart des filles du Nord – il la supposait du Nord –, et au lieu d'en avoir les formes douces et arrondies, elle était large d'épaules, avec un long cou.

« Que s'est-il passé ? » demanda-t-il.

Yang de nouveau adopta une attitude défensive.

« Elle a été infectée, comme tout le monde. Je veux dire, comme ça peut arriver à tout le monde.

– Monsieur Field, intervint Paga, il fait enquête sur maladies vénériennes à Bangkok. La police attend son rapport. » En réponse à la question que Yang n'osait pas poser, elle ajouta : « La police a besoin de mon aide.

– C'était simplement une gonorrhée, insista Yang. Je veux dire, rien de spécial.

– Alors, c'est quoi, cette cicatrice ? demanda Field, faisant signe à la fille de baisser son sarong.

– Elle s'est pas fait soigner à temps.

– Yang dirige une maison très sale, ajouta Paga. Je

trouve cette fille dans sa chambre, un jour, à moitié morte, alors je l'emmène chez le docteur. Il dit, elle est tellement infectée, quelque chose a explosé. Je sais pas.

– Cette fille n'est pas très prudente, reprit Yang, tentant à nouveau de se justifier. C'est elle qui est sale, je crois bien. Elle attrape des maladies trop facilement.

– Facilement ? » Field prit l'air inquiet. « Vous voulez dire qu'elle n'a aucune défense contre la maladie ? Nous craignons la propagation du sida parmi la population des prostituées. Je crois que nous allons être obligés de fermer votre établissement pendant que nous lui faisons subir des tests.

– Non, c'est seulement la chaude-pisse ! La chaude-pisse ! » Yang se rua hors de la pièce et revint un instant plus tard avec une grosse enveloppe marron qu'il colla entre les mains de Field. « Elle n'a rien de plus. De toute façon, je ne la veux plus. Elle va filer d'ici aujourd'hui même. » Il indiqua l'enveloppe. « Regardez là-dedans. »

Field jeta un coup d'œil aux documents. C'étaient des résultats d'analyses et des radios. Les termes médicaux n'avaient aucun sens pour lui. Field tendit le tout à Yang, mais Yang refusa de prendre le paquet comme si les documents eux-mêmes étaient contagieux, et il laissa tomber l'enveloppe sur une chaise.

La fille écoutait avec une attention passionnée, ne comprenant sans doute qu'à demi cette conversation en anglais.

« Vous pouvez la prendre, dit Yang à Paga, ou elle peut retourner dans son village. Ta famille, ajouta-t-il à l'adresse de la fille d'un ton menaçant, devra me rembourser mes trois mille baht.

– Mes parents morts.

– Menteuse ! »

Paga de nouveau manifesta son impatience.

« De toute façon, tu ne récupéreras jamais ton argent.
– Quel âge a-t-elle ? demanda Field.
– Dix-sept ans, répondit Yang avec amertume. Je l'ai eue sur contrat par l'agent du village il y a trois ans. Douze mille baht. Elle en a encore pour un an d'après le contrat. Ils me doivent trois mille baht. »
Field, qui commençait à éprouver une forte aversion pour Yang, intervint.
« Vous gagnez plus que ça grâce à elle en deux nuits.
– Ça n'a rien à voir avec le contrat. Et ces six derniers mois, elle a été malade quatre mois. Elle est toujours malade, cette fille. Elle vaut rien. »
Paga secoua la tête.
« Je peux pas la prendre. Trop jeune pour moi. Pas assez d'expérience. Sans cette cicatrice, je la prendrais comme entraîneuse. Un travail facile, mais pas possible avec la cicatrice. Tu l'as montrée au docteur cette fois, Yang ?
– Non. Elle m'a dit hier seulement qu'elle était malade. Vous vous êtes occupée d'elle la dernière fois, alors je vous ai appelée. Vous la prenez et je vous donne le contrat pour deux mille cinq cents.
– Et je paie encore le docteur. Et je la loge pendant qu'elle est malade. Pas question. »
La fille se laissa tomber à genoux et joignit les mains en un geste de prière avant de gémir à voix basse : « Khun Paga. Khun Paga. S'il vous plaît, Khun Paga. »
Son expression de supplication avait un côté théâtral, ce qui en un sens la rendait encore plus pathétique.
Elle eut le don, néanmoins, d'augmenter encore la fureur de Paga qui commençait à voir dans cette affaire une tentative de Yang pour la rouler et lui refiler une marchandise avariée. La fille la suppliait, bien sûr. Que pouvait-elle faire d'autre ?

« Tu la soignes d'abord, Yang. Après on parlera.
– Non. Si vous ne la prenez pas, je la jette dehors.
– Khun Paga ! Khun Paga ! »
Yang lança violemment le poing en direction de la fille.
« Ferme-la ! »
Field tenta de s'interposer, mais il était trop loin et elle réussit à esquiver elle-même le coup sans baisser ses mains jointes.
« Khun Paga ! Khun Paga ! »
Paga était sur le point de perdre son sang-froid et, de peur d'en arriver là, elle se détourna pour partir, entraînant Field derrière elle. Une fois dans le couloir, il se retourna pour jeter un rapide coup d'œil dans la pièce. La fille avait pivoté sur les genoux et, face à la porte, psalmodiait toujours « Khun Paga ! » bien que celle-ci eût déjà disparu de sa vue. Le regard de la fille, cependant, n'était pas fixé sur la porte, mais de côté sur le poing de Yang, toujours fermé et demi levé. Ses grands yeux clairs étaient remplis de terreur. Ses cheveux noirs et lisses lui tombaient jusqu'au creux des reins.
« Je rachète le contrat. »
Field ne se rendit compte de ce qu'il disait que lorsque les mots lui revinrent, comme répercutés par les murs du couloir.
Un bref silence s'ensuivit, finalement rompu par Paga, toujours invisible.
« Tu es idiot, Field. Elle est malade.
– Ça m'est égal. » Il retourna dans la pièce, et dévisagea Yang avec une répugnance qu'il ne pouvait contrôler. « Je veux le contrat.
– Imbécile ! hurla Paga en venant le rejoindre. Le contrat vaut rien. Il dit qu'il la jette dehors. Tu peux l'avoir gratis. »

Yang comprit soudain que le *farang* n'était pas un inspecteur de la santé, mais simplement un autre client.

« Non, à faut qu'il paie. S'il la veut, c'est trois mille baht.

– Tu as dit deux mille cinq cents.

– Pour vous, Paga. Pas pour un *farang*. Trois mille baht pour lui. La fille est jolie quand elle est pas malade. »

Field se rua sur Yang et l'empoigna par sa chemise.

« Ferme ta sale gueule, tu m'entends ! Ferme-la ! Et maintenant va chercher le contrat et ses papiers. Va. »

Il le projeta en direction de la porte et Yang rétablit de justesse son équilibre.

Ni Paga ni Field n'échangèrent une parole tandis qu'ils attendaient. La fille avait cessé sa supplique, mais demeurait agenouillée, les mains levées, paumes jointes, regardant tour à tour l'homme et la femme. Yang réapparut avec une deuxième enveloppe marron, dont il tira le contrat passé entre les parents de la fille et le délégué du village. Il avait été ensuite contresigné au dos par le délégué et Yang, qui s'assit pour y ajouter maintenant au dos un codicille détaillé transmettant la fille à Field. Puis il signa avant de tendre la plume et le contrat. Field y griffonna son nom. Alors seulement Yang esquissa un sourire. Il sortit de l'enveloppe la carte d'identité de la fille et son permis de résidence qu'il montra de loin, se tenant entre la porte et Field qui sortit son portefeuille et en tira trois mille baht – cent onze dollars U.S., calcula-t-il mentalement – qu'il donna en échange des cartes.

« Va chercher tes affaires », dit-il à la fille.

À genoux elle se traîna hors de la pièce, les mains toujours jointes, et les trois autres attendirent sans mot dire pendant cinq minutes ; le silence ne fut rompu qu'une fois, par Yang, qui murmura : « C'est une bonne affaire, pour un *farang*. »

Paga dut lire une sorte de menace dans ce commentaire car elle s'en prit brusquement à lui.

« Si tu vas trouver la police, Yang, tu paieras cher. O.K. ? » Il ne fit aucun commentaire. « O.K. ! » insista-t-elle. Cette fois, il semblait avoir compris. « Tu paieras très cher, répéta Paga avec satisfaction. Une nuit pendant que tu dors, une de tes filles, elle te coupe les couilles. Voilà comment tu paies cher. Comme ça ou autrement. Tu entends ? »

La fille réapparut avec un de ces petits sacs en plastique que distribuent les compagnies aériennes. Elle portait une robe de cocktail vert pâle ornée d'un ruché en bas et elle s'était mis du rouge à lèvres et du mascara. Field trouva le résultat grotesque – il détestait le vert en toutes circonstances –, mais sans rien dire il saisit l'enveloppe contenant le dossier médical avant de pousser la fille devant lui, lui faisant traverser le groupe de cinquante et quelques adolescentes attirées par les vociférations. Il se fraya un passage parmi elles, les dominant de toute sa hauteur. Les deux gardiens du zoo au premier étage les regardèrent passer sans la moindre curiosité. Field fonctionnait au pilotage automatique. Dans la cour, Paga le rattrapa et le prit par le bras.

« Où tu veux aller, John ?

– Je vais prendre un taxi, répondit Field qui se dégagea et poursuivit son chemin sans trop savoir dans quelle direction.

– À bientôt », lança-t-elle derrière eux.

Il descendit l'allée vers Phetchaburi Road, tenant fermement par le bras la fille qu'il contraignait à suivre son allure. Une fois dans la rue, l'humidité et la chaleur l'assaillirent, en même temps que le vacarme de la circulation et les vapeurs bleuâtres des gaz d'échappement. Ainsi se trouva-t-il replongé de force dans la réalité. Il commença à se juger stupide. Qu'est-ce qu'il lui avait pris ? Il regarda la fille. Elle était ridicule. Il héla un taxi, ne sachant toujours pas trop où aller. Le vert lui donnait l'air aussi malade qu'elle l'était probablement. Michael Woodward, pensa-t-il. Michael Woodward devait se trouver encore à sa clinique des bas quartiers près du port. Le chauffeur de taxi, impatient, penchait la tête à sa portière.

« Klong Toey, lui dit Field.

– Quatre-vingts baht, m'sieu. »

Sans trouver l'énergie de marchander, il poussa la fille pour la faire monter devant lui. La radio diffusait une musique geignarde.

« Mal au crâne, se plaignit Field en indiquant sa propre tête. Arrête. » Lorsqu'ils furent sur la voie express surélevée, au-dessus des toits de la ville, roulant en direction du fleuve, il regarda la fille de nouveau. « Comment t'appelles-tu ?

– Ao.

– Ao, répéta-t-il.

– Ao », confirma-t-elle, et elle posa la main sur sa cuisse pour la serrer.

Il baissa les yeux et remarqua la finesse de ses doigts. Ses ongles étaient sales sous le vernis mauve. Il ressentit dans le bas-ventre une douleur fulgurante et, levant la main de la fille, la lui reposa sur la cuisse. Tournant les yeux de l'autre côté, il regarda défiler sous eux les toits en tôle de la ville.

Chapitre 3

Le taxi déposa Field et la fille sur une bande de terrain vague, à proximité du port en bordure des bas quartiers de Klong Toey. Un vent brûlant, soufflant en rafales, faisait tournoyer la terre meuble autour d'eux. D'ici quelques minutes ces turbulences seraient suivies par la pluie de l'après-midi. Field empoigna Ao par le bras et l'entraîna rapidement vers une sorte de passerelle surélevée qui serpentait à travers une masse de cabanes en bois construites au-dessus d'un marécage le long du Chao Phraya, la rivière qui sépare Bangkok de Thonburi. Les quarante mille pauvres entassés dans ces taudis n'étaient séparés de la terre ferme et d'un quartier relativement prospère de la ville que par une large route. Ils vivaient au-dessus de cinquante centimètres d'eau et atteignaient leurs maisons grâce à un labyrinthe de passages surélevés reposant, tout comme les maisons, sur une forêt de poteaux en bois.

Field n'avait entraîné la fille que sur quelques mètres lorsque ses talons hauts se coincèrent dans les interstices des planches.

« Hé, m'sieur... », lança-t-elle.

Field s'arrêta le temps de lui laisser enlever ses chaussures. Il connaissait vaguement le chemin à travers ce labyrinthe. Les larges planches solidement ajustées de la passerelle cédaient vite le pas à un assemblage précaire de bouts de bois disparates. En outre, le long de ce chapelet sans fin de cabanes identiques de part et d'autre, les seuls points de repère étaient, de loin en loin, une maison plus solide et plus grande. Lorsque l'un des habitants avait réussi dans la vie, il ne traversait pas nécessairement la route pour aller s'installer dans une maison en ciment de Bangkok dont il était séparé à la fois sur les plans physique et mental. Il préférait souvent rester où il était et remplacer sa cabane par un nouveau logis en bois monté sur des pilotis neufs. Alors que partout ailleurs dans la ville cette construction aurait paru moins que médiocre, ici, à Klong Toey, elle faisait figure de palais.

Malgré ces divers points de repère, Field se perdit à deux reprises et dut demander son chemin. Chaque fois il entraîna Ao à sa suite sous un porche. L'usage au milieu de ces taudis interdisait que l'on se tînt immobile sur ces étroites passerelles où un embouteillage pouvait se créer en quelques secondes. Ils progressaient depuis dix minutes dans le labyrinthe lorsque la pluie commença à tomber, drue, torrentielle, les trempant instantanément. Field chercha des yeux un porche où s'abriter, mais aucun ne semblait lui convenir et il poursuivit sa route, hâtant le pas, jetant un coup d'œil en arrière pour s'assurer qu'Ao le suivait. La pluie avait plaqué sa robe sur son corps et délayé le mascara sur son visage. Elle s'appliquait tellement à faire ce qu'on lui disait qu'elle ne songeait pas même à protester.

Les planches devinrent bientôt aussi glissantes que si elles avaient été passées au savon et Field, avec ses souliers à semelle de cuir, commença à déraper à chaque pas. Il s'arrêta pour ôter ses chaussures ainsi que ses chaussettes et les tint par-dessus les deux enveloppes marron de la fille, qu'il avait plaquées contre son ventre pour les protéger tant bien que mal de la pluie.

Tout le monde avait disparu à l'intérieur, et ils se retrouvaient donc seuls, avançant dans un monde silencieux. Loin des voitures, des *tuc-tuc* et des bus dont Bangkok était envahi et dans un air pur et limpide, sans trace de gaz d'échappement. Curieusement le gouvernement avait enfoui des fosses septiques dans la boue, si bien que l'eau ne sentait pas mauvais. Et si les quarante mille habitants jetaient leurs ordures par les fenêtres, il n'y en avait guère dans les taudis et tout ce qui aurait pu pourrir disparaissait, sans doute mangé par les poissons.

Field trouva Michael Woodward près du centre du quartier, dans une cabane construite en bordure d'une petite place, elle-même couverte, en partie seulement, par des planches disposées irrégulièrement et à des hauteurs différentes.

En face était disposé l'éventaire d'une boutique et un immeuble administratif fermait le troisième côté. La partie par laquelle ils étaient arrivés s'ouvrait sur un massif de lis d'eau.

La cabane de Woodward ne comportait pas de façade – seulement une grille qui restait ouverte durant la journée – et Field, avant même d'entrer, put voir la foule de femmes et d'enfants qui attendaient, assis par terre, tandis que Woodward, dans un angle, à l'avant de la pièce, examinait la bouche d'un petit garçon. Plus rien en lui n'indiquait qu'il fût un médecin anglais. Il portait maintenant un pantalon de coton noir informe et une chemise flottante sans col en grosse toile. Sur une table à côté de lui étaient posés un chapeau de paille rond et un grand sac en toile. Il était chaussé de sandales. Cet uniforme, celui des paysans du Nord, était le seul que portait Woodward, partout et toujours, sauf quand il travaillait au Centre hospitalier de Bangkok.

« Bonjour, saint Meechaï », cria Field depuis l'entrée, s'arrêtant un instant pour se lisser les cheveux de la main. L'eau qu'il en chassa lui dégoulina dans le cou. Il laissa tomber ses chaussures sur le sol et pressa les deux enveloppes pour en extraire l'eau. « Je t'ai amené une cliente », ajouta-t-il.

Woodward releva la tête, l'air excédé. Lorsqu'il reconnut Field, ruisselant de pluie, son irritation se mua en stupeur. « Qu'est-ce que tu fais là ? »

Ces quelques mots en anglais firent sensation parmi les femmes accroupies par terre. Elles n'avaient encore jamais entendu Meechaï parler anglais.

« Je viens de te le dire. Je t'ai amené une cliente. Où sont tes amis saint Pierre et la Vierge Marie ? »

Field faisait allusion à un prêtre américain, le père Peter, et à une religieuse chinoise, sœur Mary, qui vivaient et travaillaient dans les bidonvilles depuis des années. Woodward, bouddhiste, était un nouveau venu, puisqu'il n'était là que depuis onze ans. Il remarqua Ao, debout derrière Field. Les chaussures à hauts talons qu'elle tenait à la main, le mascara épais, la robe de cocktail, tout révélait sans équivoque sa profession.

« Amène-la au Centre demain matin.

– Impossible. » Field tendit l'enveloppe contenant le dossier médical de la fille. « Elle a failli mourir il y a un mois et elle présente de nouveau les mêmes symptômes. Ne me regarde pas comme ça, docteur Meechaï, lis donc ces foutus papiers. »

Woodward donna au petit garçon qu'il examinait une tape sur l'épaule et lui dit d'aller attendre avec les autres. L'enfant avait un bec-de-lièvre. Les papiers à l'intérieur de l'enveloppe étaient humides, mais l'encre n'avait pas coulé. Woodward les étala sur la table et les examina durant quelques minutes, puis il pivota en direction d'Ao, qui se tenait sur le pas de la porte, juste à l'abri de la pluie, pour lui faire signe d'entrer.

« Où l'as-tu trouvée ?

– Dans un hôtel chinois près de Petchaburi. »

Woodward opina du bonnet, sans faire de commentaire. Il regarda de nouveau Ao, qui se tenait maintenant près de lui.

« Ils t'ont laissé l'emmener ?

– J'ai payé », répondit Field, évasif.

Le docteur réfléchit un instant, puis envoya Ao dans un angle de la pièce où était disposée une table d'examen. Il déplia un paravent rudimentaire, laissant Field et le groupe de malades de l'autre côté. Field jeta sur les femmes de Klong Toey un regard circulaire. Toutes avaient les yeux fixés sur lui. Au bout d'un moment, Woodward et Ao entamèrent une conversation inaudible.

« Alors, de quoi s'agit, hein ? » lança Field.

Sa question demeura tout d'abord sans réponse, puis la voix de Woodward lui parvint à travers l'écran de carton.

« Elle a une blennorragie, sans doute comme toi pour la énième fois. Le dossier ne le précise pas, mais elle a dû prendre des antibiotiques pendant des mois à titre préventif, ce qui a eu simplement pour résultat de la rendre rebelle à tout traitement. Elle ne s'est pas débarrassée complètement de cette infection en particulier. Les microbes ont essaimé. Ils ont infecté les trompes où ils ont petit à petit formé une grosseur – un abcès, si tu préfères. Cette grosseur ne pouvait passer inaperçue, pas pour elle en tout cas, et elle devait souffrir de plus en plus. Elle a probablement caché son état et essayé de se soigner elle-même. Puis l'abcès a crevé et elle a fait une péritonite à gonocoques. C'est l'équivalent d'une rupture d'appendice, mais en plus dangereux et plus déplaisant. Après, elle s'est retrouvée je ne sais comment à l'hôpital, dans un état désespéré, je dirai. Étant donné l'endroit où tu l'as trouvée, je m'étonne que ses propriétaires ne l'aient pas tout simplement laissée mourir. À l'hôpital on l'a opérée, curetée et on lui a enlevé la trompe infectée. L'autre, à mon avis, est sûrement hors d'usage après tout ça, voici donc une nouvelle victoire de notre programme de contrôle des naissances. Une victoire pas très glorieuse. » Il se remit à interroger Ao à voix basse en thaï, puis sortit de derrière l'écran. « Enfin, il n'y a pas de nouvel abcès ; pas encore apparent, en tout cas. Elle doit être infectée de nouveau. Voilà tout. Et salement. Peut-être dans l'autre trompe. Elle dit qu'elle n'a pas eu d'homme depuis l'opération, ce qui est fort plausible. Un abcès qui crève ainsi, c'est comme une explosion nucléaire. Il y a des retombées partout et, du coup, il est très difficile de déceler l'infection où elle sévit et de la guérir. Amène-la à l'hôpital demain matin quand tu viendras pour ta piqûre. Je lui ferai un prélèvement. »

Woodward se détourna et appela d'un signe le petit garçon au bec-de-lièvre. Lorsque Ao réapparut, Field sortit sans un mot. Il était déjà dehors sous la pluie lorsque Woodward lui lança, comme si l'idée lui venait seulement à l'esprit : « Tu es devenu dingue ou quoi ?

– Moi ? Pourquoi ?

– Tu me parais, comment dirai-je... préoccupé ?

– Mouillé simplement. »

Field écarta les bras, les paumes ouvertes comme pour recueillir la pluie, mais n'essaya pas de revenir à l'abri.

« La fille dit que tu as acheté son contrat.

– Et alors ?

– C'était bon marché. » N'ayant pas obtenu un sourire

de son ami, Field ajouta, sur la défensive. « De quoi s'agit-il, d'un numéro de moralité de la part de Meechaï ?

– Je suis médecin. La médecine s'occupe des corps, pas de moralité. Je le sais mieux que n'importe qui. Lorsque je soigne tous ces gens gratuitement, ajouta-t-il en indiquant les malades accroupis par terre, Bangkok dit que je suis un saint. Lorsque je réclame à cor et à cri des structures médicales correctes pour tous les pauvres qui habitent ici, Bangkok m'accuse de communisme. Non. Non. Je trouve simplement que c'est de la folie.

– Je suis dans le commerce, Meechaï ; je vends et j'achète. »

Du coup, Woodward se mit à rire et se tourna vers l'enfant au bec-de-lièvre.

La pluie avait diminué d'intensité, mais Field semblait bien décidé à ne pas attendre qu'elle s'arrête et il fit signe à Ao de le suivre sur la passerelle en planches. La température avait baissé, mais l'humidité s'était accrue, comme après chaque averse, lorsque la touffeur montait du sol, des murs et des toits brûlants. La ville tout entière était transformée en bain de vapeur. C'était étrange, songea-t-il, mais à l'instant où Woodward changeait de vêtements et quittait le Centre hospitalier, son anglais devenait sobre et efficace.

Field habitait *soï* 53 – ruelle 53 –, près de Sukhumwit Road, une petite maison qu'il louait dans un ensemble comportant cinq autres habitations. Pour un domaine du quartier de Sukhumwit, celui-ci était au bord de la décrépitude. Le propriétaire, un Chinois qui vivait dans le luxe non loin de là, ne gaspillait pas d'argent à entretenir les terrains. Il y avait un seul jardinier, inefficace, pour un espace qui en aurait nécessité quatre et qui, de ce fait, envahi de végétation, était presque devenu une jungle. Le gardien à la grille principale ne leva même pas les yeux lorsque Field entra en compagnie d'Ao. Il était très occupé à s'épiler les poils du menton avec une pince. Field habitait sur la gauche derrière un bouquet d'arbres.

Le principal attrait de la maison se découvrait du côté opposé à l'entrée. Là, au rez-de-chaussée, la pièce qui tenait lieu à la fois de salle à manger et de living-room, prolongée par un balcon de bois surélevé, ouvrait directement sur un canal dont l'isolait une longue cloison treillissée. Comme la plupart des *klong* de Bangkok, celui-ci n'était plus relié au réseau principal de canalisations et formait donc une étendue pittoresque mais stagnante, où proliféraient les lis aquatiques et plus encore les moustiques. En haut, il y avait deux chambres à coucher et une salle de bains. À l'extérieur, à côté de la petite entrée à l'arrière, se trouvait une hutte qui tenait lieu de logement pour les domestiques. Durant la majeure partie des quinze années où Field avait habité là, ce logement était resté vide.

Il avait vécu avec une série de filles, chacune d'entre elles arrivée de fraîche date à Bangkok de son village, comme toutes ses compagnes qui animaient la vie nocturne et marginale de la ville. Si elles en étaient capables, il les utilisait également comme cuisinières et laveuses. Non par avarice : après tout, on pouvait engager une bonne pour quarante dollars par mois. Mais Field détestait avoir affaire à des domestiques. Il trouvait déjà suffisamment difficile de se débrouiller avec les filles qui partageaient son lit.

Pour un *farang*, vivre aussi simplement était considéré comme inhabituel, voire déplaisant. Lorsque Field avait jeté dehors sa dernière fille un mois plus tôt, il s'était adressé à une vieille femme qui, au long des années, lui avait de temps à autre lavé son linge et qui faisait assez correctement la cuisine thaïe. Cette fois, il lui avait demandé de venir s'installer chez lui pour tenir sa maison. Il avait accepté à contrecœur qu'elle amenât avec elle un petit-fils, âgé de vingt ans, qui jouerait le rôle de gardien de nuit, moyennant vingt-cinq dollars de plus.

Céder à la nécessité d'engager des serviteurs payés lui avait paru sur le moment comme un pas gigantesque en direction de la respectabilité, qui était bien le dernier de ses soucis. La vieille femme, néanmoins, s'était révélée si négligente et indisciplinée que, tout compte fait, la vie de Field était devenue encore plus désordonnée qu'avant.

Le seul miracle dans tout cela, c'est qu'il continuait à se débrouiller, comme il l'avait toujours fait pour sortir de chez lui chaque jour impeccablement vêtu, dans un style à la fois décontracté et soigné ; ce dont la plupart des *farang* étaient bien incapables, malgré leur domesticité. Mais bien sûr, ils n'étaient pas vraiment heureux dans l'atmosphère moite et polluée de Bangkok. Ils se traînaient de leurs pièces climatisées à leurs voitures climatisées et à l'instant même où ils entraient en contact avec l'air normal, eux et leur polyester se mettaient à suer, se fanaient, se chiffonnaient.

Field avait hérité son obsession de la propreté de son enfance, à la fin de la crise, lorsque pour survivre moralement il était essentiel d'avoir des chaussures cirées et de paraître plus à l'aise qu'on ne l'était en réalité. Peu lui importait que son aspect méticuleux fût en contradiction flagrante avec son goût pour un air surchauffé et pollué qui pour lui était comme un parfum. En fait, il tirait de cette contradiction une vive satisfaction.

Il se débarrassa de ses chaussures mouillées à côté d'une rangée d'autres chaussures à l'extérieur sur le porche arrière, puis ouvrit à la volée la porte treillissée.

« Yaï ! »

Personne ne vint. Il fit quelques pas, jeta sa chemise

trempée dans un angle du coin-cuisine, puis ouvrit la porte du réfrigérateur. Il saisit une bière et tendit un Coca-Cola à Ao qui était entrée dans la pièce, presque sur la pointe des pieds, et jetait autour d'elle des coups d'œil furtifs. Elle accepta la bouteille, se contentant de la serrer contre elle, sans boire, et se mit à glisser silencieusement d'un objet à l'autre, examinant tout au passage. Il n'y avait rien de particulier à voir, mais elle ouvrit tous les tiroirs de la petite cuisine, sortit une assiette pour la regarder, la remit en place, se dirigea vers la partie living-room, meublée seulement de quatre fauteuils cannés à coussins de cuir, et dont deux murs étaient garnis de rayonnages chargés de livres en désordre. Elle en prit quelques-uns pour les examiner. Sur une des étagères était posée une photo en noir et blanc du père de Field jeune homme, en tenue de cheminot, posant devant les montagnes Rocheuses. Au bas dans un angle, une main avait soigneusement calligraphié : « Banff 1928 ». La photo se trouvait dans un cadre thaï, noir et baroque. Field lui-même n'était jamais allé à l'ouest et il gardait ce cliché autant pour les montagnes que pour son père. Ao la prit et la contempla un instant. Derrière elle serpentait une trace de pas humides. Au pied de l'escalier, elle s'immobilisa et se tourna vers Field, qui l'observait tout en buvant sa bouteille de bière.

« Moi aller là-haut ?

– Vas-y. »

Elle disparut avec son sac. Field ouvrit une des larges portes à treillis et tira un des fauteuils de la salle à manger sur la galerie surélevée, qui était couverte mais dépourvue de mur. Il s'y installa et laissa errer son regard sur le *klong,* couvert de lis d'eau. Quelle beauté, pensa-t-il. Il tourna les yeux vers les arbres. Ils étaient maintenant défleuris. Plus tôt dans l'année, ils avaient été couverts de fleurs rouges et blanches. Il vit un écureuil blanc sauter de branche en branche. Il en vivait toute une famille dans le jardin, mais ils étaient rarement visibles. Cette soudaine apparition était peut-être un bon présage, comme le roi et ses éléphants blancs. Les dieux le félicitaient peut-être d'avoir acheté Ao. Il se laissa glisser au fond de son fauteuil. Pourquoi se conduisait-il de façon aussi stupide ? Il écouta la rumeur de Bangkok au-delà du jardin. Le long grincement d'un marteau-pilon qui s'élevait non loin de là couvrait tous les autres bruits. Puis il y eut un silence, suivi du choc sourd de son impact dans la boue. Diverses radios jouaient çà et là. Des bribes de *Forever Starts Tonight* parvinrent jusqu'à lui avant d'être noyées dans un incompréhensible pot-pourri de chansons. Des voix s'élevaient de l'autre côté du *klong,* des voix inconnues derrière les arbres et les murs en bambou tressé des jardins. Au-delà vibraient la rumeur fluctuante de la circulation et le bruissement des palmiers s'effleurant dans le vent. Il sirota sa bière sans même s'en rendre compte et sombra lentement dans une sorte de torpeur, jusqu'au moment où, le crépuscule venant, les bruits commencèrent à s'éteindre petit à petit. Le bourdonnement des moustiques couvrit bientôt tout le reste et il se leva pour regagner l'intérieur.

Ao, pelotonnée dans un fauteuil du living-room, attendait. Depuis quand était-elle là, il l'ignorait. Elle s'était coiffée, remaquillée et portait le sarong marron. Sans sa robe de cocktail, son maquillage paraissait encore plus incongru. Il baissa les yeux vers elle. Elle avait sans doute été amenée droit de son village au bordel. C'était probablement la première maison moderne qu'elle voyait et elle devait la trouver grandiose. Si seulement elle savait, songea Field. Elle lui sourit. Il se détourna et monta l'escalier jusqu'à sa chambre. Le sac d'Ao était posé près de son lit, le contenu étalé sur la table.

« Ao ! » cria-t-il.

Elle monta l'escalier en courant. Lorsqu'elle fut arrivée dans la chambre, il prit le sac et une partie des produits de maquillage et les porta dans l'autre chambre. Elle le suivit.

« Tu dors ici. O.K. ?

– O.K., dit-elle, le visage vide d'expression.

– O.K. ? répéta-t-il.

– O.K., acquiesça-t-elle.

– John.

– O.K., John. »

Elle le gratifia de nouveau d'un large sourire, empreint de timidité.

Pourquoi pas ? songea-t-il. Elle est d'une totale ignorance, en dehors du sexe et de la maladie. Pourquoi ne serait-elle pas timide ? La plupart des gens semblaient croire que si l'on n'ignorait rien du sexe, on n'était jamais pris au dépourvu. C'était absurde. Si l'on n'ignorait rien de l'argent, oui, on n'était pas pris au dépourvu. Ou si l'on savait tout des autres avec leurs secrets et leurs obsessions. Mais avec le sexe, avec le sexe, on n'était pas plus avancé qu'avec un brevet de plombier. Il lui rendit son sourire et celui d'Ao s'élargit encore. Elle avait un joli sourire. Ses lèvres douces et charnues découvraient des dents légèrement irrégulières. Elle pouffa soudain et se plaqua une main sur la bouche. Il alla prendre une douche.

Avant de quitter la maison ce soir-là, Field sermonna la cuisinière : Ao était malade et c'était une enfant. Elle devait être traitée avec fermeté, mais avec douceur. Elle n'était pas autorisée à sortir du lotissement sans être accompagnée et elle ne devait plus se maquiller. Field lui demanda ensuite d'emmener la jeune fille le lendemain matin de bonne heure acheter deux corsages et deux jupes simples, plus deux sarongs pour porter à l'intérieur. Pour conclure, il précisa que si jamais le petit-fils s'approchait de la fille ne fût-ce que d'un mètre, il recevrait de sa main une telle raclée qu'il resterait estropié pour la vie, en particulier au niveau des organes reproducteurs. Ce dernier détail retint l'attention de la cuisinière. Il sortit ensuite sur la route et prit un taxi pour se rendre à la maison d'Amara à Huamok, un quartier neuf au nord-est de Bangkok.

Ce secteur de la ville était construit sur des terres particulièrement basses et était en conséquence infesté de moustiques durant la saison sèche et inondé pendant les pluies. Que toute une catégorie de Thaïs riches eût choisi d'y construire des résidences de luxe demeurait un mystère total. Amara était un parfait exemple de ce syndrome. Elle et son mari étaient revenus respectivement d'un collège féminin en Suisse et d'Oxford dix-neuf ans auparavant et s'étaient mariés. Tous deux avaient été absents du pays durant huit ans sans jamais y avoir remis les pieds. C'était là une histoire tout à fait banale parmi le gratin. Amara venait d'une des plus grandes familles, après la famille royale, en Thaïlande et son mari, Tanun, appartenait à un milieu presque aussi huppé. Des deux côtés on comptait une interminable série de régents, de chanceliers et de généraux, remontant loin dans le passé. Tanun avait fait carrière aux Affaires étrangères.

Ils annoncèrent à leurs amis qu'ils allaient vivre à la mode thaïe. Ce que personne ne faisait à l'époque. Ils possédaient déjà à Huamok un vaste terrain qui n'était qu'une étendue de rizières et ils se mirent alors à sillonner la campagne à la recherche de vieilles maisons en bois sur pilotis aux toits rehaussés de sculptures. Les achetant chaque fois que c'était possible, ils les faisaient ensuite expédier à Huamok pour y être réassemblées et disposées ensemble à côté d'un *klong*, formant un tout fermé, toutes les constructions étant reliées les unes aux autres par une large plate-forme en bois surélevée. Aux heures chaudes de la journée, tout le monde se réfugiait au rez-de-chaussée ouvert, sous la plate-forme.

Tanun se désintéressa rapidement de son travail. Au bout de quelques années il donna sa démission, déclarant qu'il ne voyait aucune raison de quitter une maison parfaite pour aller passer la journée dans les embouteillages ou à s'ennuyer. Il se consacra alors à ce qui l'intéressait vraiment, le piano jazz. Il en jouait fort bien et il collectionnait tous les disques, les enregistrements et les films des grands jazzmen. Il passait ses journées à jouer ou à écouter. Quant à Amara, Field ne connaissait personne d'autre qui savourât autant la vie dans ses moindres détails.

Field avait fait sa connaissance peu après son mariage et ils étaient devenus de grands amis ; surtout après qu'Amara eut découvert qu'une petite fille appelée Songlin Prapanya, entrée à l'école Mater Dei en même temps que sa propre fille, était en fait l'enfant de Field. Bien des gens à Bangkok étaient au courant mais ils n'en parlaient jamais avec Field. Ils préféraient en faire des gorges chaudes entre eux. Amara avait immédiatement pris Field à part et il avait avoué qu'il entretenait la mère et l'enfant sans les avoir légalement reconnues.

« Je l'ai vue, cette femme, insista Amara. Elle vient chercher votre fille tous les jours. Une vraie garce, je dirai. Ahha ! À quoi rime d'envoyer une fille à Mater Dei et de la laisser entre les mains d'une femme qui se cure les dents et qui se gratte... enfin... Ses camarades de classe vont se moquer de cette pauvre petite. Croyez-moi, elle va être très malheureuse. »

Field voyait sa fille une fois par semaine et il devait bien admettre que l'enfant souffrait. Personne ne voulait se lier avec elle. Ses études mises à part, elle faisait tout de travers et sa mère était incapable de comprendre son problème, encore moins de s'en expliquer avec sa fille. Tout ce qu'elle pouvait lui donner, c'était son affection. Une affection dont Field ne pouvait contester la sincérité. Le fait que sans enfant il n'y aurait pas eu d'argent n'entachait pas forcément ses sentiments. Elle-même avait fini par reconnaître que quelque chose n'allait pas. Six semaines plus tard, Songlin était allée s'installer chez Amara pour le reste de l'année. Elle devint la meilleure amie de la fille d'Amara, Dang, et sur les treize années qui suivirent en passa près de six chez Amara. Mais Dang fut ensuite envoyée à l'école en Angleterre, tandis que Songlin restait à Bangkok et s'inscrivait à l'université.

Field fut le dernier à arriver. Une vingtaine de personnes déjà paressaient sur la galerie, étendues sur de larges tables basses garnies de coussins plats. Amara lui sauta dessus dès qu'elle le vit.

« Encore plus en retard qu'un Thaï ! » Elle eut un petit rire rauque. « Nous allons avoir un dîner amusant ce soir. Prenez de la vodka. Allez... »

Elle évoquait toujours pour lui un petit bouddha d'une exquise élégance malgré ses rondeurs, avec ses épais cheveux noirs qu'elle portait dénoués lorsqu'elle était chez elle. Field jeta un coup d'œil le long de la plate-forme. Tanun était de l'autre côté en train de jouer sur le piano, qu'il fallait sortir à chaque soirée. Ses auditeurs étaient réunis sur une table thaïe basse devant lui. De grandes jattes en laque remplies de caviar gris et huileux étaient nichées parmi les invités sur les cinq autres tables. À côté de chacune d'entre elles était posée une bombe insecticide. L'air vrombissait déjà de moustiques.

« Qu'est-ce que je vois ! fit Field en examinant le caviar.

– Oh, c'est tellement drôle, tellement drôle. Ahha ! Tenez, un peu de vodka. » Elle emplit son verre. « J'ai un ami aux douanes. Vous savez que les Iraniens ne sont pas autorisés à sortir de l'argent de leur pays. Oh non ! Alors ils apportent du caviar pour le vendre. Ça vaut de l'or, voyez-vous. J'ai dit à cet ami : tu devrais confisquer un arrivage à la douane. On donnerait une soirée. Ahha ! Il y est allé un peu fort ! »

Une histoire typique de Bangkok. Cinq kilos de caviar confisqué. Il prit le verre de vodka et jeta un coup d'œil alentour. Le public de Tanun était composé d'une demi-douzaine d'homosexuels thaïs de bonne famille qui riaient et plaisantaient tout autant qu'ils écoutaient. Ils avaient amené leurs gitons, mais sans les présenter à personne, et ceux-ci étaient assis par terre le long d'un mur, chuchotant entre eux et s'empiffrant à qui mieux mieux. La plupart avaient le crâne rasé. Leurs vêtements étaient coupés de façon à mettre leurs muscles en valeur, alors que les homos qui les avaient amenés étaient vêtus à la dernière mode, drapés de lin et de soie, selon les oukases des modélistes italiens ou japonais. Objet de toutes leurs attentions, une femme était pelotonnée au milieu de leur groupe. L'un d'entre eux lui caressait les cheveux. Elle était étendue là telle une reine parmi ses courtisans.

« Qui est-ce ? demanda Field.

– La femme du général Krit.

– Krit ! »

Un des homos hurla : « Comment appelle-t-on une folle thaïe qui a le sida ?

– Une sidame de taille. »

Field se détourna des rieurs.

« Krit est ici ? Où donc ? »

Amara indiqua une table sur laquelle deux hommes seulement étaient étendus.

« Qu'est-ce qu'il fout ici ? Depuis quand recevez-vous les épicuriens du pouvoir ?

– Ahha ! » Amara rit et se plaqua une main sur la bouche. « Une vraie gaffe, n'est-ce pas ? Vous ne vous entendez pas, tous les deux ?

– En effet. J'ai dit certaines choses sur lui. Par écrit. Et destinées à être publiées.

– Des choses ? Oh ! Des choses vraies ? Oh ! Quelle gaffe ! Venez donc par ici avec les garçons. » Elle parlait du groupe d'homosexuels. « Il ne vous verra pas.

– Non. Non. Pourquoi est-il ici ?

– Ce quartier est construit sur des terres basses. Pas vrai, mon petit Johnny ? Il sera le premier à être inondé. N'est-ce pas ? Le général Krit a fait de grandes déclarations. Il va veiller à ce que la crue n'en soit pas une. Il va faire fonctionner le système de contrôle des eaux.

– Il a dit ça ?

– Oh oui.

– Il est fou. Rien n'a été fait et il ne reste plus qu'un mois.

– D'accord. Mais il dispose d'un pouvoir politique et de pompes. Un pouvoir important et beaucoup de pompes. Des milliers, mais ça ne suffit pas pour toute la ville. S'ils doivent pomper l'eau dans une partie de Bangkok, mieux vaut que ce soit par ici. Ahha ! Comment va Songlin ?

– Elle adore l'université.

– Pourquoi ne vient-elle pas habiter avec moi ? Il n'est pas nécessaire que Dang soit ici en même temps qu'elle. Songlin est également ma fille, Dites-le-lui. Qu'elle vienne donc habiter ici pendant quelque temps. »

Field acquiesça, mais son esprit était ailleurs. Il songeait à Krit, étendu là, à la merci de quiconque voulant lui faire subir un contre-interrogatoire, quiconque dont ce fût encore le métier.

« Écoutez-moi, mon petit Johnny. » Amara l'attira vers elle. « Pourquoi ne pas envoyer Songlin à l'université avec Dang ? Ce serait beaucoup mieux.

– C'est une Thaïe, comme je vous l'ai déjà dit. Je ne veux pas qu'elle soit perturbée. » Il montra le mari d'Amara. « Regardez donc Tanun en train de jouer du Fats Waller au lieu de travailler. S'il est désorienté, songez donc à ce qui arriverait à une métisse comme Songlin.

– Elle m'a dit que vous ne vouliez pas lui laisser apprendre l'anglais.

– Quand vous a-t-elle dit ça ?

– La semaine dernière.

– Elle vient vous voir alors ? Elle ne vient pas me voir, moi.

– Mon petit Johnny, c'est parce que vous lui rendez visite une fois par semaine. Ahha ! Le temps qui lui est alloué. Elle n'ose pas venir vous voir. »

Field, écœuré, leva les yeux au ciel et emplit à nouveau son verre. Il était troublé parce que cette affirmation exprimait la vérité, et non pas le contraire. Il était toujours allé voir sa fille une fois par semaine et la décision venait de lui.

« Je ne l'aime pas moins pour autant.

– Venez donc par ici manger un peu de caviar.

– Elle n'a pas besoin d'apprendre l'anglais, protesta Field. C'est une Thaïe.

– Tous les autres étudiants l'apprennent, sauf elle.

– Plus tard peut-être. Je ne veux pas qu'elle soit perturbée. Je ne veux pas qu'elle se mette des idées en tête.

– Pas d'idées. Ahha ! Pas d'idées ! »

Field acquiesça de nouveau, puis se dirigea vers Krit et se laissa tomber sur la table à côté du général.

« Bonsoir ! » dit-il en se redressant à demi sur un coussin triangulaire rigide.

Krit était au beau milieu d'un long exposé au service d'un *farang* que Field ne connaissait pas. Il y avait toujours quelques étrangers aux soirées d'Amara, mais c'étaient en général des résidents de Bangkok de longue date ; plus thaïs qu'étrangers. Cet Anglais jeta un regard réprobateur à Field qui n'y prêta aucune attention et répéta : « Bonsoir. Content de vous revoir, général. »

Krit reporta lentement son attention sur Field. Dans son regard se lisaient la curiosité et la méfiance. Ses yeux brûlaient d'une fièvre provoquée à la fois par l'alcool et l'ambition. Il tenait à la main un double cognac à l'eau. Jusqu'à six mois auparavant, le général avait commandé toute la région de Mae Hong Son au nord, sur la frontière birmane. Ce poste avait été une sorte d'exil politique de Bangkok ; un châtiment pour le rôle mineur qu'il avait joué dans une tentative de coup d'État. Il s'était servi de cet exil et de l'accès qu'il lui donnait à la contrebande sur la frontière pour bâtir sa fortune. Puis, brusquement, une subtile lutte pour le pouvoir entre deux classes d'officiers à Bangkok avait produit un miracle : les deux groupes se composaient de diplômes de deux années différentes à l'Académie militaire et chacun voulait un des leurs comme nouveau commandant de la première division ; un poste clef parce que c'était à Bangkok que résidait le pouvoir et la première division contrôlait la ville. Plutôt que de voir céder l'un ou l'autre camp, les officiers décidèrent de le confier à quelqu'un de l'extérieur. Krit était considéré comme un solitaire, ayant plus d'amis dans les armées de l'opium que dans la sienne. Il fut soudain rappelé, promu et nommé, et il se retrouvait donc là, de retour au centre du monde. Par-dessus le marché, sa fortune lui permettait de se payer du bon temps. Elle n'était pas suffisamment importante pour en faire un nabab, mais néanmoins confortable. Et l'argent joint au pouvoir appelle l'argent ; en six mois, avec l'aide de ses conseillers thaïs chinois, il était devenu membre d'une douzaine de conseils d'administration et son commandement lui permettait de signer les contrats susceptibles d'enrichir ces mêmes compagnies.

Les rides d'amertume qui avaient creusé son épiderme lisse au début de son exil s'étaient atténuées et avaient gagné petit à petit tout son visage, lui conférant l'aspect d'un vieil homme d'État usé mais relativement sagace. En fait, il avait à peine cinquante-cinq ans. L'ascension avait été rude, songea Field.

« Il me semble que je vous connais. Mais pardonnez-moi. Sous cette lumière. »

D'un geste plein de grâce, il indiqua les bougies disséminées sur la galerie en bois.

« John Field. »

Une certaine inquiétude se peignit sur le visage du général.

« Ex-journaliste, ajouta Field.

– Ex-journaliste », répéta Krit.

Ils se dévisagèrent tandis que le général recouvrait son sang-froid.

« Vous n'écrivez plus ?

– Je suis dans les affaires, répliqua Field. Comme vous.

– Monsieur Field. Monsieur Field, s'exclama Krit, soudain jovial. Vous n'écrivez peut-être plus, mais vous n'avez pas changé. Toujours aussi provocateur. Je suis ravi de vous voir. (Il semblait sincèrement enchanté.) Les anciens ennemis font d'excellents amis. Pas vrai ? Peut-être pouvons-nous faire des affaires ensemble. Qu'en pensez-vous ?

– Formidable. »

Il était impossible de savoir ce que Field entendait par là.

« Et voici M. George Espoir. Il est ici afin de se documenter pour un livre. Il m'interrogeait au sujet de la frontière. »

Espoir sourit, prit la bombe insecticide sur la table et se vaporisa les chevilles, les bras et le cou. Alors seulement il adressa un signe de tête à Field, comme pour dire : Bien entendu, vous savez qui je suis. Il avait raison. Bien qu'il ne lût jamais de romans, Field connaissait son existence. En faisant un petit effort, il aurait même pu retrouver le véritable nom de l'auteur, celui dont il ne signait pas ses œuvres. L'expression d'autosatisfaction qui se lisait sur le visage d'Espoir empêcha Field de manifester d'aucune façon qu'il le reconnaissait. Il prit la bombe insecticide et fit mine de vaporiser une brume protectrice sur le caviar. Le général Krit eut un petit rire. Des douzaines de spirales fumaient tout autour de la plate-forme et pourtant les moustiques vrombissaient en épais nuages tout autour des tables.

Le général indiqua la bombe.

« La sécurité de ce pays est un sujet aussi délicat que celle de vos chevilles, monsieur Espoir. » Il se tourna vers Field. « J'ai essayé d'expliquer à notre ami présent ici que même si un véritable problème humanitaire se pose le long de la frontière, ces réfugiés cambodgiens n'en sont pas moins un épiphénomène par rapport à ce qui se passe réellement. Et si les Occidentaux ne concentrent leurs efforts que sur l'aide aux réfugiés et oublient que le sort même de la Thaïlande est en jeu, plus la stabilité de toute cette région et bien davantage encore, alors nous sommes tous perdus.

– Je partage entièrement cette opinion, déclara Field.

– Vraiment ? s'exclama le général qui scruta Field avec plus d'attention. Vraiment ?

– Tout à fait. La moitié des gens au Cambodge et au Viêt Nam du Sud veulent partir. Alors qui va les accueillir ? Et pourquoi l'Occident devrait-il les prendre plutôt que les Tchèques, les Polonais, les Ougandais ou les Éthiopiens ? Alors, si personne n'en veut, on se retrouve avec X millions de réfugiés en Thaïlande, et alors les Viets envahissent le pays parce que les réfugiés protègent les guérillas. En ce moment sont réunis tous les ingrédients pour déclencher un vrai désastre. Il se trouve que j'aime vivre en Thaïlande. Je n'ai pas envie de voir les Viets se ruer à travers la frontière. D'accord, tout le monde a foutu la merde au Viêt Nam, au Cambodge et au Laos. Ce n'est pas une raison pour continuer et foutre la merde en Thaïlande. »

Le général opina du bonnet.

« Vous voyez, monsieur Espoir ?

– Bien entendu. Je comprends fort bien que les problèmes politiques sont complexes, répondit Espoir d'un ton bienveillant. Très complexes, sans aucun doute. Mais le problème humain ? Il me semble que nous ne devons jamais oublier le problème humain. Hier, j'ai visité un camp sur la frontière. C'est une leçon d'humilité.

– Voilà une réaction intéressante.

– Excusez-moi, fit Espoir, essayant de comprendre ce que voulait dire Field.

– Une leçon d'humilité, insista Field. Qu'est-ce que ça signifie exactement ?

– Eh bien, être témoin d'une autre grande tragédie

humaine, cela m'a fait prendre conscience de notre propre...

– Certes, l'interrompit Field. Seulement, l'humilité suppose un certain état d'esprit, monsieur Espoir. Une mauvaise opinion de soi-même. L'absence de toute vanité. Des prétentions modestes. Ce mot implique une action ; une action constante afin de demeurer humble. Est-ce que cela signifie que vous avez renoncé à mener la vie d'un romancier à succès ? »

Field regretta aussitôt d'avoir montré qu'il l'avait reconnu.

Le sourire d'Espoir ne perdit rien de sa bienveillance.

« On peut trouver des contradictions dans n'importe quelle existence.

– Vous projetez donc de consacrer la vôtre au changement du monde occidental ?

– Je parlerai en tout cas des réfugiés dans mes écrits.

– Oui. Nous avons tous fait ça. La belle affaire. »

Espoir commençait à perdre son calme.

« Je suis en train de vous décrire une réaction émotive sincère devant une grande tragédie humaine.

– D'accord. Ainsi donc, quand vous parlez de leçon d'humilité, vous voulez dire que vous avez subi un choc temporaire, superficiel ; ce que nous pourrions appeler une émotion facile, source d'autosatisfaction. D'accord ? (Field prit conscience du silence autour de lui. Il ne savait pas ce qui lui avait fait perdre son sang-froid. Cet homme était irritant, mais ça n'était pas une raison suffisante. Il se leva.) Les mots ont un sens précis, n'est-ce pas ? Si vous voulez bien, général, je vais aller danser avec votre femme.

– Je vous en prie, monsieur Field.

– Nous ferons des affaires ensemble, d'accord ?

– De grosses affaires, monsieur Field. »

Il s'éloigna, conscient de s'être ridiculisé, et pourtant faillit revenir sur ses pas pour demander à Espoir les raisons de son changement de nom. Cela impliquait-il que l'espoir l'habitait ? Ou qu'il se considérait comme un espoir pour les autres ? Field se força à continuer à avancer.

Mme Krit dansait avec un des élégants homosexuels au rythme d'un air de Duke Ellington, version Tanun. Field l'enleva à son partenaire et l'enlaça fermement, mais à distance. C'était un excellent danseur et, sans dire un mot, il la regardait droit dans les yeux. Elle manifesta sa déception lorsque à la fin de la chanson il la rendit à l'homosexuel, dont l'étreinte était plus légère. Field lui envoya un baiser et alla se servir un verre de vodka. Amara arriva derrière lui.

« Vous avez fait ami avec le général ?

– Nous sommes de vrais copains. » Il indiqua Mme Krit d'un signe de tête. « J'ai dansé avec la fille qui a dansé avec l'homme – normal, c'est sa femme – qui a dansé avec la moitié des escrocs et des trafiquants de drogue en Asie.

– Ahha ! Et Espoir. Il pourrait écrire des choses intéressantes sur la Thaïlande. Songez à tous les gens qui le lisent.

– Formidable.

– Vous le trouvez sympathique.

– J'ai pris une leçon d'humilité. »

Le verre de Field était à moitié vide. Il le remplit de nouveau. Puis il se rappela que Woodward lui avait recommandé de ne pas boire. Enfin, pour ce soir-là en particulier, il était trop tard. Il enlaça Amara et commença à danser avec elle.

« Comment va votre ami Meechaï ? demanda-t-elle.

– Il hante toujours les bas-fonds.

– Ahha ! C'est ce que m'ont dit ses sœurs.
– Vous désapprouvez ?
– Je crois que ses sœurs désapprouvent. À moins que ce ne soit leurs maris. Ils trouvent qu'il est fou, à se balader ainsi dans Bangkok déguisé en paysan.
– À se balader, de toute façon.
– Ahha ! Ahha ! C'est ça le pire. Sa femme a la voiture et le chauffeur ! Il marche à pied.
– Et vous, Amara, qu'en pensez-vous ? »
Un petit sourire lui étira les lèvres.
« Pour un Thaï, il a loupé le coche. S'il veut être un saint homme, aimé du peuple, il devrait se faire moine et renoncer à tout. Sinon, il devrait gagner de l'argent et courir les filles comme tous les autres. Ahha ! Il croit avoir inventé une troisième solution ou je ne sais quoi. »
Field accéléra la cadence, tenant Amara étroitement enlacée, puis brusquement s'immobilisa.
« Qu'est-ce qu'il y a, John ?
– Rien, rien. Je suis un idiot, voilà tout. »
Lorsque la soirée se termina, il vacillait légèrement. Espoir, surgi du néant, lui proposa de le ramener dans une voiture de l'hôtel qui attendait au-dehors. Blanche avec des vitres fumées.
Field se laissa tomber sur la banquette arrière.
« Ce sont les droits d'auteur qui paient le chauffeur ?
– Exactement. »
Durant le trajet du retour, ils demeurèrent silencieux pendant vingt bonnes minutes. Puis Espoir déclara :
« J'aime beaucoup Amara.
– Elle est formidable.
– Je veux dire, derrière son numéro mondain, on sent quelqu'un de solide. Elle m'a beaucoup parlé de vous. Vous savez, je veux écrire sur cet endroit un texte qui ait une qualité viscérale. Je veux aller au cœur des choses.

Vous êtes le genre de personne qui pourrait m'orienter dans la bonne direction. Ça vous ennuierait que je mette votre cervelle à contribution ?

– Pas ce soir.

– Au déjeuner demain ?

– J'ai une semaine très chargée. Appelez-moi après le week-end.

– Je demanderai votre numéro à Amara.

– Formidable. »

Field rentra chez lui d'une démarche mal assurée et alluma en bas. La première chose qu'il vit, ce furent deux enveloppes marron sur la table de la salle à manger. Il alla en prendre une et la tint à l'envers. La carte d'identité d'Ao et sa carte de résidence, ainsi que le contrat qu'il avait signé pour s'assurer ses services, pour l'acheter en réalité, tombèrent sur la table. Il examina la carte de résidence. Celle d'Ao était individuelle. Elle était inscrite comme locataire et unique occupante de l'appartement 212 dans l'immeuble 13 de *soï* 37, où il l'avait trouvée. Cette carte individuelle était commode, supposa-t-il, car cela impliquait qu'une fille pouvait être transférée ailleurs sans que personne d'autre fût au courant. Il ramassa le contrat et le lut. L'argent versé aux parents représentait l'équivalent de quatre ans de travail à la ferme familiale. Il aurait pu la renvoyer chez elle. À quoi bon ? Elle reviendrait immanquablement à la ville. Il amorça un geste pour déchirer le contrat en deux, puis se ravisa. Replaçant les trois documents dans leur enveloppe, il la glissa ensuite dans un tiroir, ainsi que celle contenant son catastrophique dossier médical.

Puis il se hissa jusqu'à sa chambre, se déshabilla, ne gardant que son caleçon, arrêta le ventilateur du plafond et sombra dans le sommeil.

Plus tard dans la nuit, quelque chose le réveilla. Lentement, il prit conscience de sa main gauche, refermée sur un petit sein ferme. Un dos était niché contre son estomac et son bas-ventre. C'était son érection qui l'avait réveillé. Il écouta un instant le souffle paisible de la fille endormie contre lui.

« Ao, va-t'en ! Va-t'en ! dit-il, la repoussant des pieds et des mains. Va-t'en ! »

Elle disparut sans bruit dans l'obscurité. Une lumière incertaine filtrait par les treillis et les grilles de fer des sept fenêtres qui s'ouvraient sur deux des murs de sa chambre. Field, immobile, contempla à l'horizon les silhouettes des palmiers et des bananiers jusqu'à ce qu'il s'endormît. Au matin, il trouva Ao enveloppée dans un drap et dormant par terre à côté de son lit.

Chapitre 4

Ils arrivèrent au Centre hospitalier suffisamment tôt pour voir Michael Woodward gravir l'escalier dans sa tenue de paysan et disparaître pour aller se changer. Il gardait sur place cinq complets et autant de chemises et de chaussettes qu'il en avait besoin. Une aide-soignante, moyennant pourboire, veillait à ce que tout fût d'une propreté impeccable.

Field n'avait guère envie de traîner dans la salle d'attente et d'être observé par les autres patients *farang* qui avaient commencé à arriver et dont les regards allaient et venaient de Field à Ao. Elle était maintenant vêtue d'un corsage en coton et d'une jupe bleu marine. Sans son maquillage, elle avait l'air d'une étudiante. Pas particulièrement brillante. Non. Pas même intelligente sans doute. Non. Mais elle possédait une certaine dignité. La cuisinière, par malheur, avait suivi les instructions de Field à la lettre, et comme il n'avait pas parlé de chaussures elle n'avait pas acheté pour Ao des souliers plats ordinaires. Le premier détail que les *farang* remarquaient, c'étaient ses escarpins roses à talons aiguilles. En vérité, Field, obsédé par son bas-ventre, ne prêtait guère attention à ce qui l'entourait. De toute évidence l'effet théoriquement bénéfique des antibiotiques avait été réduit à néant par une soirée passée à ingurgiter de la bière et de la vodka. Il décida de ne pas signaler ses écarts à Woodward.

Ao fut appelée la première et la consultation dura près d'une demi-heure. Field insista ensuite pour qu'elle reste dans le bureau pendant qu'on lui faisait sa piqûre.

« Je ne veux pas que tous ces abrutis à côté la reluquent. »

Woodward n'émit aucun commentaire.

« J'ai fait un prélèvement et je lui ai donné de la kanamycine. Je crains néanmoins, mon ami, qu'elle ne souffre pas simplement d'une blennorragie prolongée. Je dirai qu'elle a également une chlamydise, quelques verrues vaginales et divers autres ennuis. C'est très difficile, comme tu sais, de tout déceler du premier coup. L'élément inconnu est peut-être infime. Nous en saurons davantage la semaine prochaine. » Il ne fit pas allusion à l'écoulement aggravé de Field, sauf pour lui rappeler de se coucher tôt et de ne pas boire. « Et pour l'amour du Ciel, ne touche pas à cette fille. Elle est un manuel ambulant de maladies contagieuses.

– Un véritable cocktail turc !

– Quoi ?

– Pendant la guerre des Balkans, les infidèles envoyaient des filles malades de l'autre côté des lignes pour saper le moral serbe. »

Ne comprenant pas vraiment de quoi il s'agissait, Ao leva la tête, une expression angélique sur les traits.

« Je ne suis pas fou, Michael.

– Cela dépend de la définition que l'on donne de ce mot. »

Lorsqu'ils se retrouvèrent dehors, dans le jardin du Centre, Ao prit Field par le bras et se serra contre lui.

« Toi me payer à boire, John ?
– D'accord. »

Ils se dirigèrent vers Silom Road, où était située la « boulangerie Saigon. Nourriture vietnamienne et pâtisserie française de réputation mondiale », derrière un trottoir défoncé et une barrière anti-inondation particulièrement haute. La boulangerie Saigon était la principale contribution de l'Indochine française à Bangkok, même si ses propriétaires étaient vietnamiens. Field choisit une table près de la fenêtre et commanda pour Ao un jus de mandarine frais au lieu du Coca-Cola qu'elle désirait. Puis il prit deux tartes à la noix de coco, parce qu'il les considérait comme les meilleures du monde ; meilleures que tout ce qu'on pouvait trouver à Hong Kong et même à Saigon du temps de sa splendeur. Ils restèrent assis sans mot dire à observer les religieuses et les prêtres et les vieux résidents de Bangkok qui entraient acheter de grands pains rectangulaires d'une blancheur propre à faire honte à l'Afrique du Sud. Il était habitué de longue date à passer ainsi des heures sans parler avec ces filles. Il y prenait plaisir. Leur anglais était toujours rudimentaire, pire encore que son thaï. En outre, ils n'avaient pas grand-chose à se dire. Pas d'idées à échanger, peu d'émotions à partager au sens occidental du mot, et Field n'était pas doué pour parler de la pluie et du beau temps.

Il suivit du regard le fils du propriétaire, un jeune garçon nerveux, mince comme un fil, qui traversait toute la salle pour sortir sur le trottoir. Les doigts de la main gauche serrés les uns contre les autres, il tenait de la main droite un léger balai de riz avec lequel il s'efforça de nettoyer devant la boutique le trottoir éventré. Sa technique très élaborée visait à rassembler la terre et la poussière dans les interstices entre les dalles fracturées.

Field commanda un deuxième jus de mandarine pour

Ao, puis il l'entraîna au-dehors sur le trottoir balayé et arrêta un taxi pour se faire conduire au bureau de Catherine Laker, où il devait déposer son passeport afin d'obtenir son visa pour le Laos. Mme Norman Laker, comme elle aimait à se désigner, vivait et travaillait sur un domaine d'un hectare dans Sathorn Avenue, qui avait été autrefois un canal important et n'était plus maintenant qu'un égout à ciel ouvert séparant deux routes à trois voies. Une haute villa coloniale était bâtie au milieu de sa propriété et abritait la East-West Trading Company. L'extérieur en avait été repeint si souvent que les arches et les volets luisant sous le soleil semblaient comme boursouflés. Le jardin servait d'entrepôt au matériel, et la maison était donc entourée de centaines de tracteurs, de rouleaux compresseurs et de diverses pièces d'équipement de chemin de fer. Au fond de la propriété, derrière cette forêt de machines, un haut mur de ciment délimitait un espace carré. Le mur était couronné de tessons de verre et de fils électriques dénudés. La seule ouverture était une porte d'acier. À l'intérieur, supposait-on, car personne n'avait jamais rien vu, Mme Laker vivait dans une sorte de fortin de trois pièces. Ce qui impliquait d'autres murs épais en ciment sans fenêtre, avec un générateur sur le toit pour assurer la climatisation en cas de panne de secteur. Elle habitait là avec une vieille servante. Personne ne savait comment elle occupait son temps libre. Elle ne se manifestait en tout cas jamais dans la bonne société de Bangkok, qu'elle fût thaïe ou *farang*. Quant à la villa coloniale elle avait été complètement transformée à l'intérieur, si bien que les pièces lambrissées ressemblaient maintenant à celles d'un motel aseptisé. Mme Laker prenait grand soin de sa santé et, par voie de conséquence, de son environnement. Les germes, tels qu'elle les imaginait, étaient tapis dans les coins les plus inattendus, prêts à vous bondir dessus.

Lorsqu'on contemplait cette propriété – stérilisée à l'intérieur, chaotique à l'extérieur –, on avait toujours du mal à croire au bruit qui circulait dans tout Bangkok, selon lequel elle avait été la maîtresse du directeur de la C.I.A. en Asie du Sud durant la guerre du Viêt Nam et avait jeté les bases de sa fortune en le laissant utiliser sa compagnie pour blanchir les fonds de l'Agence. Ce bruit avait néanmoins la vie dure. En général, Mme Laker ne sortait de sa forteresse que beaucoup plus tard dans la matinée, et Field put donc simplement déposer son passeport et repartir.

Cette nuit-là, il s'éveilla de nouveau pour trouver Ao serrée contre lui. Field alluma la lumière. Il était trois heures du matin. Ao s'était recouverte d'un drap, mais la nuit était chaude et elle l'avait rejeté en dormant. Le corps de Field dégageait également de la chaleur. En temps ordinaire, il ne transpirait pas, contrairement à la plupart des *farang*. Mais cette nuit-là, son corps ruisselait. Il essuya son visage et son torse avec le drap d'Ao. Endormie sur le côté, elle avait un long dos gracile et ses omoplates menues ressortaient légèrement. Ses cheveux épars étaient en partie coincés sous son cou. Il tendit la main pour les dégager.

Elle bascula sur le dos et ouvrit les yeux. Il détourna le regard de ses seins et de son ventre plat.

« Qu'est-ce que tu fais là, Ao ?

– Je dors jamais seule, John.

– Il y a toujours eu un homme ?

– Non. Ils restent jamais la nuit. Les filles dormir ensemble parce que malheureuses. Pas de famille.

– Toutes ? »

Là-dessus, elle se redressa et s'assit, les jambes repliées de côté.

« J'ai mon amie, John. Je fais rien avec elle. Tu comprends. J'aime pas ça, mais nous dort ensemble. Elle un an plus que moi. Allée à Tokyo. Elle travaille là-bas.

– Qu'est-ce qu'elle fait ?

– Je dirai pas. C'est un seu-tré.

– Un secret ? »

Ao acquiesça. Puis elle regarda Field, l'examinant d'un œil clinique. Lorsqu'elle arriva à ses cuisses, elle tendit la main pour en tâter une.

« Toi pas trop difficile pour travailler. Y a des hommes si gras, leurs cuisses comme troncs d'arbre. Très difficile pour le massage.

– Je ne suis pas gras. »

Elle passa la main sur la poitrine de Field.

« Tu es fort. »

Field sentit le désir s'éveiller en lui malgré la douleur et il repoussa la main d'Ao.

« Tu es malade, Ao. Je suis malade. Pas de sexe.

– Oh non, John. » Elle rit de joie. « Je veux pas de sexe. Je suis seule, c'est tout.

– Parfait, commenta John d'un ton acerbe. Alors couvre-toi. »

Il lui remonta le drap jusqu'à la taille.

Éclatant d'un rire aigu, elle lui donna une légère tape sur le poignet.

« Pas regarder, John. Pas regarder. Je connais les hommes. S'ils regardent, ils veulent toucher. La première fois, moi quatorze ans.

– Où ça ?

– À l'hôtel. Tu m'as trouvée là. Toi rencontrer Yang. Son père essaie les filles. Un gros homme, John. Il me dit : Coucher sur le lit. » Les yeux arrondis, elle prenait plaisir à raconter son histoire. « Il enlève ses vêtements. Je regarde son gros ventre qui pend et sa queue qui pointe. Pas une grosse queue, mais alors grosse pour moi. Je regarde simplement. Et puis je me couche. » Elle se jeta sur le lit, imitant sa position pétrifiée. « Pas bouger. Trop peur. Couchée là simplement à trembler. » Elle se rassit et sourit. « Pas trop mal. Lui expert avec une fille neuve. Il me dit : Pas t'inquiéter.

– Évidemment. »

Ao, enchantée, lui donna une claque sur la poitrine.

« Toutes les queues pareilles. Plop. Plop. Dedans. Dehors. Facile, comme travail. » Elle poussa Field. « Couche-toi à plat ventre. » Il obtempéra et elle commença à lui masser la colonne vertébrale avec ses jointures. Arrivée au milieu du dos, elle s'arrêta et, avec le pouce et l'index, tira sur la peau. « Oh ! Pas bien. » Elle recommença, descendant le long du dos avec ses jointures, puis décolla la peau de nouveau. « Pas bien. Doit faire couac.

– Je ne me sens guère canard. »

Elle se mit à rire et, tombant sur lui, lui tira les oreilles. Field dut la repousser et se recouvrit avec le drap. Il la laissa passer la nuit par terre de nouveau et le lendemain demanda à la vieille femme d'amener un matelas dans sa chambre.

Cet après-midi-là, il se rendit à l'université pour retrouver sa fille. Songlin en était à la moitié de son premier semestre et pourtant jamais il n'était encore allé la voir sur le campus. Il y pénétra en empruntant le petit labyrinthe de rues partant de Rama IV. Elle était au rendez-vous, au bar en plein air à l'entrée de l'université. Une vingtaine de tables et une voiturette vendant des boissons étaient installées sous un bosquet de grands arbres.

Elle leva les mains, les paumes plaquées l'une contre

l'autre, comme un Occidental en prière, et s'inclina légèrement. Il lui rendit son salut. Tous deux considéraient que ce *waï* indiquait la limite formelle de leur intimité. Ils déambulèrent sur le campus, Field marchant légèrement en retrait pour mieux pouvoir la regarder. Il la trouvait chaque fois de plus en plus thaïe, sans cependant ressembler à sa mère, ce qui était pour lui un soulagement. En toute sincérité il ne pouvait la déclarer belle, peu s'en fallait. Habillée comme toutes les autres filles sur le campus du corsage blanc et de la jupe bleue qui constituaient leur uniforme, il était malaisé de deviner ce qu'elle ou les autres deviendraient par la suite, sauf que Songlin l'avait toujours frappé par sa vivacité, sa curiosité, sa timidité aussi, et toute sorte d'autres traits de caractère grâce auxquels il se sentait toujours mieux dans sa peau pendant quelques jours après chaque rencontre. Comme il lui avait interdit d'apprendre l'anglais, ils se parlaient en thaï, ce qui la mettait automatiquement en position de supériorité. Il n'en prenait pas ombrage. Il avait le sentiment d'avoir réussi dans son rôle de père, même s'il en avait une conception mineure. Il remarqua qu'elle ne portait pas des chaussures noires, mais blanches, indiquant qu'elle était une étudiante de première année.

Songlin avait promis de lui montrer ses salles de conférences. Mais, le priant de l'excuser, elle l'entraîna vers le centre du campus.

« Je veux écouter quelqu'un.

– Qui ça ?

– Tu ne le connais sans doute pas. C'est un professeur bouddhiste. »

Field la suivit docilement.

« Amara veut que tu ailles habiter chez elle, dit-il. Je crois qu'elle se sent seule depuis que Dang est partie. Ça serait agréable, non ?

– Mais alors maman se sentirait seule. »

Field voulut répliquer, mais se ravisa.

« J'aimerais beaucoup y aller, reprit Songlin, tournant les yeux vers Field. C'est drôle d'avoir deux mères. »

Sans doute voulait-elle dire « et pas de père ».

Field ne releva pas cette allusion.

« Tu pourrais y aller pour une petite période.

– D'accord. Bientôt. Qu'est-ce que tu as fait cette semaine ? »

Il lui parlait toujours de ses allées et venues et du temps qu'il était journaliste, il avait toujours eu une foule d'histoires amusantes à lui raconter. Maintenant, il avait du mal à trouver un sujet. Il songea à Ao. Que penserait Songlin s'il lui disait ce qui s'était passé ? Elle ne le croirait sans doute pas. Il l'examina de nouveau. Son premier soin avec Ao avait été de l'habiller exactement du même uniforme. Qu'est-ce que cela signifiait ? Ao ne savait rien et savait tout. Songlin savait tout et ne savait rien, ou du moins il l'espérait. Il jeta un coup d'œil alentour sur les étudiants qu'ils croisaient.

« Les garçons ne portent plus d'uniforme.

– Oh non ! Ils s'habillent comme ils veulent et beaucoup d'entre eux ont des voitures. »

Field hocha la tête.

« Je vais au Laos lundi.

– Faire quoi ?

– Oh, pour affaires simplement. Ce sera amusant, je suppose, de voir tout ce qui a pu changer depuis 75. »

Un peu plus loin, à l'ombre de grands arbres, un groupe d'étudiants bloquait le passage. Plus il s'approchait, plus la foule semblait nombreuse à Field. Cinq cents ou davantage. Depuis quelques minutes une voix d'homme, amplifiée par un haut-parleur rudimentaire, résonnait sur le campus. Field se rendit compte soudain que la silhouette en tenue de paysan, coiffée d'un chapeau de paille rond, campée sur les marches du bâtiment de l'Union des étudiants, était celle de Michael Woodward.

« Ne me dis pas qu'il distribue ses préservatifs ici.

– Oh non ! Ils ne l'autoriseraient pas à parler de contrôle des naissances sur le campus. Le Dr Meechaï parle du rôle du bouddhisme dans la société moderne », conclut Songlin dont la voix trahissait la plus vive admiration.

Field dépassait d'une bonne tête tous les étudiants et, bien qu'il se trouvât dans les derniers rangs, il savait que sa présence ne passerait pas inaperçue.

Woodward s'exprimait d'une voix contenue, presque chuchotante, avec à peine un geste de temps à autre pour prouver qu'il était vivant.

« Les économistes envisagent le développement en termes d'accroissement de la valeur de l'argent et de tout ce qui a trait à l'argent ; ils engendrent ainsi la cupidité. Les politiciens voient le développement en termes d'accroissement du pouvoir ; ils engendrent ainsi la haine. Ensemble ils mesurent les résultats en termes de quantité, engendrant ainsi l'ignorance. Que représentent la cupidité, la haine et l'ignorance ? Ils représentent la triade bouddhiste du mal. » Le style oratoire à lui seul illustrait l'humilité bouddhiste. Field pensa à Espoir et à sa pseudo-modestie. « Ils diraient que je ne suis pas moderne. Mais qu'est-ce que cela signifie ? Si la modernité c'est le bien, alors elle doit être bénéfique pour nous. Si la modernité c'est le mal, pourquoi en voudrions-nous ? Comment nous assurer qu'elle est bénéfique ? En l'utilisant dans nos propres intérêts. Nous devons l'adapter à notre mode de vie. Au mode de vie bouddhiste. Au mode de vie thaï. Les Occidentaux méprisent un système qui n'incite pas à l'achat de biens étrangers et qui ne tient pas à exploiter ses ressources naturelles au maximum. Est-ce notre problème ? Pourquoi notre système devrait-il faire l'un ou l'autre ? En quoi ces notions sont-elles bénéfiques ? Sur quoi se fonde le critère du modernisme ? »

Quelque part parmi les auditeurs, une voix cria :

« Docteur Meechaï, est-ce que cela signifie que nous devons tous nous habiller en paysans ? »

Il y eut des petits rires embarrassés.

Woodward glissa les pouces dans l'élastique de son pantalon et tira dessus, tel un clown.

« En vingt ans, j'ai assisté à l'adoption de vêtements occidentaux par le monde entier. Qu'en a-t-il résulté ? Des millions de bas-ventres comprimés, enflammés. »

Cette fois, toute l'assistance éclata de rire.

« Je ne suis pas autorisé à parler de sexe ici, mais en tant que médecin, je peux vous dire que la compression est mauvaise pour la santé. »

Tout comprimés que fussent les garçons, ils rirent de nouveau.

Field entraîna Songlin.

« Je l'entends assez souvent comme ça. Je préfère bavarder avec toi.

– Tu connais le Dr Meechaï ? » demanda Songlin, sidérée.

Field se rendit compte qu'il avait toujours fait allusion à Woodward en utilisant son nom anglais.

« C'est un très bon ami. Dis-moi ce qu'on t'apprend. »

Il n'était jamais allé à l'université et sa curiosité était réelle.

Ils retournèrent au bar près de la porte d'entrée et s'assirent à une table. Field commanda deux boissons non alcoolisées. Le soleil jouait à travers les arbres sur le visage de Songlin dont il n'arrivait pas à détacher le regard. Il avait même du mal à l'écouter tant il éprouvait de plaisir à la contempler. Elle avait beau être thaïe, il retrouvait des traces de lui-même dans son expression.

« Pourquoi tu ne laisses pas pousser tes cheveux ? »

Surprise, elle passa une main sur sa chevelure coupée court, à l'européenne.

« Il n'y a que les paysannes qui portent leurs cheveux longs. »

Aucun préjugé de classe n'avait inspiré sa réponse.

« N'empêche que ça t'irait très bien. »

Elle parut à la fois embarrassée et contente de cette marque d'attention. Quant à Field, il avait rougi en se rendant compte qu'il était habitué aux cheveux longs des filles de bar, en effet toutes des paysannes.

Ils étaient là depuis un moment lorsque Woodward apparut, au milieu d'un petit groupe d'étudiants qui l'escortaient. Il aperçut Field et s'arrêta pour lui crier en thaï : « Tu n'as pas attendu la fin ! »

Field haussa les épaules.

« Viens que je te présente ma fille. »

Woodward perdit son attitude professorale et, s'animant, bondit en avant.

« J'ai entendu parler de vous depuis des années, mais votre père vous cache. » Il se tourna vers la délégation d'étudiants et les remercia, leur disant qu'il ferait le reste du chemin seul, puis il s'assit à la table de Field et de Songlin. « Je crois qu'il vous aime trop, chuchota-t-il à la jeune fille dont le visage s'empourpra. Mais de toute façon, il est impossible ! »

Songlin garda le silence, par respect, une attitude qu'elle n'avait jamais adoptée envers son père et qu'il n'avait pas encouragée. Mais maintenant elle attendait, comme s'il allait de soi que la parole fût à Woodward, et Field s'étonna de la modestie avec laquelle son ami accueillait la déférence dont il était l'objet.

Plus tard, les deux hommes prirent congé de Songlin et descendirent vers Rama IV. Dès qu'elle fut hors de portée de voix, Woodward demanda en anglais :

« Qu'as-tu pensé de mon discours ? Tu n'en as pas parlé.

– Qu'est-ce que tu veux que je te dise ?

– En général, tu as une opinion sur tout.

– D'accord. Si tu as envie de recevoir une balle dans la nuque, tu t'y prends de la bonne façon.

– Vraiment ? Je me contente de parler de religion.

– Je n'ai peut-être pas de but dans la vie, Michael, mais je ne suis pas naïf. Ne me dis pas que tu es plus puéril que ton auditoire.

– Je ne te suis pas.

– Non ? Écoute. Soigne les habitants des taudis si tu veux. Personne ne s'intéresse à eux. Mais laisse les étudiants tranquilles. Les gens que tu hais sont terrifiés par les universités. Terrifiés. Parce qu'ils seraient obligés de descendre leurs propres enfants si les étudiants se soulevaient. Ils ne peuvent pas faire ça. Mais toi, ce serait facile. »

Field tendit la main pour arrêter un taxi. Woodward interrompit son geste.

« Non. On va prendre le bus. Je vais à Klong Toey. Tu peux faire une partie du trajet. »

Ils attendirent, écrasés de chaleur, jusqu'à l'arrivée d'un autobus dont les portes et les fenêtres étaient grandes ouvertes. Des Thaïs se pressaient les uns contre les autres dans l'allée centrale. Field dut courber la tête pour ne pas toucher le plafond. Ils étaient montés depuis quelques minutes, vacillant au gré des cahots, lorsqu'un homme qui avait été projeté contre eux commença à dévisager Woodward.

« Meechaï », dit-il à mi-voix.

Woodward baissa les yeux vers lui et sourit.

« Meechaï ! Meechaï ! » dit l'homme aux gens qui l'entouraient.

La poitrine couverte de tatouages, il avait l'air d'un ouvrier. La nouvelle circula parmi les passagers et bientôt tous se tournèrent vers eux, échangeant des commentaires volubiles.

Woodward soudain plongea la main dans son sac en toile et en sortit une poignée de paquets recouverts de plastique qu'il commença à jeter vers l'avant de l'autobus.

« Une capote par jour pour vivre l'amour ! » hurla-t-il.

Chaque paquet contenait cinq préservatifs rouge, bleu, jaune, vert et noir.

Les passagers de l'autobus reprirent son appel et entonnèrent à leur tour, tout en riant : « Une capote par jour pour vivre l'amour ! Meechaï – capote ! Meechaï – capote ! »

Woodward se tourna vers une femme assise à côté de l'endroit où il se tenait.

« Combien d'enfants avez-vous ?

– Quatre, Khun Meechaï.

– Quoi ! Votre mari vous a fait ça ! s'exclama Woodward, prenant un air horrifié. Où est ce monstre ? »

Tout le monde, y compris la femme, se mit à rire.

« Où est-il ? » cria quelqu'un, et les autres se mirent à scander à leur tour : « Où est-il ? Où est-il ? »

Meechaï, d'un geste, réclama le silence. La femme avait plaqué une main sur sa bouche pour s'empêcher de rire.

« Envoyez-le-moi, lui dit Meechaï. Cet homme a besoin d'une vasectomie. » La femme acquiesça, la main toujours sur la bouche pour cacher son sourire. « Envoyez-le le jour de l'anniversaire du roi. L'année dernière, annonça-t-il à la cantonade, mille deux cent deux hommes intelligents se sont présentés le jour de l'anniversaire du roi. Mille deux cent deux vasectomies en une journée. Un record mondial. Mille deux cent deux hommes qui sont plus riches aujourd'hui parce qu'ils sont intelligents. Cette année, je veux un nouveau record. Vous pouvez tous venir. Faites-le pour le roi. »

Field pensa à Ao, sans doute stérile à dix-sept ans, grâce à des méthodes bien différentes. Le lendemain matin, il l'emmena de nouveau au Centre hospitalier pour leurs piqûres et Field trouva Woodward particulièrement bien disposé.

« Laisse-moi jeter un petit coup d'œil à ton machin. »

Field tourna le dos à Ao avant d'obtempérer.

« Cet écoulement infect n'a pas diminué ?

– On ne peut pas dire.

– Tire dessus et presse. »

Field s'exécuta et regarda Woodward recueillir le liquide sur une plaquette. Il l'examina avant de la rincer.

« Eh bien, mon vieux, l'écoulement est encore clair ; c'est déjà ça.

– Comment ça, encore clair ?

– Au bout d'un moment, répondit Woodward d'une voix lente, il peut devenir jaune, puis vert. À ce stade, nous sommes mal partis, je suppose.

– Mal partis ?

– Nous n'en sommes pas là.

– Mais encore ? insista Field.

– L'infection passe dans le sang, dans les articulations. Elle provoque une arthrite infectieuse. Du pus dans les articulations.

– Du pus dans les articulations. Je préférerais mourir.

– Ça pourrait bien t'arriver, dans ce cas. Il me faut maintenant un nouveau prélèvement.

– Pourquoi ?

– Écoute, John, le premier a boulotté les vingt-quatre antibiotiques qui se trouvaient sur le plateau. Il en a même été renforcé. C'est bien fâcheux. Je pense que la spectinomycine a dû avoir le même effet. Alors il me faut maintenant un nouvel échantillon. » Il s'écarta pour préparer deux écouvillons, revint, en glissa un d'un mouvement tournant dans le méat. Field avait oublié à quel point c'était douloureux. « Nous allons utiliser deux plateaux cette fois. Nous finirons bien par tomber juste.

– Et d'ici là ?

– Il vaut mieux pour le moment laisser ton organisme lutter tout seul. Je vais te donner d'autres vitamines. »

Ce délai plongea Field dans un état dépressif dont il n'arrivait pas à émerger. Il n'avait pas attaché trop d'importance à la douleur tant qu'il avait pensé qu'elle serait calmée d'ici quelques jours. Mais lundi – dans trois jours – il allait partir pour le Laos d'où il n'aurait pas d'avion pour revenir avant jeudi.

Ce soir-là, il se rendit au Grand Prix à Patpong, comme il en avait l'habitude presque tous les vendredis. Les filles n'étaient pas les plus belles ni l'atmosphère la plus surprenante, mais c'était le tout premier bar *farang*, tenu par Rick, un ancien sergent de l'intendance U.S., qui l'avait ouvert seize ans plus tôt. Les voyageurs de commerce en congé ne fréquentaient pas cet endroit. Il n'était pas assez clinquant et la musique n'était pas vraiment à la mode. Sa clientèle se composait surtout de vieux de la vieille, pour la majeure partie journalistes. Il passa le long des boxes et du bar ovale au milieu duquel quatre filles dansaient. Henry Crappe était installé à l'autre extrémité. Field se hissa sur un tabouret à côté de lui. Crappe leva les yeux vers les danseuses, qui avaient toutes connu des jours meilleurs.

« Les nouilles et le temps, je dirai ! Hé, Rick, lança Crappe au propriétaire par-dessus son épaule, les nouilles et le temps finissent par avoir raison des ventres et des mollets les plus musclés, voilà ce que je dis. »

Field salua la poignée d'autres journalistes installés autour du bar ; certains avaient épousé des Thaïes, ce qui ne les empêchait pas de sortir seuls ; d'autres étaient comme Field.

Crappe le dévisageait.

« Je vois que vous souffrez toujours.

– Quoi ?

– Votre maladie.

– Eh oui. Ça traîne.

– Je crois fermement à la vertu curative des papayes.

– Je déteste les papayes.

– Il ne faut jamais se refuser les émotions les plus profondes. »

Ce fut alors que Field remarqua le premier secrétaire de l'ambassade du Canada, assis seul quelques tabourets plus loin. Barry Davis se trouvait à Bangkok depuis plus longtemps que n'importe quel autre diplomate et que la plupart des journalistes. Son troisième mandat venait de commencer. Comment il se débrouillait pour conserver son poste, personne ne le comprenait, sinon qu'il connaissait bien ses dossiers et affirmait qu'il donnerait sa démission si on l'envoyait ailleurs. Il croisa le regard de Field et lui fit signe de venir le rejoindre.

« Qu'est-ce que vous fabriquez là, Barry ? Ce n'est pas votre territoire. »

Le diplomate sourit.

« J'aime bien changer de bar de temps en temps. » Il n'était pas marié. « Content de vous voir.

– Moi de même, dit Field » Qu'est-ce qui se passe ? J'ai commis une boulette ?

– Vous ? Qu'est-ce qui vous fait croire que je suis ici pour vous voir ?

– Bon, d'accord. Vous êtes ici pour la bière. Comme nous tous.

– Il paraît que vous vous débrouillez très bien en affaires.

– Si vous entendez par là que je gagne de l'argent, oui, j'en gagne.

– C'est parfait, John. On me dit que vous travaillez même avec le Laos.

– Qui vous a dit ça ?

– Vous allez à Vientiane lundi.

– Qui vous l'a dit ?

– Personne.

– Alors ?

– Alors, John, il y a trois avions par semaine pour Vientiane. Les *farang* qui les prennent ne sont pas nombreux. Les *farang* non communistes.

– Parfait. Vous lisez les listes de réservations. Depuis quand ces branleurs de l'ambassade lisent-ils les listes de réservations ? Que se passe-t-il ? »

Davis eut un sourire tolérant.

« Ça ne vous ennuierait pas d'aller saluer quelqu'un pour moi, je suppose ? Rien d'important. Le saluer simplement. Nous n'avons pas de bureau là-bas, vous savez.

– De qui s'agit-il ?

– D'un couple, en réalité. Ils travaillent à Vientiane à un projet d'aide de l'O.N.U. ; la protection des forêts, pour être exact. Je crois qu'ils sont là-bas depuis deux ans. Ils n'en ont pas bougé depuis neuf mois. C'est une longue période.

– Il faut donc vérifier simplement qu'ils sont toujours en vie ?

– Oui. Enfin, ça, je le sais déjà, John. Je ne suis pas

responsable d'eux, comprenez bien. Je veux dire, ils dépendent des Nations unies. Mais il se trouve que j'ai reçu l'autre jour par l'intermédiaire d'un négociant italien un message. Venant de lui, le mari. Je vous ai dit qu'il s'agissait d'un couple. Un message assez étrange, que je n'ai pas très bien compris, en fait. J'ai pensé que c'était une façon d'éveiller mon intérêt, voyez-vous. De me faire dire hé, qu'est-ce qui se passe là-bas ? Alors, allez donc les voir, saluez-les de ma part, et renseignez-vous.

– Comment s'appelle-t-il ?

– Eh bien, vous allez rire, répondit Davis, fixant Field de son regard mélancolique de protestant. Charles Vadeboncœur.

– Charles ? »

Davis leva les yeux vers la fille qui dansait devant lui. C'était une façon polie de ne pas remarquer l'inquiétude qui s'était peinte sur le visage de Field. Au bout d'un moment, il répondit :

« C'est bien ça.

– Et sa femme est là-bas ? insista Field.

– Eh bien, oui. Vous voulez parler de Diane, n'est-ce pas ? J'ai fait sa connaissance il y a deux ans quand ils sont passés par ici en route pour le Laos. Il m'a dit qu'il vous connaissait. En fait, il m'a demandé de ne pas vous dire que je les avais vus.

– C'est bien normal. Sa femme et moi...

– Je comprends », intervint vivement Davis.

En dépit de la vie de plaisirs sophistiquée qu'il menait à Bangkok, il pouvait redevenir en un instant le parfait orangiste de l'Ontario, discret, introverti.

« Avant leur mariage, insista Field. Je veux dire, c'était avant notre liaison à elle et moi. Mais juste avant, comprenez-vous. Il ne tient pas à me voir. Il vous l'a d'ailleurs dit, n'est-ce pas ? Et vous voulez que j'aille leur rendre visite ? Vous êtes tombé sur la tête ou quoi ?

– Écoutez, j'estime que vous devriez. Simplement pour avoir de leurs nouvelles. Nous ne sommes pas en train de parler de coucheries de jeunesse, bon sang, John.

– De quoi parlons-nous ?

– Je ne sais pas. Il s'est peut-être passé quelque chose... Je ne sais pas. Assurez-vous simplement qu'ils vont bien, je ne vous demande rien de plus. » Il jaugea Field du regard. « Elle est toujours très belle.

– Vous n'avez pas besoin de me le dire.

– Non, en effet. Vous ferez ça pour moi, John, n'est-ce pas ? » Il posa cinquante baht dans la soucoupe devant lui, puis poussa en travers du bar un bout de papier où étaient notés une adresse et un numéro de téléphone à Vientiane. « À la semaine prochaine. »

Field retourna auprès de Crappe qui l'attrapa par le bras avant même qu'il fût assis.

« Je veux avoir votre opinion sur quelque chose.

– Moi je veux simplement être tranquillement assis ici et boire mon... mon Coca-Cola.

– Allez, venez. Ce n'est pas ici. Vous pouvez m'offrir un verre en face.

– Où ?

– Au Fire Cat. Vous êtes certainement au courant de ce qui se passe au Fire Cat. En haut. Je vous en ai parlé au début de la semaine quand vous me demandiez mon avis. Eh bien, écoutez-moi ça, Field. Il y a une Amérasienne qui y danse. Parfaitement ! Et ça n'est pas tout. À moitié noire. Rendez-vous compte ! Arrivée tout droit des rizières, m'a-t-on dit. Non, mais vous vous rendez compte ? Les champs de coton et les rizières fondues en une seule race. Nous devons voir ce phénomène avant qu'il ne soit galvaudé. »

Il entraîna Field au-dehors, où la température atteignait trente degrés de plus. Ils furent aussitôt assaillis par les maquereaux.

« Massage, monsieur. Sex-show, monsieur.

– Par ici, monsieur. Entrez donc. »

Une odeur de porc grillé et de gaz d'échappement saturait l'atmosphère. Ils enjambèrent avec précaution les fragments de trottoir défoncé pour descendre dans la rue, qu'ils traversèrent pour se rendre en face où une rangée de portes s'ouvrit pour les accueillir. Crappe en franchit une et s'engagea dans un escalier. La température baissa de trente degrés tandis que la musique augmentait d'un nombre équivalent de décibels. Seule la qualité des filles faisait la différence entre les divers bars de Bangkok. En outre, ce qui se passait à l'étage était en général plus corsé que ce qui se passait en bas.

Trois filles étaient couchées sur le bar, avec une sarbacane dans le vagin, les hanches soulevées. Quelqu'un jeta un ballon en l'air, une des filles referma brutalement les genoux et le ballon éclata.

« Nom de Dieu ! » dit Field en reculant.

Il n'avait vu ce genre de numéro que trop souvent.

« Non, venez », insista Crappe en le poussant en avant.

Dès que les membres du personnel virent entrer le chroniqueur officiel de la vie nocturne, ils dégagèrent deux des meilleures places au bar.

« Je déteste les galeries de monstres, protesta Field.

– Venez. C'est presque terminé. Une bière. Un jus de papaye.

– Je ne veux pas...

– C'est quoi, ça, m'sieur ? »

La fille se pencha par-dessus le bar, ses seins étroitement moulés reposant sur la surface en bois.

« De papaye, insista Crappe.

– On n'a pas, m'sieur, »

Une femme plus âgée la réprimanda en thaï.

« Attendez, monsieur Crappe. On va aller vous en chercher.

– Je ne veux pas... »

Crappe interrompit Field.

« J'aimerais que vous me laissiez m'occuper de ça. » Il était obligé de crier car la musique au Fire Cat rendait plusieurs décibels à celle du Grand Prix. « Qui plus est, une fois la porte franchie, je me dois de rester au moins un quart d'heure. Il faut montrer son impartialité. »

Les filles sur le bar avaient maintenant de longues trompettes enfoncées dans le vagin et soufflaient dedans à l'aide de vigoureux mouvements de cuisses.

« Bon sang, Crappe, vous menez vraiment une existence merdique.

– J'aimerais que vous manifestiez un peu plus d'enthousiasme. Vous pourriez m'aidez à trouver la raison pour laquelle nous sommes venus ici. La jeune Amérasienne, au cas où ces plaisirs frelatés vous l'auraient fait oublier. »

Field était prêt à faire n'importe quoi plutôt que de regarder le spectacle, aussi se mit-il à parcourir la salle des yeux. La première personne qu'il vit, ce fut George Espoir de l'autre côté du bar, en train de lorgner les filles. Il s'était dépouillé de son intellectualisme ostentatoire pour afficher un voyeurisme lascif tout aussi manifeste. Field regarda aussitôt dans une autre direction. Il ne vit personne évoquant un croisement entre le coton et le riz. Une main se posa alors sur son épaule. Il leva la tête, tout en sachant déjà qui c'était.

« Je suis sur le sentier de la recherche, plaisanta Espoir. Et vous ?

– Moi ? Je suis un vieux cochon comme tous les autres dans cet endroit, à part vous.

– Merveilleux. »

Field eut l'impression que son interlocuteur prenait note en esprit de ce dialogue pour l'utiliser par la suite dans un livre. Le tabouret à côté du sien était occupé par un monumental Australien tenant en équilibre sur un genou une fille menue au nez retroussé. Une de ses mains était refermée sur un sein de la fille, l'autre pétrissait une fesse nue. La fille aspirait par une paille aussi vite qu'elle le pouvait un Coca-Cola déjà abondamment allongé de glace.

« Tu veux baiser, m'sieur ?

– Peut-être, dit l'Australien.

– Tu me paies un autre verre ?

– Peut-être. »

Il continuait à lui pétrir la fesse, l'esprit ailleurs semblait-il.

Espoir, très mince, réussit à s'insinuer entre le couple et Field et posa le bras gauche sur le bar. Pour éviter de hurler, il approcha sa bouche à quelques centimètres de l'oreille de Field. Son haleine exhalait une odeur douceâtre, écœurante.

« Il vient de m'arriver une histoire insensée. Qu'est-ce que vous en pensez ? J'ai fait la connaissance d'un Thaï qui m'a proposé de m'aider à acheter un enfant. Mâle ou femelle, huit, neuf, dix ans, pour n'importe quel usage. Nous avons tous entendu parler de ce genre de chose, bien sûr. Je veux dire, on lit périodiquement des articles à ce sujet dans les journaux. À Londres, je veux dire. Cela ferait en tout cas une toile de fond extraordinaire pour mon livre. Enfin... Je pourrais accepter, et ensuite libérer l'enfant. Le rendre à sa mère.

– Une toile de fond.

– Eh bien, oui. Mais j'ai également songé à créer une sorte de fondation. Ici ou en Amérique centrale. Où on pourrait faire bon usage de mon argent. La traite des enfants serait peut-être un objectif idéal.

– Une formidable promotion pour votre prochain livre.

– Je ne le ferais pas dans ce but. Ce Thaï semble me croire capable d'un bon travail.

– Combien ?

– Cinq mille dollars. J'en ai versé cinq cents pour montrer ma bonne foi. »

Crappe manifestait une certaine impatience à être tenu à l'écart. Il observait Espoir comme s'il essayait de le situer.

« Field, qui est votre ami ?

– George Espoir. »

Une lueur se fit jour dans les yeux de Crappe. Une lueur fugitive.

« Je suis le critique littéraire de Bangkok. »

Field acquiesça.

« La littérature et la pornographie. Henry est imbattable là-dessus.

– Les arts, rectifia Crappe. Qu'est-ce qui vous amène ici ? »

Field vit qu'Espoir manifestait une certaine répugnance. Les flashes de lumière faisaient ressortir les pellicules accrochées dans les sourcils de Crappe.

« Il se documente, hurla Field qui se leva et poussa Espoir vers Crappe, avant d'ajouter : Il a acheté un enfant.

– Pas exactement. J'ai versé des arrhes.

– Dénonciation d'un scandale... ? (Crappe considérait Espoir avec une certaine méfiance.) Vous vous servez de lui ou il se sert de vous, monsieur Espoir ?

– Je vous demande pardon ?

– Qui est l'intermédiaire ? »

Espoir sortit une carte de sa poche et la tendit.

« Vichit ! s'exclama Crappe. Un nouveau pigeon pour Vichit.

– Que voulez-vous dire ? demanda Espoir dont le regard s'assombrit.

– Vous serez son troisième. Son premier écrivain, en revanche. Il a attaqué l'an dernier un caïd de la presse londonienne un peu coco sur les bords. Personne n'a dit mot parce que les avocats du gars ont lancé des assignations dans tous les azimuts. Un véritable scandale. M. Espoir, semble-t-il, a besoin d'un meilleur guide. N'est-ce pas, Field ? »

Espoir se tenait aussi écarté que possible de la bouche de Crappe et de son bouton de fièvre. Field le poussa en avant et acquiesça.

« Vous êtes tout à fait l'homme de la situation, Crappe. Tout à fait.

– La voilà ! » s'exclama Crappe, montrant la scène d'un index à l'ongle marron.

Le spectacle était terminé et quatre danseuses avaient à leur tour commencé leur numéro ; parmi elles se trouvait une fille plus grande, plus sombre de peau, plus ronde que les autres, avec les cheveux crépus. Crappe l'observait, au comble du ravissement. Au bout d'un moment elles enlevèrent le haut, puis le bas. Elles dansaient en talons hauts et socquettes. En dépit de toutes ses attitudes thaïes, la fille tranchait vraiment sur les autres. « Il faut que je connaisse son histoire ! s'exclama Crappe. J'en ferai la danseuse de la semaine. » Il passa un bras sur les épaules d'Espoir. « Les qualités particulières des artistes ici ne deviennent évidentes qu'après des années d'observation. Il en défile tellement que le nouveau venu à tendance à les croire toutes pareilles. Mais ça n'est pas le cas. »

Field s'éloigna discrètement pour échapper à cet exposé, laissant à l'écrivain le soin de payer, et sortit dans la rue. Il reconnut la voiture d'Espoir et son chauffeur qui attendait sur le trottoir, et soupira. Normalement, il aurait d'habitude déjà choisi une fille pour la nuit. Il était onze heures et demie et on pouvait emmener les filles à minuit sans verser de supplément au propriétaire du bar. « Ce soir, je vais rentrer seul à la maison », songea-t-il, puis il se souvint d'Ao. Elle serait endormie par terre au pied de son lit.

Chapitre 5

Le faux Fokker de l'aviation laotienne, fabriqué en Russie, décolla à l'heure le lundi matin. Field était un voyageur modèle. Il n'accorda pas le moindre coup d'œil aux autres passagers. Il ne dit pas un mot et concentra toute son énergie sur le *Bangkok Post*, lisant ligne après ligne les moindres échos concernant telle inauguration par tel prince, tel mariage de la fille de tel général, telle ouverture d'un nouvel immeuble de bureaux et sa bénédiction par les moines. À la deuxième page, il découvrit que Pong, le principal bailleur de fonds chinois-thaïs du général Krit, avait été nommé président de la Banque du Siam, l'une des plus importantes du pays. Le vieil homme qui l'avait fondée dirigeait encore le conseil d'administration et son fils marié à l'une des sœurs de Woodward en était encore directeur, mais le parachutage de Pong Hsi Kun au cœur même de la chambre forte ne pouvait avoir qu'une signification : les financiers de Bangkok misaient sur Krit comme futur Premier ministre.

« Ah, Pong Hsi Kun. Pong Hsi Kun. » Field se laissa aller en arrière en murmurant son nom : « Quelle ordure. » Il jeta le journal de côté et sortit le dossier que lui avait fait remettre Mme Laker.

Le contrat d'importation de tracteurs qu'on l'envoyait négocier était pratiquement signé. Il avait été suspendu par la Lao Trading Company uniquement parce que celle-ci tenait à un échange – l'exportation de cinq tonnes de café du Laos sur une période de deux ans – les organismes communistes étaient toujours portés sur les échanges. Il avait pour instructions d'accepter les livraisons de café après avoir obtenu une réduction maximale du tonnage. « Quelle plaie ! » murmura-t-il dans le vague en écartant le dossier. Il posa une main sur ses parties génitales et la retira vivement. Il ne gagnerait rien à s'obnubiler sur ses maux.

À l'aéroport il n'y avait personne pour le recevoir ; les rares taxis en vue roulaient avec une extrême lenteur. Et non à cause de la circulation clairsemée ou des rares passants à pied ou à bicyclette. Tout avait bien changé depuis la dernière visite de Field en 1975.

L'hôtel de Lane Xang se trouvait à dix minutes dans le centre de la ville, qu'une route unique séparait du Mékong dont la saison des pluies gonflait et accélérait le cours. Pendant la saison sèche, c'était un fleuve secondaire et l'on pouvait descendre en bas de ses longues rives découvertes, plantées de potagers provisoires, et gagner sans perdre pied l'île qui en occupait le milieu à quelques centaines de mètres. De l'autre côté de l'île coulait un autre bras sans profondeur et l'on pouvait, en quelques brasses, gagner la Thaïlande. Au mois d'août, cependant, les eaux étaient si profondes que, de part et d'autre de l'île, le fleuve atteignait un kilomètre de large.

Devant la grande porte de l'hôtel était aménagée pour les voitures une étroite plate-forme, jadis abondamment fleurie. Personne ne vint lui offrir ses services mais, après tout, Field n'avait besoin des services de personne. Il s'étira et leva les yeux sur deux étages de la longue façade de ciment, puis il entra sans se presser et demanda la suite 215 qu'on lui avait toujours donnée dans le passé. Apparemment, cela ne posait pas de problème. Vientiane avait toujours été un endroit sans problème, même durant les journées les plus critiques de la guerre. Maintenant, le nombre des habitants était passé de cinq cent mille à cinquante mille et les hôtels étaient pratiquement vides, mis à part ceux qui hébergeaient des spécialistes russes. Le tourisme était proscrit et le mouvement des affaires inexistant. C'était une ville d'une extrême tranquillité.

Field aimait la suite 215, parce qu'elle donnait sur les arrières de l'hôtel et un jardin s'étendant sur une centaine de mètres jusqu'à la route principale. En outre, elle comportait une sorte de salon sans fenêtre avec un petit réfrigérateur et une chambre à coucher complètement séparée.

Il décrocha le téléphone pour prévenir M. Som Nosavan, de la Lao Trading Company, qu'il était arrivé. Il n'y avait pas de tonalité. Il actionna le support de l'appareil. Rien ne se passa. Il esquissa un sourire, sortit et descendit l'escalier. L'employé de la réception essaya d'obtenir son numéro et parut surpris de trouver le téléphone en panne. Field, lui, ne l'était nullement. Il demanda du papier à lettres et sortit avec dans le jardin.

La curiosité l'entraîna vers la gauche où l'on avait autrefois mis des ours en cage pour distraire les clients. Les cages étaient maintenant vides. Field se dirigea alors vers la piscine, au centre du jardin. Les lits de bois bas réservés aux bains de soleil étaient toujours là, avec leur peinture écaillée. Il dénicha un fauteuil utilisable et le traîna sous un frangipanier où il écrivit deux messages, l'un pour Som Nosavan, l'autre pour Charles Vadeboncœur. Il veilla à ne pas citer le nom de Diana : « Barry m'a chargé de vous saluer. Suis ici jusqu'à jeudi. » Cela suffisait. À vous de jouer maintenant, songea-t-il. Puis il alla porter les deux billets au réceptionniste qui fit venir des taxis pour les déposer à leurs adresses respectives.

En fait, la Lao Trading Company n'était qu'à cinq minutes à pied dans la grande rue qui longeait le bout du jardin. La maison de Diana se trouvait un peu plus loin, à un quart d'heure de marche peut-être de l'autre côté de la rue vers le vieux club australien. Field ne se sentait pas d'humeur à houspiller les gens. Ce n'était pas le style de l'établissement. Il se contenta de retourner dans le jardin et de reprendre son fauteuil, près de la piscine, pour attendre. Étrange, songea-t-il, d'être là, comme l'unique survivant d'une lame de fond qui, dix ans après, l'avait déposé à nouveau sur ce même siège, dans le même jardin, pour y être hanté par les fantômes d'autres époques, d'autres existences. En 1975, l'hôtel avait été rempli d'Américains et d'autres étrangers qui quittaient le pays. Le gouvernement de coalition neutraliste de Souvanna Phouma, d'une durée si brève, allait à la débâcle à l'image de Saigon. Brave vieux Souvanna Phouma. Aux yeux de tous un honnête homme. Le piège du Pathet Lao se refermait en douceur. Rien de ce qui se passait n'avait le moindre rapport avec la violence sévissant au Viêt Nam et au Cambodge. Field avait fait la navette entre Bangkok et Vientiane pour tenir à jour la chronique des étapes du déclin. Il avait vu le père Peter, maintenant attaché à Klong Toey, descendre des montagnes, contraint par l'avance communiste d'abandonner son ministère parmi les tribus. Et Matthew Blake, ayant quitté ses guérillas méongs au tout dernier moment, était subitement apparu. Field, Pop Buelle et lui avaient passé une soirée éthylique dans un restaurant français du genre bien propre à Vientiane : le style colonial-nappe à carreaux, le seul qu'eussent jamais connu Field et Blake. Les autres Américains résidant dans les collines étaient déjà partis. Anthony

Smith même, venu de Singapour par avion pour essayer d'obtenir le règlement d'un contrat, avait repris l'avion dès qu'il avait su que c'était irréalisable. Au cours de cette période de désordre permanent, la piscine avait été couverte une fois par semaine pour être transformée en piste de danse.

Field regarda autour de lui, se demandant quels étaient les fantômes de tous ces gens ou de lui-même. Au bout du jardin était ouvert un portail de bois à double battant. Ce portail était jadis fermé pour interdire l'entrée à la masse des gens. Maintenant, il n'y avait plus personne pour en franchir le seuil.

Il considéra fixement le portail et imagina que Diana surgissait dans le jardin pour venir prendre un bain. Elle représentait encore tout ce qu'il n'était pas. Et elle ne voulait toujours pas de lui. Mais peu importait maintenant. Il continua à la voir, là, à mi-chemin du portail dans l'ombre des arbres.

Elle avait un épiderme délicat, aisément brûlé et constellé de taches de rousseur. Après elle, il avait passé sa vie en compagnie de filles à la peau lisse et douce. Et aux chevelures sombres. Il battit des paupières pour dissiper le mirage.

Une Toyota jaune neuve arriva sous la pluie, dans l'après-midi, pour prendre Field et le conduire à la Lao Trading Company. Les quelques voitures qu'il croisa étaient, à de rares exceptions près, vieilles d'au moins dix ans, c'est-à-dire antérieures à la révolution. La plupart des bâtiments dans la rue, l'artère commerciale de Vientiane, présentaient un rez-de-chaussée surmonté d'un ou deux étages. Les moins élevés étaient antérieurs à la Seconde Guerre mondiale. Les plus hauts, de style moderne, en béton, dataient comme les voitures de la brève période de gloire américaine. La firme commerciale appartenait à cette catégorie supérieure. Derrière de larges vitrines étaient exposées des marchandises provenant des entreprises qu'elle représentait. Le chauffeur conduisit Field au-delà jusqu'à l'angle d'un bâtiment, puis dans des toilettes exiguës ; la porte refermée, ils tenaient à peine tous les deux. Au-delà d'une seconde porte ils traversèrent un bureau sans fenêtre où le climatiseur faisait régner une température quasiment polaire. Un grand poste de télévision thaï était disposé dans un coin, à côté d'un bar chargé d'une vingtaine de bouteilles d'alcool en provenance d'Occident.

Au centre de la pièce, un homme corpulent en tenue de safari attendait, un sourire satisfait sur les lèvres. Il s'avança en traînant les sandales et s'exclama, d'un ton exubérant :

« Entrez, entrez, soyez le bienvenu ! Vous n'êtes pas aussi séduisant que Mme Laker, mais soyez tout de même le bienvenu. Que voulez-vous boire ?

– Un Coca.

– Oh, non ! J'ai tout ce qu'on veut, ici. Même du bourbon. Alors, qu'est-ce que je vous sers ?

– Je ne bois pas. »

Quelque chose dans le personnage intriguait Field.

Som Nosavan manifesta une déception sincère :

« Écoutez, si vous tenez à garder la tête claire pour la rude discussion qui nous attend, vous allez m'obliger à me limiter au thé. » Il entraîna Field vers une table ronde à l'extrémité de la pièce. « Alors, qu'en dites-vous ? Vientiane a-t-elle beaucoup changé ?

– Je n'y suis jamais venu.

– Non ? Je croyais que Mme Laker m'avait dit que vous connaissiez le Laos.

– Non. Le Viêt Nam. Pas le Laos. » Field se laissa tomber dans un fauteuil et tendit la main en direction de la route, au-delà de la pièce sans fenêtre. « C'est vraiment tranquille, là-bas. »

Som acquiesça avec énergie : « Oh, oui, très tranquille. » Il roula les yeux. « Mais pas ici. Ah, non. À l'intérieur des murs s'agite un vrai Bangkok miniature. J'ai brassé sept millions de dollars, l'an dernier. Dans un pays de dormeurs, l'homme éveillé s'enrichit.

– Marx ? »

Som le dévisagea, surpris, et répéta « Marx » comme s'il essayait de situer ce nom. Puis il comprit que c'était une plaisanterie : « Marx ! Marx ! Il ne se manifeste guère ici. C'est toujours le même vieux Laos somnolent avec quelques débrouillards comme moi. Ils rendent les Russes à moitié fous, monsieur Field, à moins que ce ne soit John ?

– John.

– Fous à lier. Je n'ai jamais rien vu de si drôle... Plus fous encore qu'ils n'ont rendu les Américains.

– Vous êtes laotien, donc ?

– Moi ? » Som était stupéfait par cette question. « Quoi d'autre ? Mon énergie vous étonne. Tant mieux pour vous. Nous allons pouvoir notre entendre. » Il se tapota l'estomac avec satisfaction. « L'argent, John, voilà ce qui m'arrondit la panse. Alors, pourquoi ne voulez-vous pas de mon café ? Cinq tonnes, ce n'est rien. C'est le meilleur du monde. Nous le goûterons tout à l'heure. »

Ils passèrent le reste de la journée à discuter de points de détail et, à six heures, la porte donnant sur les toilettes s'ouvrit brusquement. Une jeune femme, vêtue d'une robe très parisienne, fit son entrée, suivie de deux hommes. Il se révéla très vite qu'elle était une créature de Som tandis que l'un des hommes était son associé, directeur à la fois d'une brasserie d'État et d'une fabrique de détersifs. Il s'appelait Iem. L'autre homme fut présenté comme le secrétaire privé du Premier ministre. Kamphet, c'était son nom, et Iem ne savaient que le français. La jeune femme de même. Field trouva qu'elle avait un accent vietnamien. De temps en temps, ils se mettaient à parler laotien et Field parvenait à suivre la conversation, encore que ce ne fût pas pour cette raison qu'il avait nié avoir jamais mis les pieds au Laos. Simplement, il ne voyait pas pourquoi il eût admis en savoir plus que le strict minimum nécessaire.

Ils burent du whisky pendant une heure, puis un repas chinois leur fut servi et les trois hommes continuèrent au whisky, tandis que Field et la fille se contentaient de Coca-Cola. Durant tout ce temps, il n'avait cessé de s'interroger sur Som. Field était certain de l'avoir rencontré. Les gens subissaient de telles transformations de personnalité sous la domination communiste qu'il aurait pu jouer n'importe quel rôle sous l'ancien régime. La conversation s'était orientée sur la vie hors du pays. La jeune femme était allée faire des achats à Paris quelques mois plus tôt, et Som avait fait un voyage d'affaires à Hong Kong deux ans auparavant, mais, ces déplacements mis à part, ils étaient tous restés « confinés dans notre prison endormie », comme le déclara Som.

Ils apprirent avec stupeur que Field n'avait jamais mis les pieds en Europe et refusait de se rendre en Amérique du Nord, fût-ce en visite. Ainsi leur curiosité se limitait à Bangkok qui leur était à tous familière puisqu'ils pouvaient suivre illégalement les émissions de la télévision thaïe diffusées de l'autre côté du fleuve.

Le mardi matin, Field, sans obligations, se rendit en flânant au café Pagode, sur l'avenue Sam Sen Thaï. Derrière ses stores de bambou baissés, l'établissement servait encore du café et des croissants. Field en mangea deux et regagna l'hôtel. Dans l'après-midi, il reprit ses négociations tandis qu'il pleuvait, refusa l'invitation à dîner de Som et se rendit au restaurant français où il avait mangé la dernière fois en compagnie de Blake et de Pop Buelle. Le menu semblait inchangé. Ce soir-là il constata, en se déshabillant, que son écoulement n'était plus clair. Il considéra un moment le liquide, se demandant s'il n'avait pas atteint ce que Woodward avait appelé le stade jaune. Le mercredi matin, l'affaire était conclue : trois tonnes de café sur deux ans. Il n'y avait toujours pas de message de Vadeboncœur.

Field prit un vélo-taxi jusqu'à l'Australian Club avec l'idée que peut-être il pourrait y rencontrer Diana. Il passa devant le palais royal, fermé depuis 1976 et la disparition du roi, soit détenu dans une prison vietnamienne, soit tout simplement mort. Au-delà se trouvait l'ancienne résidence officielle de Souvanna Phouma, qui avait été autorisé à l'occuper jusqu'à sa mort en 1984. Le centre de la ville était déjà derrière eux et les maisons s'égrenaient en chapelet le long du fleuve dans un décor rural, entre la route et l'eau.

La façade de ciment fraîchement peinte en rose de l'Australian Club, dont le bâtiment bas bordait la piscine, constituait son trait le plus remarquable. La secrétaire à son bureau ne parut pas objecter au désir de Field de s'inscrire à titre provisoire. Il alla ensuite flâner autour du bassin, examinant les épouses et les enfants des diplomates occidentaux pour lesquels l'endroit était le cœur, l'âme, le centre social même du Laos. N'importe lequel des enfants aurait pu être celui de Diana. Barry Davis n'avait pas parlé de progéniture, mais en bonne logique elle et Vadeboncœur avaient dû faire des enfants. En fait, leurs rejetons devaient probablement être déjà à l'université. Field interrompit son inspection. Il se trouvait simplement qu'il n'avait pas revu Diana depuis avant son mariage. Le temps aurait donc dû s'arrêter. Il entra dans le pavillon et mangea un club-sandwich tandis qu'il pleuvait, puis il ressortit et s'étendit sur une chaise longue ombragée, au bout du jardin, sur la rive du Mékong. De là, on pouvait apercevoir le centre de Vientiane à trois kilomètres en amont, le long d'un méandre du fleuve. Et juste en face de lui, sur l'autre rive, s'étendait la Thaïlande, apparemment indifférente à cette capitale marxiste-léniniste et à l'Australian Club avec son allure anglo-saxonne soignée et figée.

Il fut réveillé par une tape légère sur son bras. Avec lenteur, il prit conscience de la présence de celui qui le regardait en silence. Et, tout d'abord, l'idée lui vint que Charles Vadeboncœur avait attendu l'ultime instant pour se montrer, réduisant ainsi au minimum la durée de leur entretien. Charles était en costume de bain bien qu'il ne parût pas encore s'être baigné.

« Ça fait un bail », dit Field.

Charles acquiesça : « Je vais aller me changer, je te ramènerai chez toi. »

Il disparut, laissant Field à la contemplation du Mékong où le soleil rouge déclinait à l'horizon. Il avait dormi tout l'après-midi. Charles resurgit et resta un moment immobile à observer la rive du fleuve.

« En général, il y a un policier de faction ici. Officiellement, son rôle est de protéger le club. En réalité, il est censé empêcher les Laotiens de traverser à la nage le Mékong. »

Field laissa errer son regard vers la Thaïlande : « Ça fait un sacré bout de chemin.

– C'est le meilleur endroit, pour passer. Le courant n'est pas trop fort. La nuit, il y a toujours deux ou trois bateaux pour ceux qui ne savent pas bien nager et qui ont un peu d'argent. L'an dernier, ils ont été quatorze mille à passer de l'autre côté.

– Le club devrait louer des jumelles et des fauteuils pliants.

– Ils ne traversent pas tous ici, Dieu merci », répondit Charles en riant.

Ce fut alors seulement que Field se rendit compte qu'ils avaient parlé anglais. Dans le passé, ils avaient toujours conversé en français. Tandis qu'ils revenaient vers le club-house, Charles adopta un ton de persiflage mondain qui parut à Field totalement artificiel. Mais ce n'était pas tout. Il y avait autre chose. Il se souvint de Charles comme d'un être fragile, pâle ; c'était là le personnage qu'avait paru rechercher Diana – un homme doué de certaines convictions, qui n'était pas simplement cultivé mais pour qui les idées conditionnaient les croyances. Field considéra le visage bronzé et la silhouette vigoureuse de son interlocuteur. Charles s'était étoffé, avait acquis la carrure dynamique d'un homme d'action.

« Diana va être ravie », dit-il d'une voix claire, tandis qu'ils traversaient le club et saluaient de la main au passage quatre femmes qui jouaient au bridge.

À l'extérieur, un chauffeur attendait à côté d'une vieille Ford. Les deux hommes restèrent silencieux durant le bref trajet qui les mena jusqu'à une maison située dans une rue partant de Sam Sen Thaï. Le chauffeur actionna le klaxon et un gardien vint ouvrir le portail. Il donnait sur un jardin. À côté se trouvait le logement du gardien ; le bâtiment principal se dressait en retrait à une vingtaine de mètres. Il n'avait qu'un étage et semblait de dimensions réduites. Le jardin était rempli de fleurs avec des orchidées pendant parmi les arbres. Charles se dirigea vers la porte et cria : « Diana ! Viens ! Viens voir qui est là[1]. » Il jeta un coup d'œil en arrière vers Field, avec le sourire d'un homme heureux de la surprise qu'il va provoquer.

Elle apparut à l'angle de la maison :

« Charles, qu'est-ce qu'il y a ? » Puis elle vit Field, s'immobilisa un instant, eut un petit rire et s'approcha calmement de lui pour l'embrasser.

Naturellement, elle ne manifeste rien, pensa-t-il. Je l'ai toujours connue indifférente. La joue de Diana effleura légèrement la sienne. Elle était chaude avec une fine pellicule de transpiration due à la chaleur. Il se recula pour la regarder, conscient d'être observé par Charles. Elle n'avait guère changé. Le Laos avait fait ressortir ses taches de rousseur, mais celles-ci s'accordaient bien à sa nonchalante assurance. Elle portait un short trop large et des sandales. Ses jambes étaient identiques à celles qu'il se souvenait d'avoir caressées.

« Entre, dit Charles. Je suppose que tu es libre pour le dîner.

– Libre, oui, tout à fait libre, répondit Field, parfaitement libre. »

Charles se détourna pour appeler et une jeune fille apparut. « Whisky. » La jeune fille pivota et repartit avant que Field ait pu demander autre chose.

« C'est vraiment absurde, reprit Charles. J'ai débarqué ici comme expert forestier, ce que je ne suis pas, et ils me donnent cinq domestiques pour faire le travail d'un seul ou, disons, le travail dont Diana et moi nous chargerions volontiers. Enfin, te voilà.

– Alors, qu'est-ce que tu fabriques ici ?

– Je suis expert forestier. Enfin, je le suis devenu. On peut donc dire que je joue un rôle utile. »

1. En français dans le texte. *(N.d.T.)*

Ils s'installèrent dans un salon meublé à coup sûr par d'autres occupants. Tout présentait un aspect fonctionnel et médiocre alors que Diana, il s'en souvenait très bien, était obsédée par les détails du décor où elle vivait.

« D'accord, mais qu'est-ce que tu fais ici ? Je veux dire, quoi au juste ?

– Quoi, fit Diana en écho, et elle s'assit à côté de son mari, un bras mollement passé sur son épaule. Plus précisément, ajouta-t-elle, que faisions-nous à Montréal ? Nous nous enrichissions comme les autres. En nous plaignant avec amertume de tout comme si nos problèmes étaient les plus insolubles du monde. C'est vrai, il y avait des problèmes à résoudre ; mais à part ça, nous y menions une existence bien tranquille et douillette.

– Nous avons tous cru qu'il allait se produire une révolution, intervint Charles. Tu te souviens de ce que nous pensions. Tout allait être mis sens dessus dessous. Personne n'aurait pu paraître moins révolutionnaire. Et puis quelques élections ont remis les choses dans le droit chemin et quelques lois ont tout changé sans difficulté majeure. Je veux dire, en comparaison de... » Il laissa sa phrase en suspens.

« Alors, tu as opté pour la forêt.

– J'ai décidé que ça ne suffisait pas. Ou plutôt, que c'était trop bien. J'ai démissionné et pris un boulot à l'U.N.D.P. [1]. Il y a cinq ans. D'abord, ils ont voulu m'utiliser comme avocat. Il a fallu un certain temps pour qu'ils y renoncent. Ensuite, une autre idée leur est venue. Canada égale forêt. Alors, je me suis reconverti. Maintenant, je passe ma vie en plein air. Nous sommes restés deux ans à Lagos. Le déboisement est le grand problème,

1. *U.N.D.P. :* United Nations Development Program. *(N.d.T.)*

en Afrique. Ici, ça ne va pas si mal. Je séjourne dans le Nord une bonne partie du temps.

– Et tu ne regrettes pas.

– Je ne me plains pas. Non.

– L'hiver, si, remarqua Diana.

– Tu n'es jamais retourné au Canada ?

– Une fois ou deux, dit-elle. Juste avant que nous venions ici. Pour les enterrements par exemple.

– Moi, ça ne m'est jamais arrivé, même pour les enterrements. » Il y avait une nuance de satisfaction dans sa voix.

Comme ils n'avaient partagé aucune expérience au cours de ces vingt ans, ils consacrèrent la soirée à parler du Montréal qu'ils avaient connu, ce qui exigea d'eux certaines précautions pour éviter des sujets embarrassants. C'était presque une aberration que ces trois êtres se soient connus, à plus forte raison qu'ils aient couché ensemble et se soient mariés. Field avait glissé sans transition de son école de la basse ville à son travail dans un journal, tandis que Charles étudiait de l'autre côté de la montagne, à l'université de Montréal, et que Diana était descendue de son piédestal aux flancs britanniques du mont Royal pour découvrir le monde.

Field constata avec surprise qu'aucune allusion n'était faite au message envoyé à Bangkok. Vers la fin du dîner, il déclara : « Barry, Davis avait l'air de s'inquiéter à votre sujet. Je ne vois pas pourquoi. »

Une domestique était présente dans la pièce et Charles attendit qu'elle fût sortie avant de répondre, d'un ton conciliant : « Ah oui, Barry est un grand anxieux.

– Alors, tout va bien ? »

Charles eut un geste accompagné d'un sourire qui tenait lieu de réponse affirmative.

« Parfait.

– Je m'ennuie un peu, peut-être. Le Laos est... comment dirais-je... ?

– Calme », acheva Diana.

Ils se mirent à rire et restèrent silencieux. Au-dehors, pas un bruit ne s'élevait dans la nuit. Ni voix, ni circulation, ni rumeur d'hommes au travail comme à Bangkok où ils étaient à la tâche vingt-quatre heures par jour.

Charles sauta sur ses pieds : « Je vais te donner une lettre pour Barry. Il y a ici un certain nombre de choses qui pourraient l'intéresser. Tu permets ? Je vais l'écrire tout de suite. » Il quitta la pièce d'un pas résolu.

Field, immobile, baissa les yeux sur ses mains. Il sentait que Diana les regardait aussi.

« Nous avons entendu parler de ton séjour en Thaïlande. J'ai d'abord été surprise. C'était si improbable. L'an dernier a débarqué ici un journaliste qui venait de traverser Bangkok et qui avait passé une soirée avec toi. Pendant presque tout un dîner, il nous a raconté ce qui était arrivé. J'avais l'impression d'écouter aux portes puisqu'il ne savait pas que je te connaissais.

– Je ne vois pas trop ce que j'ai pu faire d'intéressant là-bas.

– Ce n'était pas tellement ça. Dans son récit, tu occupais la position du vieux blasé de l'Asie. Tu sais bien, le Cynique, l'Homme-qui-a-tout-vu. Mué en indigène. Je suis très étonnée de te voir si peu changé. »

Field haussa les épaules : « Pas d'enfants ? demanda-t-il.

– Non, répondit-elle vivement. Je ne pouvais pas... Pendant longtemps, j'ai pensé que cela affecterait Charles, puis nous avons quitté Montréal et tout est redevenu normal.

– Normal. » Field répéta le mot. « Je n'ai jamais pensé que la normalité pouvait jouer un rôle quelconque. » Il faillit annoncer qu'il avait une fille, à l'université, puis s'abstint. Et il se contenta de dévisager Diana d'un œil hardi. À deux reprises il l'avait cajolée, bonimentée, en fait attirée dans son lit. Elle lui avait cédé par bonté. Même sur le moment il s'en était rendu compte. Simplement il lui manquait les aptitudes pour jouer ce rôle comme elle l'avait imaginé.

Diana interrompit son examen. « Quand je me suis mariée, je pense que le bonheur n'était pas mon premier objectif. Je veux dire, c'était secondaire. Le plus curieux c'est que, justement, j'ai connu beaucoup de bonheur.

– Ici ?

– Particulièrement ici.

– Mais qu'est-ce que tu peux bien faire ? Quand Charles est parti dans ses forêts de teck, par exemple.

– Je jouais au bridge avec Souvanna Phouma, presque tous les jours. C'était un vieux bonhomme délicieux. Cet endroit est un tel village. Au bout d'une semaine, il avait déjà découvert que j'étais une bonne joueuse. À Westmount, nous apprenions toutes à jouer au bridge. Au bridge et au tennis.

– Les jeux adéquats. Tandis que nous, les croquants d'Irlandais, en bas de la ville nous jouions au hockey. »

Elle sourit et, pour la première fois, Field remarqua ses traits tirés, marqués de soucis enfouis dans les profondeurs.

« Le vieux est mort depuis un an. Alors, qu'est-ce que tu fais maintenant ?

– Oh, des tas de choses. Il y a d'autres femmes. Nous avons de nombreuses activités. Et je m'occupe de Charles. Il est très différent de nous. »

Elle avait fait cette réflexion d'un ton négligent, comme si leur infériorité, à elle et Field, était flagrante. « Il avait sa conception personnelle des jeux adéquats ou pas. » Elle rougit. « Il a donc besoin qu'on s'occupe de lui.

– D'accord », dit simplement Field.

La servante revint remplir leurs tasses de café et Diana attendit qu'elle fût sortie pour reprendre la parole : « La lettre qu'il écrit. Fais-y attention.

– Bien sûr.

– Non, ce n'est pas ce que je veux dire. Charles minimise toujours les choses. Tu dois y veiller. Particulièrement en quittant Vientiane.

– Très bien, répéta Field, cette fois avec conviction. Je suis un vieux blasé de l'Asie, souviens-toi, je connais les ficelles.

– C'est très improbable », dit-elle en riant de nouveau.

La lassitude ou l'anxiété marquait toujours son visage.

Ils bavardèrent pendant une demi-heure avant que Charles réapparût en s'excusant : « Je n'ai pas tout à fait fini. Je te donnerai ça demain matin au club, d'accord ? Disons à dix heures. Ton avion ne part qu'à midi.

– Parfait », dit Field.

Il refusa de se faire reconduire au Lane Xang. Le trajet ne représentait qu'un quart d'heure à pied et il avait envie de marcher. Il régnait dans les rues un calme absolu que seuls troublaient de rares chants d'oiseaux ; l'air était doux et lénifiant. Il franchit la grande avenue allant du palais du roi au monument à la victoire. L'un des trois feux de croisement était rouge. Il traversa néanmoins. Il n'y avait pas même un cycliste en vue. Un être en quête de paix et de quiétude aurait été comblé dans cet endroit.

Le lendemain matin, il prit un vélo-taxi pour se rendre à l'Australian Club où il arriva peu avant dix heures. Il commanda un café et s'installa à l'ombre au-dehors où il pouvait regarder les enfants prendre leur leçon de natation. En contrebas du club, sur la rive du fleuve, se tenait en faction un policier en uniforme de l'armée. Il était, bien entendu, hautement improbable que quiconque tentât de traverser en plein jour ; le rôle de cette sentinelle était donc plus théorique que réel.

À onze heures moins le quart, Charles n'était pas encore apparu et Field commença à s'inquiéter pour son avion. La perspective de passer encore trois jours à Vientiane avec son bas-ventre douloureux et sans rien à faire de précis l'accablait. Il sortit, prit un taxi et se fit conduire chez Charles et Diana. Puis il demanda au chauffeur d'attendre. Le gardien ne se manifesta pas lorsque Field actionna la sonnette. Il sonna une seconde fois et essaya d'appeler. Toujours pas de réponse. Le portail fermé n'était pas verrouillé et Field entra et appela à nouveau. Il vit avec soulagement la vieille Ford garée dans la cour. Autrement dit, Field et Charles n'avaient pas fait le trajet ensemble. Les volets étaient restés fermés. Sans doute le sommeil de Diana s'était-il prolongé au-delà de l'horaire habituel aux gens de Vientiane. Personne n'apparaissant, Field alla frapper à la porte de la maison. La servante ne répondit pas. Il appela une fois de plus et tourna la poignée. La porte était ouverte.

À l'intérieur régnait un calme absolu. L'air était frais. Ce ne fut qu'une fois sa vision adaptée à la pénombre que Field remarqua les objets éparpillés sur le sol. Il referma la porte derrière lui et pénétra à pas lents dans le salon. Les fauteuils avaient été renversés ; les livres de la bibliothèque étaient dispersés çà et là. Il entra dans la cuisine. Il n'y avait personne mais tous les placards avaient été vidés. Un peu partout, par terre et sur la paillasse, traînaient des assiettes et des casseroles. Il revint dans le vestibule et s'arrêta pour réfléchir. Peut-être la meilleure chose à faire était-elle de donner l'alarme. Il leva les yeux vers l'escalier, écouta le silence et se mit à monter marche après marche. Sur le palier il y avait quatre portes. Deux étaient ouvertes. L'une donnait sur une salle de bains où le linge était répandu en désordre, l'autre sur une petite chambre à coucher sens dessus dessous. Il regagna le palier garni d'un mauvais tapis chinois qui étouffait le bruit des pas. Il examina les deux portes devant lui, se demandant laquelle ouvrir. Il choisit celle de gauche et poussa lentement le panneau. La pièce était plongée dans l'obscurité. Il trouva un commutateur et alluma.

La première chose qu'il remarqua fut un pied de Diana sur le plancher, à l'extrémité du lit. Puis il vit l'autre, fit deux pas en avant et s'immobilisa. Charles gisait à demi invisible derrière l'autre côté du lit. Field reporta son regard sur Diana. Elle était nue. Des balafres sanglantes lui barraient le bas-ventre. Elle avait les bras en croix. Ils avaient été liés, puis détachés. Le bout de drap qui les entravait était encore noué à chaque poignet ; les doigts avaient été tranchés. Il se contraignit à ne pas détourner les yeux. Les seins avaient été coupés presque chirurgicalement. Il considéra le visage de la victime : les oreilles avaient été également tranchées et une sorte de moignon sanglant était enfoncé dans sa bouche. Même à distance, il se rendait compte que tout ce sang répandu était frais et, sur le plancher, il n'était pas encore séché. Les yeux étaient grands ouverts. Ils n'avaient pas touché à ses yeux. À son expression, Field comprit qu'elle était restée en vie durant tout son supplice et même lorsqu'ils l'avaient bâillonnée. Et pourtant, elle paraissait très calme.

Il détourna vivement les yeux vers Charles. Un bandeau de tissu, tendu à travers sa bouche, écrasant les commissures, était serré sur sa nuque. Il avait été mutilé de la même façon ; ses mains étaient encore attachées mais son bras droit avait été à demi tranché, peut-être pendant qu'il tentait de se défendre. Et ses parties génitales avaient été sectionnées. Field se rendit compte qu'elles avaient servi à bâillonner Diana. Tout le corps de Charles était comme arc-bouté, contorsionné.

Field parvint à détourner la tête et regagna le palier après avoir refermé la porte derrière lui. Il régnait toujours le même silence. Chancelant, il s'appuya au mur et déglutit pour refréner son envie de vomir. Il n'y avait personne dans la maison. Ce fut la première pensée qui lui traversa l'esprit. Personne. Il posa une main sur la balustrade et descendit l'escalier à pas prudents. Il y avait un miroir à la base qu'il évita de regarder. Au-dehors, les oiseaux chantaient. Il traversa le jardin jusqu'au portail : le taxi était toujours là. Personne d'autre en vue. Donner l'alerte, pensa-t-il. Il se retourna pour considérer le jardin vide, puis referma le portail et monta dans le taxi. « À l'hôtel », dit-il.

Ils longèrent plusieurs maisons où se manifestaient des signes évidents de présence. Pas de sentiments, se dit-il, pas de sentiments. Réfléchissons. Il tenta de se remémorer son entrée dans la maison. Cinq domestiques. Pas un sur les lieux. Il n'avait pas vérifié toutes les pièces. Peut-être étaient-ils morts ou ligotés. Non. Ce n'était pas possible. Pas un nombre aussi important quand il y avait des maisons de part et d'autre. Non, ils étaient absents et l'alerte n'avait pas été donnée. Il revit les corps en pensée ; ils n'avaient pas été assassinés mais torturés. Et la maison avait été fouillée. Il consulta sa montre : son avion décollait dans une heure. Le suivant ne partait que dans trois jours et il se retrouverait embringué dans une histoire qui le dépassait complètement. « Prendre l'avion », dit-il à mi-voix. Le chauffeur se retourna en l'entendant et croisa son regard comme si une photographie s'y inscrivait. Field détourna les yeux. Il fit une profonde inspiration et tenta de se calmer. Était-ce par accident qu'il avait découvert les cadavres ? Dans le cas contraire, jamais on ne le laisserait prendre l'avion. Prudence. Prudence. L'ambassade britannique couvrait les Canadiens au Laos. Il jeta un coup d'œil au-dehors. Ils étaient presque arrivés à l'hôtel. Bon. Bon. Il fallait avancer pas à pas.

Devant l'entrée de l'hôtel, il se pencha vers le chauffeur : « Attendez ici. Ne partez pas. » L'homme acquiesça. Field grimpa rapidement le perron. « Ma clef, dit-il à la réception. Et ma note, tout de suite. Je vais faire mes bagages. »

L'homme lui tendit, avec la clef, une petite enveloppe épaisse.

« Qui a apporté ça ?

– Venue ce matin, monsieur Field.

– Qui ? »

L'homme haussa les épaules. « Un messager. »

Field grimpa quatre à quatre jusqu'au premier, inséra fébrilement sa clef dans la serrure, recula et ouvrit sa porte à la volée. Tout était calme à l'intérieur. Il déchira l'enveloppe et en sortit un banal calepin qu'il se mit à feuilleter fébrilement. L'écriture était petite et soignée. Il lut au hasard : « Pong Saly : juin 84, en inspection forestière, remarqué importantes cultures de pavot ne figurant pas dans relevés officiels... » C'était la lettre de Charles. Ne rien négliger, se dit-il, appeler l'ambassade. Il se précipita sur le téléphone dans la première pièce ; il était coupé. Il reposa brusquement l'appareil et courut dans la chambre. Il avait laissé la fenêtre relevée et ses affaires emballées dans la valise ouverte. Il la referma et se dirigea vers la porte. D'abord l'ambassade, ensuite l'aéroport. C'est plus sûr.

Derrière lui, il entendit des éclats de voix. Il se tourna vers la fenêtre. Oui, des cris s'élevaient au-dehors. Il courut jeter un coup d'œil. De l'autre côté du portail, au bout du jardin, un groupe de soldats ou de policiers couraient, armés de mitraillettes. Il se rua vers l'autre pièce, puis s'immobilisa. Avec lenteur, il alla ouvrir la porte et tendit l'oreille. Des pas précipités retentirent dans l'escalier. Il chercha des yeux un escalier de secours vers le bout du couloir, puis, se ravisant, revint en arrière, referma la porte et la verrouilla. Puis il s'efforça de réfléchir. On entendait courir dans le couloir.

Le calepin. Le calepin. Il était dans sa poche. Il l'en sortit et le considéra stupidement. Était-ce cet objet qu'ils cherchaient ? Il l'ouvrit... usine de détersifs d'État en réalité utilisée comme laboratoire pour la drogue... Il referma le carnet. Que lui feraient-ils s'ils pensaient qu'il l'avait lu ? Il promena un rapide coup d'œil autour de lui. Dans la cuvette des waters, se dit-il. Non. Il ne disparaîtrait pas en tirant la chaîne une seule fois. Et le temps manquait pour une deuxième tentative. Il courut jusqu'au réfrigérateur et l'ouvrit. Il était vide. Quelqu'un se mit à frapper derrière lui. Il rabattit le panneau du freezer. Il contenait deux bacs à glace. Il remit le carnet dans son enveloppe et le glissa à plat sous l'un des bacs. Puis il referma sans bruit la porte de l'appareil. Des voix lui criaient d'ouvrir. Il gagna le milieu de l'appartement avant de répondre d'un ton posé.

Ils ne parurent pas l'entendre et continuèrent à vociférer. Une fois près de la porte, Field s'aperçut qu'ils criaient en français. Il demanda :

« Qui est là ?

– Police ! Police !

– Attendez. » Il dégagea le verrou et tourna lentement la poignée.

À peine la porte ouverte, ils se ruèrent à l'intérieur et le poussèrent jusqu'au mur du fond. Il leva les bras et s'efforça de prendre un air surpris. Ils le palpèrent des pieds à la tête et fouillèrent rapidement la pièce.

Un petit homme d'aspect soigné, apparemment en uniforme d'officier, s'avança. On aurait pu le prendre pour un adolescent tant il semblait jeune. « Votre valise ? » Il désigna de la tête le bagage de Field.

« Je prends l'avion à midi, répondit Field.

– M. Vadeboncœur ? s'enquit l'officier.

– Ambassade britannique », répliqua Field.

Dans un anglais approximatif, l'officier insista :

« Pourquoi vous les tuer ?

– Ambassade britannique », répéta Field.

L'officier envoya un homme fouiller la chambre à coucher, apparemment à la recherche d'armes, puis donna l'ordre d'y ramener Field et de l'y enfermer sous la surveillance d'un soldat. Il n'y avait pas de siège et Field s'assit sur le bord du lit. Le policier, visiblement nerveux, se tenait devant la porte, une Kalachnikov en travers de la poitrine. Dix minutes plus tard, l'officier entra. Il tenait le passeport de Field.

« Pourquoi êtes-vous venu ici ? »

Field se leva : « Pour affaires.

– Affaires ?

– Avec la Lao Trading Company. Les tracteurs. Som Nosavan.

– Des tracteurs, répéta l'homme. Pourquoi vous tuer ces gens ? »

Field dévisagea son interlocuteur et estima que c'était son premier meurtre. Sans doute le premier meurtre à Vientiane depuis des années. « Ce n'est pas moi. Appelez l'ambassade britannique, je vous prie.

– Les voisins vu vous entrer. Et sortir.

– Qui d'autre ont-ils vu ? J'y suis allé pour leur dire au revoir. C'étaient des amis. Je les ai trouvés morts. »

L'officier hocha la tête. « Pourquoi venir ici ? Rien dire sur meurtre ?

– S'il vous plaît, appelez l'ambassade britannique.

– Un meurtre deux heures avant l'avion, en fuite avant d'être découvert.

– Qui vous a prévenu ?

– Téléphone.

– Comment savaient-ils ? » Field haussa le ton : « Comment savaient-ils ? » Il sentit qu'il perdait son sang-froid et se rassit sur le lit.

L'officier tourna les talons et quitta la pièce. La porte se referma derrière lui. Field considéra le jeune soldat en faction, qui détourna les yeux. Ils attendirent une demi-heure, puis le bruit d'un moteur d'avion leur parvint par la fenêtre. Field se leva pour aller voir disparaître l'appareil qu'il devait prendre, mais le soldat se précipita pour l'empêcher d'approcher de la fenêtre.

« Mais je ne vais pas sauter, bon Dieu ! » Field se rassit et attendit jusqu'aux limites de sa patience. « L'officier ! hurla-t-il, l'officier ! » Le soldat le menaça avec son arme, mais Field n'avait pas bougé. Il continuait à crier : « L'officier ! »

La porte s'ouvrit. Par l'ouverture, il vit que l'autre pièce avait été mise sens dessus dessous.

« L'ambassadeur anglais.

– Là-bas ! » L'officier désignait de la main le coin de la pièce, près de la fenêtre. « Allez vous mettre là-bas ! »

Quatre de ses hommes entrèrent et se mirent à fouiller systématiquement la pièce. Ils arrachèrent les draps, retournèrent le matelas, ôtèrent tout ce qui se trouvait aux murs. Ils n'avaient donc pas encore regardé dans le freezer. Field jeta un coup d'œil par la porte ouverte et vit une silhouette massive pénétrer dans la pièce, précédée d'un soldat. Ensuite, quelqu'un ferma la porte. Il fallut quelques instants à Field pour se rendre compte que le nouveau venu était Som Nosavan, de la firme commerciale.

« Hé ! cria-t-il à l'officier de police. L'homme avec qui je suis en affaires est là. » Il montra la porte du doigt. « Je l'ai vu à côté. Laissez-moi lui parler. »

L'officier fit la sourde oreille et quitta la chambre. Peu après Nosavan apparut, l'air très embarrassé. Field n'était pas d'humeur à prendre des gants.

« Écoutez. Je leur ai demandé d'appeler l'ambassade britannique. J'ai le droit de leur parler.

– Je regrette, monsieur Field. Je ne comprends pas ce qui se passe. Ils ont envoyé quelqu'un me chercher. Avez-vous utilisé mon nom ? » La rancune perçait dans sa voix, comme s'il voulait signifier que, dans un pays pareil, on se gardait de compromettre les gens. « Il paraît que vous avez tué un jeune couple.

– Dites-leur simplement ce que je fais ici.

– Je le leur ai dit. Mais venir pour affaires n'exclut pas nécessairement un meurtre. Il paraît que la maison a été mise à sac. Ils m'ont demandé de retrouver ce que vous avez pris.

– Je n'ai rien pris du tout. C'étaient des amis. Écoutez, voulez-vous aller à l'ambassade ? C'est tout. Prévenez-les simplement que je suis là. »

L'embarras de Som semblait à son comble.

« Je vous en prie, ne me demandez pas ça, monsieur Field.

– Appelez-les, rien de plus. Deux mots.

– Vous ne comprenez pas. »

Field s'efforça de prendre un ton posé :

« Écoutez. J'ai sûrement le droit de prévenir mes compatriotes de ce qui m'arrive.

– Ah, justement, monsieur Field. Je crois que vous ne

comprenez pas. Vous n'avez aucun droit. Nous n'avons pas de code légal, au Laos. Le gouvernement fait absolument ce qu'il veut. Aucun de nous n'a de droits. Nous n'avons que des obligations.

– Alors, qu'est-ce qui se passe ? »

Som haussa les épaules : « Ils s'efforcent de prendre une décision, à mon avis. La police demande conseil à d'autres services.

– Mais enfin, crénom de Dieu ! » Entre la fureur et la frustration, Field commençait à perdre pied. Jusque-là, il avait réussi à réprimer toute autre émotion. « Voulez-vous essayer de découvrir ce qui se passe ? » Il fit un geste vague des mains et se rassit sur le lit.

« Bien sûr. Je dois bien ça à Mme Laker, fit-il. Et il ne faut pas vous inquiéter, monsieur Field. Cette histoire ne change rien à notre accord – c'est un problème purement personnel. »

Field lui lança un regard chargé d'amertume.

« Vous avez une loi qui fait la différence entre les deux, c'est ça ? »

Som eut un sourire d'intelligence et sortit. Rien ne se produisit. Le soldat restait devant la porte. Field s'étendit sur le lit, les genoux ramenés contre lui. À un certain moment, il s'assoupit et fut réveillé par un cauchemar dans lequel il assistait à l'assassinat de Diana. Il y avait de la lumière dans la pièce et il faisait nuit au-dehors. Le garde, à la porte, avait été relevé par un autre qui avait laissé la fenêtre ouverte sans mettre en marche le climatiseur, si bien que les moustiques avaient envahi la pièce. Sans doute cet homme n'avait-il jamais rien vu de plus élaboré qu'un ventilateur.

Chapitre 6

Peu après deux heures du matin, la porte s'ouvrit. L'officier rappela le soldat en faction et envoya Som Nosavan dans la pièce. Durant un bref instant, par la porte ouverte, Field crut entrevoir le secrétaire personnel du Premier ministre qui jetait un coup d'œil curieux de son côté. C'était l'homme, appelé Kamphet, qui avait dîné avec lui à la firme commerciale. La porte se referma. Som esquissa un sourire, puis avança d'un pas irrésolu à travers la pièce jusqu'à la fenêtre où il regarda au-dehors. Au bout d'un moment, il dit sans se retourner : « Vous ne voyez pas, par hasard, ce que vous auriez pu chercher, ou trouver, dans cette maison ? »

Field éluda la question : « Avez-vous appelé l'ambassade ?

– J'ai discuté du problème avec des amis. Si j'appelle l'ambassade, l'affaire devient officielle. Ensuite va s'amorcer un processus qui risque de durer des mois. Et comment cela finira-t-il ? » Il se retourna et vint s'asseoir à côté de Field. La chaleur n'était pas excessive dans la pièce mais l'homme adipeux ruisselait de sueur. « J'irai à l'ambassade si vous y tenez vraiment. Mais j'ai parlé avec ces policiers, j'ai parlé avec mes amis aussi, vous comprenez, et – un mince sourire effleura ses lèvres – j'ai fait certaines offres par amitié pour Mme Laker, et la question qu'ils se posent est la suivante : veulent-ils vraiment juger un étranger pour meurtre ? Dans l'immédiat ? Bien sûr, cela dépend de vous, mais des tas de gens quittent le Laos, vous savez. Discrètement. Ils traversent le fleuve, voilà tout. Et si vous pouviez en faire autant, cela arrangerait tout le monde. Moi y compris. Imaginez de quoi j'aurais l'air, dans cette petite ville, si j'étais obligé de témoigner pour un client qui vient de massacrer deux personnes.

– Je vous ai dit... »

Som leva les mains en un geste de conciliation.

« J'essaie de vous expliquer que, même moi, j'ai de bonnes raisons de vous voir parti. Donc, si vous êtes d'accord, les policiers se retireront au rez-de-chaussée pour cinq minutes. Ils attendront devant la porte d'entrée. Et vous pourrez alors descendre dans le jardin dont le portail du fond sera ouvert. Là, j'aurai un chauffeur qui vous conduira à vingt-cinq kilomètres d'ici sur le fleuve, à Tanaleng, où il y a un ferry. Le premier est à huit heures. J'ai des amis là-bas, au poste frontière. Ils vous feront passer à Nong Khaï, en Thaïlande. Vous aurez manqué le premier train pour Bangkok mais il y en a un autre à six heures. Vous pourrez même louer une voiture avec un chauffeur. À peu près au moment où vous traverserez, la police découvrira les corps. Vous aurez tiré votre épingle de ce jeu compliqué sans un mot prononcé ou un coup de feu tiré. Ça vaudrait beaucoup mieux pour tout le monde. »

Field considéra son interlocuteur avec attention mais ne trouva rien à lui répondre. Enfin Som parut juger le silence intolérable. « Nous ne pouvons pas attendre trop longtemps. S'ils vous gardent ici encore quelque temps, tout le monde sera au courant. Ensuite, ça deviendra officiel... Vous pourriez être rentré à Bangkok demain soir.

– Et si je fais ça, la police dira que c'est la preuve que je les ai tués.

– Quelle importance ? À votre place, je ne m'en soucierais pas. De toute façon, je ne sais pas quel point de vue vont adopter les autorités. C'est une décision politique qui ne dépend ni de moi, ni de mes amis. » Il haussa les épaules. « Je préférerais que vous partiez mais je ne peux pas vous y forcer. Peut-être préférez-vous laisser la justice suivre son cours.

– Et les témoins qui m'ont vu entrer dans la maison, ils n'ont remarqué personne d'autre ?

– Apparemment. »

Field réfléchit un instant, contempla la chambre d'hôtel autour de lui. S'il restait, cet espace peu supportable serait remplacé par une réclusion bien pire dans une prison. Et pour combien de temps ? Sans doute finiraient-ils par trouver le carnet dans le freezer. Ensuite, ils sauraient qu'il était au courant. Que feraient-ils, alors ? Une fois qu'ils l'auraient bouclé, mis hors circuit, tout pouvait arriver. Il tourna la tête vers Som qui se leva, s'éloigna à pas mesurés vers la fenêtre et regarda au-dehors, l'air pensif, comme s'il contemplait le monde extérieur. La situation serait encore plus nette pour eux, songea Field, s'il se produisait un accident au cours de sa fuite. Il leva les yeux et croisa le regard de Som fixé sur lui.

« Qu'en pensez-vous ? demanda celui-ci.

– Je ne sais pas. »

Som eut un hochement de tête compréhensif :

« C'est très difficile.

– Il y a des risques des deux côtés. »

Som acquiesça à nouveau : « Peut-être. » Il paraissait soupeser le pour et le contre. « Bien sûr, je vis en porte à faux, ici, à traiter des affaires. Je suis un capitaliste dans une société socialiste – vous vous rendez compte ? Il y a toujours des risques quand il n'y a pas de règles. Peut-être... peut-être un peu moins pour vous si vous traversez le fleuve. Je l'ai fait une fois moi-même il y a quelques années ; ensuite, je suis revenu quelques mois plus tard quand les choses se furent tassées. » Il haussa les épaules : « Oui, il y a toujours des risques. »

Field le considéra sans rien dire, incapable de se concentrer. « Très bien, dit-il enfin, je vais tenter le coup. »

Tout d'abord, Som parut ne pas l'avoir entendu. Puis le soulagement se peignit sur son visage. « Restez ici. Quand vous entendrez claquer la porte du couloir, attendez quelques minutes, puis sortez.

– Et mon passeport... et l'argent ?

– Tout vous attendra dans la pièce à côté. »

Il alla jusqu'à la porte de la chambre à coucher où il s'arrêta le temps d'adresser à Field un sourire d'encouragement. « Bonne chance », dit-il, et il disparut.

Field se leva du lit et se mit à arpenter la pièce. Il s'efforçait de réfléchir, tout en regrettant de ne pas avoir choisi de rester. Au fait, il pouvait encore changer d'avis. Les autres reviendraient dans dix minutes et le retrouveraient sur place. Mais sur quoi cela déboucherait-il ? S'ils avaient l'intention de le tuer, ils pourraient le faire tout aussi bien à l'intérieur que dans le jardin. Plus facilement encore, même. Il n'aurait pas une chance de s'en tirer. Donc, il s'agissait de choisir entre la Thaïlande et une quelconque accusation fabriquée de toutes pièces.

La porte claqua. Avec un fracas nettement voulu, Field éteignit sa lampe et gagna la fenêtre. La nuit était noire. La piscine luisait faiblement mais le mur et le portail, au fond du jardin, étaient invisibles. Il traversa la chambre vers l'autre pièce et tourna la poignée de la porte. Ils avaient laissé la lumière et son passeport était posé sur la table. À côté, sur le sol, se trouvait sa valise. Sous son passeport étaient glissés deux mille baht. Il aurait dû y en avoir près de vingt. Il avait donc payé largement sa fuite ; cela prouvait simplement que Som était un homme d'affaires avisé. Field glissa argent et passeport dans la poche de son pantalon et alla ouvrir la porte du couloir. Il n'y avait personne en vue ; il suivit le couloir jusqu'au palier. Nul ne l'attendait. Il revint vers la chambre, ouvrit le freezer et en sortit le carnet qu'il mit dans son autre poche. Il en sentit le contact froid sur sa peau tandis qu'un rectangle humide apparaissait sur son pantalon. Il prit sa valise et cette fois, ressortit rapidement.

En bas, dans le hall d'entrée, le réceptionniste avait disparu. Au-delà de la porte d'entrée, il entrevit les jeeps de la police mais il n'y avait pas trace des policiers. Le patio menant au jardin était éclairé d'ampoules multicolores, comme pour un bal, au-delà s'étendait l'obscurité. Field poussa le panneau vitré et s'arrêta au-dehors, s'attendant malgré lui à entendre des cris ou des coups de feu. Rien ne se produisit. Seules tourbillonnaient les nuées de moustiques autour des lampes.

Rapidement, il se dirigea vers la gauche et s'enfonça dans le jardin en direction des cages aux ours. L'herbe étouffait le bruit de ses pas. Parvenu aux cages, il fit une pause et écouta un instant avant de repartir en longeant toujours la lisière du jardin où il pouvait se faufiler entre les buissons et les arbres. Le mur, à l'extrémité, était caché par des bosquets touffus. Il obliqua vers la droite et se dirigea vers le portail. Il devait y avoir une cinquantaine de mètres à franchir. À mi-parcours environ, il entendit un bruit et s'immobilisa. Sans doute était-ce le chauffeur de Som. Il avança, ramassé sur lui-même, jusqu'à ce qu'il aperçût un éclat métallique dans la nuit. La distance était difficile à évaluer. Dix mètres, peut-être. Field s'écarta légèrement pour mieux voir et ralentit le pas. Il n'y avait rien. L'homme aurait dû se trouver à découvert. Il battit en retraite contre le mur, avançant avec une précaution accrue. Les contours du portail se détachèrent vaguement dans l'obscurité en avant sur sa gauche. Il était ouvert comme prévu. Un bouquet de frangipaniers le masquait en partie. Peu à peu, il finit par distinguer deux formes humaines sous les arbres.

Il posa sa valise et attendit. Les deux hommes, très en retrait, étaient invisibles de l'allée centrale. Il y eut un autre éclat de métal fugitif. Field scruta l'obscurité et, dans la main de l'un des hommes, distingua un couteau. Il détourna le regard vers son compagnon – celui-ci tenait aussi un couteau dont la lame, étrangement recourbée, se profilait sur le portail de couleur plus claire. Il s'efforça de suivre des yeux la ligne allant du couteau et du poing serré aux muscles du bras – l'épaule était d'une largeur insolite pour un Laotien. Où avait-il vu une carrure semblable récemment ? Et ces lames ? À Bangkok. Avec Woodward. À l'abattoir aux cochons. Une bonne partie des tueurs de Bangkok se recrutaient dans cet établissement. Soudain, il se remémora l'endroit et son vacarme.

Les cochons avec les crochets plantés dans la mâchoire qu'on entraînait, hurlants... des hurlements humains à s'y méprendre, vers les tables d'abattage. Quatre hommes à demi nus les empoignaient pour les jeter sur le dos. L'un d'eux brandissait un couteau et tranchait en croix la gorge de l'animal. Le sang jaillissait dans une sorte de tonneau tandis que résonnaient les cris stridents avant que la carcasse de la bête à demi morte soit ébouillantée et les poils rasés au racloir. Ensuite commençait le dépeçage. Et, brusquement, Field vit Diana lacérée par ses bourreaux.

Son corps entier lui réapparut tel qu'il l'avait découvert, les oreilles et les seins tranchés. Vientiane devait posséder un abattoir. Et ils le tueraient tranquillement. Il n'y aurait aucun coup de feu à expliquer. Pas un témoin dans le personnel de l'hôtel. Ou, plus vraisemblablement, ils voulaient l'isoler quelque part pour le questionner comme ils avaient questionné Diana.

Il laissa sa valise sur le sol et rampa à reculons vers la lisière du jardin. La nuit se referma sur lui et, lorsqu'il se sentit suffisamment en sûreté, il se releva et examina le mur. Il avait trois mètres de haut avec des tessons de verre scellés dans le faîte, mais les arbres qui le bordaient s'élevaient bien au-dessus. L'un d'eux se dressait à sa gauche avec des branches basses. Field se faufila dans les buissons qui l'environnaient et se mit à la recherche d'un point d'appui. Ses semelles de cuir glissaient sur l'écorce, le contraignant à s'élever avec une grande lenteur, hanté par l'idée que les deux hommes devaient se demander ce qui lui prenait si longtemps. Les débris de verre avaient été plantés si serrés dans le ciment qu'il se savait incapable de franchir l'obstacle. Il grimpa donc plus haut dans l'arbre jusqu'à ce que ses pieds se trouvassent au sommet du mur. De l'autre côté le sol était invisible, mais sans doute y courait-il un fossé ou une banquette de ciment. De toute façon, il lui fallait sauter par-dessus le verre car s'il en brisait le moindre fragment les hommes seraient alertés à coup sûr. En revanche, peut-être ne l'entendraient-ils pas retomber.

Jambes repliées sous lui, il se laissa aller dans le vide. La chute lui parut longue, silencieuse, puis son pied gauche heurta une inégalité de terrain et il roula dans un fossé. Il resta quelques instants sans bouger et n'entendit aucune voix, aucun appel s'élever. Il se releva et se mit à boitiller vers la gauche, s'éloignant du portail. Au premier chemin transversal, il regarda sur la gauche. Un miroitement éteint révélait la présence du Mékong courant à l'extrémité d'une rangée de maisons. Les soldats allaient maintenant l'attendre devant son hôtel. Il traversa la rue et coula sur la droite, toujours irrésolu. L'ambassade britannique se trouvait de ce côté ; celle d'Australie également. Mais comment y entrer ? Elles étaient sûrement gardées. Le risque était trop grand. Au croisement suivant, il tourna à droite, s'engagea le long de Sam Sen Thaï, l'autre voie principale parallèle au fleuve, et se mit à courir. Au prochain carrefour, il jeta un coup d'œil à droite vers le Mékong et vit simplement un homme qui se tenait au milieu de la chaussée, immobile, à une centaine de mètres. Un cri s'éleva et l'écho de pas précipité. Field accéléra l'allure et, au carrefour d'après, obliqua vers le fleuve, sous les arbres de l'avenue principale. Elle était coupée du Mékong par les jardins de l'ancien palais. Il en contourna les murs, l'oreille aux aguets, mais tout bruit s'était éteint. Peut-être ne l'avaient-ils pas vu couper Sam Sen. Le fleuve se trouvait au bout du groupe de maisons suivant. Il franchit le quai et reprit sa course le long de la rive. Charles avait dit que, sous l'Australian Club, des bateaux faisaient passer clandestinement des réfugiés de l'autre côté du Mékong. Il devait s'en trouver au plus à deux kilomètres. Il remonta sur le quai et continua à courir, passant devant la cour de l'hôpital et les sombres flèches d'un *wat*. Il y avait encore une île au milieu du fleuve. Ce n'est pas très loin, se répétait-il, pas très loin. Soudain il entendit une voix, puis une réponse dont l'écho lui parvint de la gauche, derrière les bâtiments. Il scruta l'obscurité. Il n'y avait personne. Comme il regardait de nouveau, il perçut un mouvement confus. Il lui fallut quelques secondes pour se rendre compte que cette forme mouvante, imprécise, était celle d'un homme courant vers lui le long du quai. À la main droite, il tenait un couteau dont la lame, selon les ballottements de son bras, jetait comme de fugitifs éclats de morse.

Field s'arrêta et regarda les signaux codés se rapprocher. Cela ne rimait à rien de revenir en arrière vers l'amont du fleuve. Il jeta un coup d'œil à la nappe liquide, puis s'élança à travers les quelques mètres de hautes herbes le séparant de l'eau et plongea. Le courant était régulier et rapide. Field fit trois ou quatre brasses, se débarrassa de ses souliers et s'efforça de s'écarter de la rive sans relever la tête. L'homme, planté sur la rive, n'était guère à plus de dix mètres de lui. Il brandit son couteau, hésita, évaluant la vitesse de l'eau, et lança son arme. Field vit le trajet lumineux de la lame dans la nuit. Il avait l'impression que ses yeux, fixés sur l'arme, agissaient comme deux aimants qui rivaient sa tête entre ses épaules. Puis il vit le couteau s'enfoncer dans le fleuve en amont. Il se détourna vers la rive où l'homme regardait, silencieux, immobile, sa proie lui échapper.

Les bouchers ne savent pas nager, pensa Field, et il se remit à brasser l'eau, veillant à éviter les rochers ou les troncs ou toute autre épave qu'il ne pouvait distinguer le long du bord. Puis il se laissa entraîner sans heurt par le courant. Les îles disparurent derrière lui et il entrevit vaguement au loin une ligne sombre qui devait être la Thaïlande. Les contours de la rive toute proche étaient difficiles à distinguer. En avant surgit une masse noire, sans doute la résidence Souvanna Phouma, auquel cas l'Australian Club et les bateaux ne devaient plus être loin. Il obliqua pour se rapprocher du bord et sentit alors son pantalon flotter à sa taille. Il tâta ses poches des deux mains. Elles étaient vides. De l'une s'était échappé le carnet, de l'autre son passeport et son argent. Il avait dû les perdre quand il avait plongé dans le fleuve ou en se débattant pour ôter ses souliers.

Une forme basse surgit soudain de la nuit, accompagnée d'un ronronnement de moteur, et Field se sentit projeté contre une coque de bois gluante et aspiré au-dessous. Quand il refit surface en toussant, la respiration coupée, l'obstacle s'était évanoui. Des cris s'élevèrent dont l'écho se perdit dans l'obscurité. Les bateaux, pensa-t-il. Il avait déjà dépassé l'Australian Club. Dans tous les cas, sans argent, ils ne le prendraient pas. Il lui faudrait traverser à la nage. Il obliqua vers le milieu du fleuve où son cours était le plus rapide, avec l'idée de se laisser emporter jusqu'à Nong Khaï où il y avait un train pour Bangkok. La vitesse du courant devait approcher les dix kilomètres à l'heure. Autrement dit, le jour se lèverait avant qu'il parvienne de l'autre côté.

L'eau sombre, chargée de vase, avait une sorte de consistance pâteuse, et l'équilibre de la température entre le fleuve et l'air abolissait tout sentiment de contraste physique. Dans le courant qui l'emportait, il avait l'impression d'être un enfant enveloppé d'une couverture tandis qu'au loin, de part et d'autre, défilaient des formes indéfinissables. Il n'y avait rien sur les rives, il le savait, rien que des arbres, de loin en loin un bâtiment, et le large fleuve où son esprit perdait la notion du temps et du monde extérieur. Un instant le souvenir de Diana mutilée sur le sol lui envahit l'esprit, puis un remous qui lui submergeait la tête l'emporta. Beaucoup plus tard, le silence fut rompu par des battements lointains qu'il identifia comme ceux d'un tambour appelant les moines à la prière dans un monastère. Il devait donc être quatre heures du matin et il dérivait depuis une heure et demie.

Quand l'horizon commença à s'éclaircir du côté du Laos, Field infléchit sa route en nageant vers la Thaïlande. Il craignait surtout de voir les baraquements de la douane et le ferry de Nong Khaï lui apparaître brusquement sans qu'il pût lutter à temps contre le courant. Dès qu'il vit les premières maisons disséminées, il se mit à nager avec force vers la rive. Il lui fallut cinq minutes pour y parvenir mais, comme il tendait la main pour agripper un point d'appui solide, sa main glissa sur un rocher visqueux et, culbuté par un remous, il avala une pleine gorgée d'eau. Toussant et crachant, il concentra toute son énergie pour prendre pied sur le bord. Les jambes molles il tentait en vain de se hisser hors de l'eau quand sa main saisit une racine à laquelle il se cramponna. Puis, d'une vigoureuse traction, il parvint à s'arracher au courant et retomba à plat ventre dans la berge boueuse inclinée.

Il ne pouvait ni se redresser ni même ramper, et resta donc sur place, gisant, immobile, tandis que le jour montait sur le fleuve. Au bout d'un moment il se sentit assez fort pour se hisser un peu plus haut, où de nouveau il se reposa, cette fois à genoux, puis il se releva et, une fois debout, se mit en marche, vacillant, le long des champs en direction de la ville. Il se préoccupait avant tout de trouver un sol aussi lisse que possible pour ses pieds nus. Quand il sentit ses genoux assez sûrs, il redescendit jusqu'au bord du fleuve, se dévêtit et lava la boue de ses vêtements. Puis il se remit en route. Au bout d'un moment, il aperçut devant lui une palissade et, au-delà, des baraquements, sans doute les bâtiments des douanes thaïes. Il coupa droit vers l'intérieur des terres jusqu'à ce qu'ils fussent hors de vue, puis revint vers Nong Khaï. Sur sa gauche il vit un train en attente, près de la petite gare. Il n'y avait aucune raison pour que les hommes du Laos ne l'attendissent pas ici également. Un simple coup de feu leur suffisait. Il reprit à travers champs et franchit la voie ferrée pour rejoindre le train du côté opposé au quai. Des passagers attendaient à l'intérieur. Il gagna avec précaution l'arrière du bâtiment et jeta un coup d'œil de l'autre côté, puis, aussi vite que possible, se dirigea vers le premier wagon ouvert dans lequel il monta. Il y avait quelques voyageurs sur le quai et, s'ils l'avaient remarqué, son aspect les aurait frappés : au soleil du matin ses vêtements avaient déjà séché mais ils étaient sales et fripés et, de plus, il marchait pieds nus. Il alla s'enfermer dans les toilettes, près de l'entrée du wagon, et s'accroupit sur le sol.

Quand il se réveilla, le train roulait. Il se regarda dans le petit miroir crasseux sur la cloison et remarqua sur sa tempe un réseau d'égratignures. Il avait le visage souillé de crasse et les cheveux collés. Ces détails insignifiants le perturbèrent à tel point qu'il s'efforça d'y remédier du mieux qu'il put en se rinçant à l'eau et en se recoiffant avec ses doigts. Puis, brusquement, l'image de Diana telle qu'il l'avait découverte sur le sol envahit le miroir et il se mit à vomir sans pouvoir s'arrêter dans le lavabo, jusqu'à ce qu'il n'eût plus que de la bile dans l'estomac. Une bonne demi-heure s'écoula avant qu'il eût suffisamment récupéré pour se glisser avec précaution hors de son réduit et gagner le premier siège disponible dans un compartiment de troisième classe où la moitié des places étaient libres. Il renfonça ses pieds sous la banquette aussi loin que possible et essaya de se rendormir. Deux fois il se réveilla, la première lorsque commença la pluie de l'après-midi et, plus tard, avec la venue du contrôleur. Field entreprit de lui raconter une histoire à propos d'un ami à Bangkok qui avait son billet. Le problème serait réglé dès son arrivée à destination.

De fait, lorsqu'ils eurent atteint Bangkok, douze heures plus tard, l'agent de la compagnie réapparut avec un acolyte et ils encadrèrent Field pour enrayer toute tentative de fuite, puis ils l'escortèrent à travers le grand hall voûté, fendant la foule jusqu'à un policier. Si encrassées fussent-elles, Field sentait toutes les aspérités du sol mordre dans la chair de ses plantes de pied. Le policier le conduisit à un bureau où on l'autorisa à téléphoner. Il obtint au bout du fil Mme Laker qui était sur le point de quitter son bureau pour son blockhaus. Elle se mit aussitôt à le tancer comme une institutrice s'adressant à un enfant attardé, mais il l'interrompit : « Je suis à la gare, dit-il. Rappliquez ici en vitesse avec de l'argent, bordel ! »

Elle arriva une heure plus tard, flanquée de son chauffeur, et paya la rançon de Field sans le moindre commentaire sur son aspect ou sur les épreuves qu'il avait subies. Une fois en route dans l'Impala, il lui raconta l'histoire, évitant toute allusion au carnet. « Mon Dieu ! » laissa-t-elle échapper lorsqu'il mentionna les cadavres en les décrivant simplement comme mutilés. C'était une exclamation euphémique. Ensuite, elle resta silencieuse jusqu'à la fin de son récit. « Cela m'étonne que Som ait songé à vous aider.

– En admettant qu'il ait essayé.

– Et le contrat ? demanda-t-elle sans relever cette réflexion.

– Mon exemplaire est dans le jardin de l'hôtel avec mes vêtements. Som vous le fera parvenir. »

Elle posa sur lui un regard interrogateur et il ajouta : « Trois tonnes de café.

– Bien. » Elle tapota légèrement le bras de Field et se rendit alors compte de son état de crasse. Après s'être examiné la paume de la main, elle ajouta : « Quelle horrible histoire. Horrible. Quel âge avait la fille ?

– Mon âge.

– Horrible ! » Il y eut un long silence. Cinq minutes,

peut-être, ou même plus. Puis elle répéta d'une voix totalement changée, à la fois douce et altérée : « Horrible. La race humaine est bestiale. Bestiale, John. Nous savons si peu de chose. Et désirons en connaître si peu. »

Il la dévisagea. Elle avait fermé les yeux et une larme perlait au bord de sa paupière. Ils n'échangèrent pas d'autres paroles.

Lorsqu'il écarta la porte treillissée et pénétra dans la maison, il y régnait un calme auquel il ne put rester insensible. Ao était lovée sur elle-même, par terre, en train de regarder des bandes dessinées que lui avait achetées la cuisinière. Elle lui sourit. Field l'entrevit à peine. Déjà il était en train de gravir l'escalier, tout en ôtant sa chemise. Un instant plus tard, il était arrêté par une main qui prenait le relais de son déboutonnage. Il baissa les yeux et vit clairement la fille pour la première fois. À sa grande surprise il ressentit, en l'observant, un pincement de plaisir. C'était la première sensation qu'il éprouvait depuis qu'il avait découvert les corps. Elle se glissa derrière lui pour achever de dégager sa chemise.

« Ça va, John ?

– Non.

– Arrivé quoi ?

– Sans importance. »

Elle ne parut pas l'avoir entendu et lui ôta son pantalon. Sur son caleçon s'étalait une large tache jaune.

« Oh, toi malade, John ? »

La douleur se mit à le tenailler de nouveau, pour la première fois depuis trente-six heures : « C'est ça. Je suis malade. »

Elle le poussa dans la salle de bains et sous la douche, retroussa son sarong et se mit à le laver avec application du haut en bas, à deux reprises, puis elle l'essuya et le ramena dans la chambre où elle le massa jusqu'à ce qu'il fût endormi. Juste avant de perdre conscience, il demanda :

« Tu es allée voir le docteur tous les jours ?

– Oui, John.

– Alors ?

– Je suis encore malade. »

Il s'éveilla à six heures le samedi matin, bascula sur le côté et la vit au pied du lit. À ce spectacle il se sentit envahi d'une étrange émotion. Il descendit et appela Barry Davis chez lui, au téléphone.

« Ici Field. »

À l'autre bout de la ligne, il entendit des marmonnements indistincts et une voix féminine à l'arrière-plan. Puis la voix de Davis couvrit ces interférences.

« Ça te dirait de boire une bière ? »

Field le laissa à peine finir : « Viens. Rapplique ici.

– Écoute... (Une voix féminine s'éleva, plaintive. Avec Davis, il y avait toujours une femme.) ... je voudrais seulement...

– Viens ici, je te dis ! »

Il raccrocha, sortit et alla jusqu'à la cabane de la cuisinière où il frappa à la porte. « Je veux du café. » Puis il retourna se mettre sous la douche.

Davis habitait à proximité. Une demi-heure plus tard il était là. Assis à la table de la salle à manger, il refusa la tasse de café que lui offrait la cuisinière et, accoudé, les mains jointes, une expression de patience monastique sur les traits – c'était sa conception personnelle d'une attaque diplomatique –, il écouta le récit de Field. Celui-ci comportait une description détaillée des cadavres et du carnet perdu ou, du moins, du peu qu'en avait lu Field. Quand il eut terminé, il y eut un silence pensif, puis Davis le pria de répéter son histoire. Cette fois, il se tortilla la moustache.

« Je vais t'obtenir un nouveau passeport. Peut-être que je vais prendre un peu de café. » Une fois servi, il but le liquide bouillant comme seuls peuvent le faire les Celtes et les Anglo-Saxons. « Reprenons ça point par point. Notre ambassade n'a pas encore été informée par le gouvernement du Laos d'un double meurtre de Canadiens à Vientiane. Par conséquent, nous ne savons rien. Je vais attendre vingt-quatre heures pour voir comment réagit le Laos. S'ils se taisent, je ferai faire une enquête discrète par les Anglais et les Australiens qui sont sur place. Et les Français. Ils sont encore dans le coup. Tu me préviendras si le contrat avec ton M. Som est confirmé, n'est-ce pas ? Et ne parle de rien à personne. » Il se leva pour s'en aller.

Field tendit une main de l'autre côté de la table pour l'arrêter : « Qu'est-ce qui se passe, Barry ? »

Davis haussa les sourcils avec une expression perplexe :

« Histoire de drogue, je suppose.

– Tu déconnes. Pour qui travaillait Charles ?

– Quoi ?

– Il travaillait pour toi ? Allons, qu'est-ce qui se mijote ?

– Si tu me le disais... Tu en sais plus long que moi. À mon avis, il devait travailler pour lui-même. En honnête citoyen. Tu sais ce que c'est, le sens civique. » Il se dirigea vers la porte et s'arrêta. « Je suis désolé.

– Bien sûr, dit Field. Nous sommes tous les deux désolés. En général, je dirais que nous sommes tous les deux profondément désolés. En particulier que je le suis plus que toi. Moi je suis tout particulièrement désolé. »

Davis l'avait écouté la mine embarrassée, les mains dans le dos, comme figé sur place. « Je t'appellerai », dit-il, et il sortit.

Michael Woodward était au Centre hospitalier tous les samedis matin ; c'était la période de pointe pour les visites et les soins, à tel point que Field et Ao trouvèrent en arrivant la salle d'attente bondée. Au lieu de s'y installer, ils restèrent dans le couloir devant la porte de Woodward et, dès qu'ils eurent vu sortir une jeune femme avec son bébé, ils se glissèrent à l'intérieur. Woodward leva les yeux de son bureau.

« Si vous tenez à forcer l'entrée, fermez au moins la porte derrière vous.

« Quelles nouvelles, Michael ? »

Woodward prit un air de commisération : « J'ai peur, mon vieux, qu'il n'y en ait pas du tout. »

Field s'assit en face de lui : « Pas du tout ?

– Quarante-huit, mon vieux, quarante-huit des antibiotiques les mieux élaborés par la science médicale et tes petits diplocoques les ont tous gobelottés. Très remarquable.

– Remarquable ?

– Enfin, je veux dire, mon vieux, que je n'ai jamais vu ça. Tu as engendré une nouvelle forme de résistance aux médicaments. Je ne sais pas comment tu t'y es pris. Et le monde entier voudra sûrement étudier ton cas si nous ne réussissons pas d'ici peu à enrayer le mal. Mais, naturellement, nous y arriverons. Là-bas, dans les labos des États-Unis, de la Grande-Bretagne, de l'Italie et Dieu sait où, il y a un antibiotique qui attend de pourfendre tes monstres inconnus et de les annihiler. »

Field se contenta de hocher la tête.

« J'ai déjà expédié quelques lettres. Pas vraiment des lettres, en fait. La rapidité prime tout si tu es prêt à payer, et dans cette éventualité j'ai envoyé divers Télex. Nous pourrions recevoir quelques spécimens intéressants de plus d'ici quinze jours. » Il surprit la mine désappointée de Field. « Disons une semaine s'ils sont envoyés par avion.

– Les écoulements sont jaunes.

– Ah. Et la douleur ? Elle n'est pas remontée dans le pénis, par hasard ?

– Si.

– Nulle part ailleurs ?

– Pas encore.

– Bon. Je crois que je vais te remettre aux sulfamides. Qu'en penses-tu ?

– Ce que j'en pense ? De quoi parles-tu ?

– De sulfamides. On les utilisait avant la guerre, avant les antibiotiques, je veux dire. Ils avaient un certain effet sur les gonorrhées.

– Avant la guerre.

– Écoute, John, nous avons quitté les sentiers battus. Toutes les hypothèses sont intéressantes. »

Tandis qu'il préparait un flacon de comprimés blancs, il adressa un sourire à Ao, pelotonnée sur le lit d'examen dans un coin. « L'état de ton amie s'est un peu amélioré. Les chlamydiae, dirai-je, battent en retraite. Curieusement, c'est la gonorrhée que j'ai soignée chez elle. Tu dois très bien t'occuper d'elle. Et bien entendu, derrière toutes ces maladies répugnantes, on trouve la solide constitution d'une paysanne. Quant à sa gonorrhée, elle a pas mal réagi à la kanamycine ; pas de façon radicale, mais j'ai réalisé un certain nombre de K.-O. sur sa culture et je l'ai fait remonter sur le ring avec une série de doses de cefutoxine. Son joli petit corps a sans aucun doute absorbé une diversité remarquable de médicaments, mais je crois bien que nous avons pris par surprise ces méchants diplococci avec celui-là.

– Tu ne peux pas parler comme un adulte, Michael ?

– Pas dans ta langue, mon vieux. Ce n'est pas le langage qu'on nous enseigne dans les écoles privées. Maintenant, baisse ton pantalon.

– Pourquoi ?

– Il me faut un échantillon, mon cher, un échantillon. J'ai encore un certain nombre de produits à essayer en attendant de recevoir les panacées exotiques. »

Field tourna le dos à Ao.

« C'est une petite très mignonne, dit Woodward.

– En effet. » Field concentrait son attention sur l'opération en cours.

« Voyons, je dirais bien que le sceptre et le globe de l'Occidental sont la technologie et l'émotivité. Non ? Que ferait d'elle l'Occidental à ton avis ? Elle ne correspond pas du tout au modèle, mon vieux, sur aucun chapitre. Viens ici, Ao. » Se détournant de Field, il lui administra sa piqûre qu'elle accepta sans poser de question.

« Ne me fais pas de discours, Michael. Je ne suis pas d'humeur...

– Non, bien sûr. Toujours est-il qu'ici ça ne va pas mieux. Le mois prochain, figure-toi, c'est le quatre-vingt-seizième anniversaire de mon père. Le huitième cycle. Tout à fait remarquable. » Woodward ajouta, d'un ton acide : « Mes sœurs veulent faire une grande fête en son honneur.

– Et alors ?

– La fête n'est pas pour lui. Leurs maris veulent montrer le pouvoir du clan avant qu'il n'opère sa prochaine réincarnation. Tous les amis de mon père sont morts. La fête permet au mari banquier d'inviter des banquiers, à l'industriel d'inviter des industriels, au général d'inviter des généraux. Qui encore ? Un directeur général adjoint de la police. Un promoteur immobilier, un directeur au ministère des Finances. Et deux ambassadeurs. Ils donneront un coup d'encensoir à mon père et se congratuleront entre eux.

– Tu n'y vas pas ?

– Pas si je peux y couper. Si l'un des groupes de chirurgie mobile est expédié dans un village des montagnes, je me ferai emmener.

– Ça devrait te valoir quelques amis de plus en ville.

– Crois-tu que mes beaux-frères me voient d'un bon œil.

– Non. Sans doute pas.

– Exactement. Ils seront bien plus heureux si je n'y vais pas.

– Et ton père ?

– Mon père ne dit à personne ce qu'il pense. Il a passé ce stade. Mais pas celui de la réflexion. Simplement il ne veut plus parler de rien. »

Field emmena Ao déjeuner à la Thaï Room, sur Patpong 2, un restaurant connu pour ses médiocres cuisines mexicaine, italienne et thaïe. À la table voisine, un Anglais à la mine tendue négociait avec un jeune garçon le nombre de baht qu'il lui faudrait payer par position pendant la durée d'un week-end. Le jeune homme semblait de plus en plus déprimé à mesure que son futur partenaire marchandait sordidement à propos desdites positions, sans manquer un détail et en se répétant deux ou trois fois pour être sûr que tout malentendu serait évité dans le marché.

De l'autre côté, un homme d'affaires thaï, élégamment vêtu, et un Américain en complet de confection Brooks Brothers bavardaient à mi-voix.

« Aussi directement que ça ? demanda l'Américain.

– Ne considérez pas ça comme un pot-de-vin mais comme une forme spéciale de persuasion. »

Field considéra autour de lui les tables où des Européens mafflus et congestionnés chipotaient dans leurs assiettes en face de filles thaïes minuscules et lisses, qui mangeaient à gestes rapides. Soudain, il songea que l'endroit était bien mal choisi pour y amener une fille de dix-sept ans. Un sourire lui vint aux lèvres.

« Pourquoi tu ris, John ?

– C'est personnel.

– Dis-moi.

– Non. »

Elle le pinça sous la table et, comme il sursautait elle se mit à rire.

« Dis-moi.

– Je t'offrirai une glace.

– Une glace.

– Et lundi matin, tu iras avec la cuisinière à ton ancien bureau de district. Tu prendras ta carte de résidence et tu diras que tu as déménagé. Ensuite, je t'écrirai une lettre que tu porteras au mien. Autant que tu sois légalement enregistrée à la bonne adresse. »

Elle acquiesça de la tête, mais visiblement sans avoir compris. Il négligea de lui donner des explications en thaï.

Les quatre jours suivants s'écoulèrent sans un mot de Davis ni le moindre écho dans la presse. Field épluchait le *Post* tous les matins avant de commencer sa journée qui consistait, puisqu'il n'avait aucune opération à traiter, à ne rien faire en s'efforçant de ne pas penser à son problème. Il passait l'après-midi assis sur sa galerie à regarder la pluie. Le soir il restait chez lui, étant donné que l'alcool et les femmes, ses deux distractions favorites, lui étaient interdits. Même la conversation la plus banale aurait exigé de lui un effort démesuré.

La quatrième nuit, il se réveilla pour trouver Ao en

sarong et pelotonnée dans ses bras. Il alluma la lumière et la poussa légèrement.

« Qu'est-ce que tu fabriques ici ?

– Toi faire bruit en dormant, John, alors moi venir près de toi.

– Quel bruit ?

– Des vilains bruits, John, malheureux, nuit dernière aussi.

– Tu as dormi sur le lit la nuit dernière ? demanda-t-il, stupéfait.

– Non, John. Toi faire mauvais rêves toute la nuit. Cette fois, moi venue contre toi. Tu arrêtes. »

Cette remarque laissa Field songeur un instant. Puis il se redressa en calant un oreiller sous ses reins. Ses visions ne le quittaient donc pas. Il avait simplement réussi à les chasser de ses journées pour les refouler dans la nuit, rien de plus.

« Qu'est-ce qui arrive, John ? » Elle avait basculé sur le côté et ramené ses jambes contre son corps en se couvrant avec soin de son sarong.

« Quelqu'un est mort.

– Une fille ?

– Oui.

– Ta fille, John ?

– Non. » Il regarda Ao. Elle avait un visage si jeune. Encore une fois, il fut frappé par cette aura de pureté qui lui faisait oublier ce qu'elle était. Une féminité intacte au bord de l'éclosion. Des yeux remplis de questions et pourtant dénués de crainte. Il avait envie de prendre sa tête dans ses bras. « Non.

– Tu l'aimes, John ?

– Si je l'aime ? Qu'est-ce que ça peut te faire ?

– Je connais l'amour, John. Il y a télé, à l'hôtel. Moi

voir l'amour tout le temps. Tous les jours quand je travaille pas. À la télé, c'est toujours l'amour.

– Tais-toi, Ao.

– Qu'est-ce que tu dis, John ?

– Oh, merde !

– Tu l'aimes. »

Il dévisagea de nouveau la jeune fille : « D'accord, d'accord. C'est vrai. Je l'aimais.

– Comme à la télé, John ? » Ao manifestait un intérêt croissant.

« Oui, oui, comme à la télé. Mais plus, bien plus. Je l'aimais beaucoup. » Ses yeux restaient fixés sur la fille. Il ne voyait rien. Son regard perdu dans le vague ne distinguait que confusément une silhouette menue devant lui, une sorte d'îlot dans l'éclat cru de la lumière électrique. Une créature vivante mais hors de sa vision. Il regardait toujours fixement dans le vide. « Beaucoup... beaucoup. » La tache sombre du corps d'Ao s'élargit, tandis qu'elle se rapprochait et se serrait à nouveau contre lui. Elle souleva une épaisse mèche de ses cheveux et essuya les larmes qui coulaient sur les joues de Field : « Ça va, John », dit-elle, puis elle éteignit la lumière et se laissa étreindre jusqu'à ce que, pénétré de la chaleur de son corps, il finit par s'endormir.

À la troisième page du *Bangkok Post*, le lendemain matin, il trouva un court article sous le titre : UN COUPLE ASSASSINÉ À VIENTIANE. « Des ondes de choc ont parcouru cette modeste et paisible capitale communiste... » Ainsi commençait le papier. Le chauffeur de Vadeboncœur, arrêté, avait avoué, déclarant qu'il haïssait ses patrons qui le traitaient si mal.

Field appela Davis chez lui. Le diplomate lui dit sans préambule : « Alors, tu as vu le journal ?

– En effet. Qu'est-ce qui se passe ?

– Rien. Absolument rien. Nous n'avons aucune nouvelle du Laos. Hier, j'ai fait une enquête par l'intermédiaire des Britanniques, en expliquant que nous n'avions eu aucun contact avec deux habitants de Vientiane depuis quelque temps. Vingt-quatre heures plus tard, le journal nous fournit la réponse.

– Qui n'est qu'un ramassis de conneries.

– Comme tu dis.

– Alors, Barry, et maintenant ?

– Fais-moi confiance. »

Field raccrocha sans un mot. Il s'affaira quelque temps dans sa maison, décrocha même la photo de son père dans les Rocheuses. Le jeune homme qui ressemblait à Field portait une chemise de flanelle à carreaux sous un gilet de cuir sans manches. Quel froid, pensa Field. Il sortit dans le jardin et inspecta les arbres, mais il ne réussit pas à voir les écureuils blancs.

« Ao ! cria-t-il. Viens, c'est l'heure de ta piqûre ! »

Quand ils eurent fini au centre de soins, ils se rendirent à la East-West Trading Company où Ao resta au rez-de-chaussée sur le perron pendant que Field montait à l'étage et insistait pour voir Mme Laker. Il la trouva au téléphone, un masque étudié de patience et de mépris sur le visage. À l'autre bout de la ligne, la voix avait une sonorité stridente telle que Field distinguait les paroles.

« Maintenant qu'il occupe cette position, qu'on ne s'attende pas à me voir rouler en BMW.

– Non, ma chère, fit Mme Laker, rassurante. Cela va de soi.

– Bangkok n'est pas la province ! geignit la voix.

– Voyons, coupa Mme Laker, prenant en main la conversation, dans quoi voudriez-vous qu'on vous voie rouler ?

– Dans une Rolls.

– De quelle couleur ?
– Blanche, Catherine, et décapotable.
– Très bien, ma chère. Que diriez-vous de nous l'échanger contre la BMW ?
– Vous pouvez la reprendre quand vous voudrez. Je n'en veux plus.
– Je comprends. »
Une fois l'appareil reposé sur son socle, Field demanda : « Qui était-ce ?
– La femme de Krit. Nous sommes sur le point de signer avec lui des contrats pour A.O.S. équipements de pompage, alors elle veut une voiture neuve.
– Au moins, elle ne perd pas de temps à tourner autour du pot.
– Non, dit Mme Laker. En effet. D'où venez-vous ? J'ai essayé de vous appeler toute la matinée. »
Son bureau formait une symphonie de nylon et de polyester dont les odeurs mêlées flottaient dans l'air, en dépit de l'installation ultra-moderne de climatisation. Les stores étaient tous fermés et les lampes au néon allumées. Assise derrière son bureau, prototype du cadre moyen américain, elle faisait partie intégrante du mobilier.
« Disons que vous n'avez pas essayé de m'appeler de toute la semaine. Et je n'ai pas bougé de chez moi.
– Pourquoi vous aurais-je appelé, John, si je n'avais rien à dire ? Vous êtes tellement sentimental. Les contrats du Laos sont arrivés ce matin avec une lettre très gentille de M. Som. Apparemment, il a été ravi de traiter avec vous.
– Ravi ? A-t-il été ravi par les deux meurtres ?
– Ne dites pas de bêtises. Vous savez bien que son courrier est censuré. D'ailleurs, j'ai lu le *Post* ce matin, et vous aussi certainement. L'affaire paraît réglée.
– Réglée ? »

Mme Laker le considéra avec sympathie : « Je comprends, John, je comprends. Vous oubliez que moi aussi j'ai souffert, que je souffre encore aujourd'hui. Et pourtant, la leçon que j'ai apprise, c'est que la souffrance continuera et qu'il faut donc l'isoler des détails de la vie pratique. Voyons, par exemple, vous avez gagné une belle commission sur ce marché. Remarquable. Tout autour de vous, et au même moment, des gens souffrent. Des gens que vous aimez. Vous-même êtes marqué d'une douloureuse cicatrice affective. Cependant, quel est le résultat ? De substantiels bénéfices pour vous. Tel est le sens de la vie, John. Ne croyez-vous pas que j'aie fait la même découverte dans mes rapports avec Norman ? Figurez-vous qu'hier je suis allée au cimetière où j'ai constaté que l'eau affleurait la pierre tombale. Oh, c'est dégoûtant, John, dégoûtant. »

Field hocha la tête sans commentaire.

« J'ai étudié les tables des marées. Ce mois-ci, elles feront monter le fleuve à des hauteurs records. Et les pluies sont plus fortes qu'elles ne devraient. Mme Krit veut une voiture pour que je puisse vendre du matériel de pompage à son mari, mais les inondations ont déjà commencé. »

Field acquiesça de nouveau.

« Dans une semaine, cette pluie aura recouvert son monument, comme si mes sentiments n'existaient pas. Norman et cette dalle sont les symboles du rêve américain en Asie. Me comprenez-vous, John ? Vous parlez de tragédie. Et notre grande tragédie ici ? Notre perte de valeur morale aux yeux de ces gens ? Pour commencer, cette guerre stupide que nous avons faite. Pourquoi ? Pourquoi avoir perdu toutes ces vies ? »

Sur cette réflexion, Field se pencha brusquement en avant : « Ne dites pas d'inepties, Catherine. Vous avez édifié votre fortune sur cette guerre, comme la plupart des Américains vivant à Bangkok, d'ailleurs. »

Elle leva une main en l'air, écartant ses doigts aux ongles luisants avec un large geste circulaire, comme pour réduire à néant la réplique de Field : « D'où voulez-vous que je vous règle ? De Hong Kong, comme d'habitude ? » Elle avait pris un ton blessé.

« Oui, rétorqua Field. Hong Kong.

– Et les fonds seront à votre banque cette semaine. »

Field était serré contre Ao, à l'arrière d'un minuscule taxi qui les ramenait chez lui, quand il remarqua le policier au coin de Rama IV. Il portait un masque de tissu blanc. C'était un spectacle nouveau. Au croisement suivant, même apparition. Peut-être tous les agents de la circulation mouraient-ils du cancer du poumon. Ou simplement d'asphyxie. La pluie de l'après-midi se mit à tomber quelques minutes plus tard, en avance de deux heures pour la saison. Peu après, les gouttières débordaient et l'inondation commençait à envahir les côtés de la rue. « Ça y est, c'est parti », murmura Field. La circulation se paralysa et ils mirent une heure à arriver à destination.

Incapable de rester bouclé chez lui, ce soir-là, il se rendit au Grand Prix. Il y trouva quelques habitués mais aucun des journalistes. Ils étaient tous partis pour couvrir le retour du Viêt Nam d'une équipe américaine chargée d'explorer un site où s'était écrasé un avion, dans l'espoir d'identifier des soldats U.S. portés manquants depuis 1975.

Field se mit à discuter avec Rick, le patron, des chances de retrouver des restes. « Avec un fragment de mâchoire blanchi, dit-il assez haut pour être entendu de plusieurs personnes, ils peuvent, avec un ordinateur, reconstituer tout un visage, mais ils ne peuvent pas gagner une guerre. »

Personne ne répondit ; il se borna donc à plaisanter avec les quelques filles relativement nouvelles dans l'établissement par rapport à celles qui y étaient entraîneuses depuis plusieurs années. Puis il cessa de s'intéresser à elles et, comme elles le connaissaient, elles le laissèrent seul. Ses yeux semblaient suivre les évolutions des jambes des danseuses sur la piste, au centre du bar, mais en réalité son regard flottait dans le vague, jusqu'au moment où il vit s'ouvrir la porte d'entrée, au bout de la salle. Un Thaï pénétra dans l'établissement, misérablement vêtu. Field estima qu'il était trop vieux pour être cireur et se perdit à nouveau dans la contemplation des filles, tout en buvant sa chope de Coca-Cola. Par une sorte de réflexe, il tourna la tête et constata que le Thaï le dévisageait. Leurs regards se croisèrent une seconde à peine et le Thaï détourna les yeux. Son expression donna à penser à Field qu'il avait été reconnu. Le Thaï se fraya un passage au milieu des filles qui lui offraient de venir avec elles, et se dirigea vers le bar. Field observait avec discrétion ses évolutions. L'homme avait des sandales de caoutchouc aux pieds et portait une chemise multicolore qui flottait sur son pantalon. Ses mains pendaient à ses côtés.

Soudain, Field comprit. Bien sûr. C'était clair. Il connaissait ce genre d'individu. Il venait des entrepôts de la gare. Un boulot à cinquante dollars. La technique d'élimination typique de Bangkok. Field jeta un coup d'œil au visage de l'homme qui se détournait. Non. Il ne sortait pas de la couche la plus misérable. C'était peut-être un boulot à cent ou deux cents dollars. L'homme s'était arrêté à cinq mètres de lui et faisait mine de regarder les filles avec intérêt. Field sirota une gorgée de Coca, en attente. Il jeta un coup d'œil circulaire. Les tabourets à côté de lui étaient inoccupés. Rick, derrière son comptoir, parlait à un consommateur. Il se retourna et vit l'homme planté tout près de lui. Field ne quittait pas des yeux ses deux mains pendantes. L'homme avait de longs doigts aux ongles courts et crasseux. Négligemment, il éleva la main droite et la glissa sous sa chemise comme pour se gratter l'estomac. L'homme fit une longue aspiration, desserra sa ceinture, sa main agrippa quelque chose et se dégagea d'un geste brusque, puis s'immobilisa une fraction de seconde avant de faire pivoter le pistolet qu'elle tenait vers la tête de Field. À cet instant, Field lui lança le contenu de sa chope à la figure et, de l'autre main, saisit le pistolet. Beaucoup plus fort que le tueur, il lui tordit la main en la plaquant sur le bar et lui écrasa les jointures avec son lourd récipient vide. L'homme n'émit pas un son et Field évita de regarder son visage. Il frappa à nouveau et, cette fois, les doigts s'écartèrent, laissant le pistolet glisser sur le dessus du comptoir.

Field, alors, dévisagea l'homme. Il avait les traits crispés de peur. Une sorte de rictus lui retroussait les lèvres, découvrant une mâchoire où manquaient les dents de côté. L'homme libéra sa main d'une secousse et se précipita vers la porte. Lorsqu'il eut disparu, Field demanda un mékong pur. À cet instant seulement, il remarqua que tous les clients à son extrémité du bar silencieux le regardaient fixement.

« Qu'est-ce que c'est que ce cirque ? » cria Rick, couvrant de sa voix la musique.

Field empocha le pistolet. « Un ami », répondit-il, et il vida son verre de mékong.

Il fallut dix minutes pour se rendre à pied au *Bangkok Post*. Il traversa Soï Sala-Daeng où tout était calme. Et là, sous un lampadaire, il sortit le pistolet. Ses mains tremblaient un peu. C'était un 11 mm, une arme de tueur professionnel assez précise pour n'atteindre que la victime choisie, assez bruyante pour paralyser de terreur les témoins pendant que le tireur s'enfuyait. Field le remit dans sa poche et repartit d'un pas rapide.

Chapitre 7

Field ne remarqua pas la fille au service de réception, qui le saluait d'un signe de tête. Il parcourut un réseau de terriers de lapins jusqu'à la salle de rédaction, une vaste pièce presque dépourvue de fenêtres où, au milieu d'un indescriptible désordre de tables, Henry Crappe occupait un réduit dans un coin. Comme il était passé minuit, il se trouvait là, à sa place, en train de taper à la machine devant un petit bureau d'école primaire malpropre et couvert de paperasses. Contre le mur, derrière lui, le tiroir du milieu du classeur était entrouvert, ses chaussettes pendaient du rebord. Diverses boîtes métalliques de tabac étaient rangées à l'avant de la table comme une muraille de tours médiévales, à l'abri de laquelle Crappe était affalé, sa ceinture défaite, sa fermeture Éclair ouverte laissant déborder de son pantalon son estomac en poire, les pans de sa chemise écartés laissant voir son caleçon blanc. L'air renfrogné, Crappe leva les yeux.

« J'écris. »

Field se laissa tomber dans le fauteuil de métal prévu pour les solliciteurs et attendit. Crappe le dévisagea : « Vous êtes encore malade. Je vous avais dit de boire du jus de papaye.

– Henry, j'ai un problème à côté duquel la vérole est presque une bénédiction. » Il posa le pistolet sur la table.

Crappe cessa de taper et considéra Field d'un œil méfiant.

« Connaissez-vous, par hasard, un nommé Som Nosavan ?

– Non.

– C'est un Lao – ou, du moins, il le prétend. Je viens de traiter une affaire avec lui...

– Ce couple assassiné, coupa Crappe.

– Qu'est-ce que vous savez là-dessus ?

– Ce que j'ai lu dans mon propre journal. Primo, les chauffeurs, je peux vous le garantir, Field, ne tuent pas leurs employeurs étrangers dans les pays communistes. Secundo, il ne s'est rien passé d'autre au Laos depuis six mois, sinon un an. Ergo, vous parlez du couple assassiné.

– D'accord, dit Field. Ce type, Som, je l'avais déjà vu dans le temps et, sauf erreur, c'était à propos d'une histoire de drogue.

– Eh bien, alors, dit Crappe en se détournant pour ôter ses chaussettes du tiroir du classeur, on va jeter un coup d'œil dans le dossier de la drogue.

– C'est pour ça que je suis ici. »

Crappe fit coulisser le tiroir vers lui : « À quoi ressemble-t-il ?

– Petit, replet, vêtements quelconques, parlant bien anglais et français. Le type du représentant de commerce.

– Le nom que vous me donnez est faux. Il n'y a jamais eu de Som Nosavan dans le trafic de drogue. Pas à ma connaissance. Autrement dit, pas du tout. » Il sortit un épais dossier. « Regardez là-dedans. 1984-1985. Espérons qu'il y a une photo. »

Field prit le dossier, le fit pivoter devant lui et l'ouvrit. Les coupures de journaux mises à part, il contenait toutes les notes personnelles et les photos non publiées de Crappe.

« Je croyais que votre spécialité c'était le sexe, maintenant.

– Ça, c'est ma collection de timbres. J'ai le droit – un droit inaliénable, vous savez ce que c'est – d'avoir un dada. »

Field leva les yeux, surpris par sa véhémence : « Qui a dit le contraire ?

– Personne. Personne. » Le visage blême de Crappe s'était légèrement coloré. Il se remit brusquement à dactylographier son article tandis que Field feuilletait le dossier. Au bout d'un moment, Crappe cessa de taper et ramassa le pistolet posé sur la table : « Et où avez-vous pêché ça ?

– Au Grand Prix. Un homme l'a braqué sur moi.

– Braqué sur vous. Ah... Désagréable. » Il regarda Field qui tournait les feuillets.

« Vous n'avez pas un article à écrire ?

– Absolument, marmonna Crappe. Absolument. » Son enthousiasme lui revenait. « Sur le Duke's Den. Et c'est un problème délicat d'exposer en détail les charmes de l'endroit en évitant de mentionner la miraculeuse apparition de lames de rasoir jaillies des parties intimes ou le jeune couple qui expose avec tant de conviction sur la scène son entente physique.

– Sur le comptoir du bar, vous voulez dire ?

– Mais oui. Vous connaissez l'endroit. En fait, j'y ai emmené votre ami, George Espoir. Je crois qu'il m'était reconnaissant de l'y avoir traîné.

– Très bien. » Field continua à feuilleter les dossiers qui évoquaient sans fin des histoires de drogue : un kilo et demi d'héroïne saisi à l'aéroport, ficelé autour de l'estomac d'un touriste allemand ; cinq kilos sous le siège d'une voiture chinoise thaïe garée devant l'ambassade de France ; un gramme et demi dans la poche d'un étudiant américain ; un kilo dans le transistor d'un mannequin italien ; huit kilos dans un canapé expédié aux États-Unis avec le déménagement du mobilier d'un jeune diplomate ; une pléthore de valises à double fond à destination de Hong Kong ; camions de riz transportant de l'anhydride acétique, le produit de base pour le chimiste fabricant de drogue, dans le Nord, le secteur des raffineurs d'héroïne ; pseudo-batailles entre la police frontalière ou l'armée thaïe et la milice de la drogue de Lao-Sa ; et, bien entendu, déclarations de ministres proclamant que les « influences occultes » doivent être balayées. Ces déclarations comportaient plusieurs allusions voilées aux pressions exercées par des gens haut placés qui semblaient désigner le général Krit. Field passa sans s'arrêter sur la plupart des documents. Il guettait l'apparition d'une image ou d'une référence concernant le Laos. Curieusement, il n'y en avait aucune. Il acheva l'examen du dossier et le rendit à Crappe : « 1982-1983, s'il vous plaît. »

Crappe acquiesça et tendit la main vers le classeur : « Il paraît que vous vous êtes annexé une gamine. »

Field lui lança un coup d'œil aigu : « Qu'est-ce que vous entendez par là ?

– Oh, rien. Un bruit qui court. Vous savez ce que c'est. Vous trimbalez avec vous une jeune beauté thaïe. Tenez. » Il jeta le dossier devant Field. « Très jeune, paraît-il.

– Qu'est-ce que ça signifie ? Bangkok se vautre dans le puritanisme, maintenant ?

– Oh non ! Vous interprétez mal ma curiosité. D'abord, je n'ai rien contre le principe du roi David. Que les vierges pures réchauffent nos corps défaillants si elles n'ont rien contre. Ensuite, l'abstinence sexuelle chez les jeunes filles aussitôt après la puberté entraîne des dommages physiques qui expliquent sans doute pourquoi tant de femmes occidentales ne peuvent parvenir à l'orgasme. » Le visage de Crappe rayonnait d'une sorte de sincérité de missionnaire.

« Vous voulez dire l'abstinence sexuelle passé l'âge de dix ans. Vous rigolez. »

C'était, apparemment, le genre de réponse à laquelle s'attendait Crappe, car il prit aussitôt une attitude de prédicateur : « Appliquez au système sensoriel sexuel les données qui s'appliquent à tous les autres organes sensibles du corps, l'abstinence durant une période critique de développement entraîne la dégénérescence. Prenez les poulets, par exemple. Éclos et maintenus cinq jours dans le noir, ils se mettront immédiatement à picorer dès qu'on leur donnera de la lumière. Mais gardez-les dans l'obscurité pendant quatorze jours et ils auront perdu le réflexe de picorer. Sur une montagne de grain ils se laisseront mourir de faim. Bon. Dans les sociétés occidentales, les filles passent en gros six ans après la puberté sans que leurs organes sexuels soient pleinement et régulièrement stimulés. Je dirai qu'elles traversent une période de privation sexuelle comme les poulets traversent une période de privation de lumière. Selon les statistiques, à la fois éloquentes et tragiques, cinquante-trois pour cent seulement des femmes américaines ont connu l'orgasme à l'âge de vingt ans. Et, à ce moment-là, leur système nerveux sous-jacent a été gravement endommagé.

– D'accord. Si ça vous fait plaisir. »

Crappe tendit la main et la posa sur le second dossier pour empêcher Field de tourner les pages : « Il ne suffit pas de stimuler les structures externes. Je parle des lèvres et du clitoris. Parce que les organes profonds du vagin et leurs terminaisons nerveuses ne ressentent rien.

– Alors, vous n'êtes pas contre ?

– Contre vous ? Non, Field, pas du tout. Encore que dans votre état, vous feriez bien de prendre des précautions avec cette fille. »

Field acquiesça : « En effet », dit-il, et il se replongea dans ses recherches.

Finalement, elles aboutissaient à un constat d'échec, ainsi que Crappe l'avait laissé entendre quelques semaines plus tôt. La multitude des saisies mineures donnait un total de quelques centaines de kilos alors que des tonnes de drogue passaient au travers. Et, à quelques exceptions près, les trafiquants interceptés étaient des comparses : chauffeurs de camions, étudiants, les pauvres et les débiles. Le tableau qui ressortait de cet examen était celui de la puissance croissante des réseaux chinois, capables de distribuer de la drogue depuis le stade de l'opium dans les États Shan jusqu'à sa transformation près de la frontière thaïe, son transport hors d'Asie et sa commercialisation en Europe et en Amérique. La traditionnelle mafia et d'autres organisations semblaient avoir été de plus en plus poussées sur des voies de garage dans le processus. Seule, la distribution sur les marchés occidentaux restait pour elles un monopole. Il finit par dénicher un portrait de Shirley Chu, puis une interview d'elle donnée quelques mois plus tard : le général Chu, son père, était le chef du Kouo-min-tang et avait été dans le temps un important trafiquant de drogue ; mais sa fille avait rejeté ce passé et se déclarait en faveur de la répression du trafic.

Il n'y avait rien aux années 1982-1983 ou 1980-1981. Parvenu à ce stade, Field commençait à perdre son ressort. La douleur, dans son bas-ventre, contrariait sa concentration. Il se mit à se gratter, d'abord les bras, puis la poitrine. Comme il examinait sa peau, il constata que son épiderme était envahi de rougeurs qui semblaient partir de ses articulations. « Oh, merde », murmura-t-il, et il s'immobilisa, les mains plaquées à plat sur le papier pour éviter tout contact de ses ongles avec sa peau. Il resta un moment sans bouger, les yeux ouverts fixés dans le vague.

« Qu'est-ce qui vous arrive ? demanda Crappe.

– Rien.

– Comment ça, rien ?

– Écoutez (Field leva un bref instant ses mains du dossier), je ne veux pas être renseigné sur toutes ces histoires. J'en ai assez.

– Dégradant ?

– Quoi ?

– Dégradant ? répéta Crappe. Vous trouvez ça dégradant. »

Field leva les yeux sur lui, surpris. « C'est ça. Enfin, vous comprenez. Je ne veux plus rien savoir de tout ça.

– Vous croyez que j'en ai envie, moi ? objecta Crappe sur la défensive.

– Je n'ai pas dit ça. » Field baissa les yeux sur le dossier. « Vous récoltez bien tous ces tuyaux. Alors, pourquoi faites-vous ça ? »

Ils échangèrent un long regard imprécis, puis Crappe détourna délibérément la tête et reprit son tapage à la machine. Field, lui, se remit à tourner les pages du dossier.

Crappe achevait la quatrième version de son article sur le Duke's Den et les premières lueurs de l'aube éclairaient les fenêtres de la salle de rédaction quand Field tomba sur une photo vieille de dix ans. Le personnage, rond et décontracté, n'avait pas changé, le nom excepté. Selon l'article, il s'appelait Somchaï Pamak. C'était un Chinois thaï, et à peine Field l'eut-il reconnu que son histoire lui revint en mémoire : « Somchaï Pamak, fit-il à haute voix.

– Somchaï ! s'écria Crappe. Mais bien sûr. Arrêté le 9 mars 1974 avec quatre de ses amis de Hong Kong qui ont été inculpés et condamnés. Je suppose qu'ils sont encore en prison. Mais quatre-vingt-quatre jours ont passé et le procureur avait oublié d'inculper Somchaï. Quatre-vingt-quatre jours représentant le délai maximum de garde à vue sans inculpation, il a été relâché. Mon article a révélé cette peccadille qui, sans aucun doute, impliquait un échange important de capitaux. Un nouveau mandat a été établi. Trop tard. Notre ami avait disparu pour toujours. Ou presque. Ma seule satisfaction a été de forcer à ouvrir le feu sur le procureur qui était certainement en mesure, alors, de s'offrir une confortable retraite.

– Et Somchaï a disparu, comme ça ?

– Oui. Maintenant, je sais où. Sa femme et ses enfants sont partis aux États-Unis avec la grande vague des réfugiés. Comment, je l'ignore. Et les affaires de Somchaï existent toujours. En quelles mains ? Mystère. Il avait un restaurant à Paris. Une compagnie commerciale en Suisse. Une autre en France. Je suppose qu'elles sont en sommeil. Et vous, vous avez été présenté ?

– Il gère une entreprise commerciale pour le compte du gouvernement du Laos. Je lui vendais des tracteurs et lui achetais du café.

– Merveilleux. Et je suppose que ce couple avait découvert quelque chose de plus.

– Sans doute. Henry, je vous offre toute l'histoire sur un plateau. C'est un sujet sensationnel. Et si vous lui faites un peu de publicité, je les aurai moins sur le dos.

– Et moi, un peu plus sur le mien, dit Crappe avec un ton de regret. De 1960 à 1985, quarante-sept journalistes abattus. » Il désigna le pistolet sur le bureau. « De quels éléments disposez-vous ? Un fait précis : Somchaï est vivant. Le reste n'est que rumeurs. Vous n'avez aucune idée de celui qui tire les ficelles de ce côté-ci, et c'est cela qui compte car l'individu en question, vous comprenez, est celui qui vous a mis ce tueur à vos trousses. Donc, ne me remerciez pas. Ce n'est pas mon anniversaire. »

Field recommença à se gratter. « Et alors, nom de Dieu, qu'est-ce que je vais faire ?

– Si je me souviens bien, Somchaï est un homme d'habitudes. Il était très famille quand il ne fréquentait pas son club. Le Sweet's, je crois. Aujourd'hui, le Sweet's appartient, du moins en partie, à Paga qui est une de vos intimes. Peut-être, par cette voie, pourriez-vous déboucher sur le terminal à Bangkok de l'entreprise de Somchaï. Mais, attendez un peu... Vous n'avez sûrement pas rencontré Somchaï tout seul. Donnez-moi le contexte.

– Il a un associé nommé Iem. Je n'ai pas retenu le nom de famille. Et il y avait un certain Kamphet : son protecteur au gouvernement, sans doute.

– Kamphet... non. Mais Iem. Iem... Oui. Peut-être un. Son signalement ?

– Rien de spécial. Petit. Sec.

– Sec. Arrêtez, ça suffit. Sec. Iem. Oui ! »

Crappe se pencha sur son classeur et l'explora un moment avant de sortir un dossier. « Iem. » Il tendit à Field une photo.

Field examina le visage anodin. « Oui, ça se peut.

– Oui, oui. Iem Norasing. Aujourd'hui soixante et un ans. Chimiste de profession. A été au service du général Ouane Rattikone. Vous vous rappelez peut-être le commandant en chef sous l'ancien régime. Également à l'origine du trafic d'héroïne double U.O. globe. Le général, bien entendu, a bénéficié d'un stage de rééducation dans une rizière quelconque de la pittoresque cambrousse du Laos. Le marxisme, dans son cas, a frappé juste. Toujours est-il que j'avais perdu de vue Iem.

– Il dirige une usine de détergents.

– Ça ne m'étonne pas. C'est si commode. Et il n'a pas changé de nom. Alors, vous voyez pourquoi je préfère écrire sur l'art et les lieux de plaisir. Rien ne change avec la drogue. Je pensais que la vieille entreprise Rattikone and Co. était défunte et qu'un nouveau chapitre palpitant avait commencé ; là-dessus, Iem refait surface dans le décor et le voilà encore une fois en selle. » Crappe dégagea son article de la machine à écrire. « Le Duke's Den propose sans fin des nouveautés. Même si le numéro est répété, ces lames de rasoir jaillissent d'un nouveau vagin inexploré chaque semaine. »

Field se leva : « Merci.

– Demandez à Paga, lui rappela Crappe.

– Peut-être. » Il pensait à Mme Laker qui, après tout, avait conclu un marché avec le personnage. Il se détourna pour s'en aller.

« Hé, Field. J'ai oublié de vous demander : qu'est-ce que vous avez appris sur le coup d'État ?

– Quel coup d'État ?

– On ne parle que de ça. Les officiers issus de la classe V se figurent, semble-t-il, que Krit marche avec eux. À tel point qu'ils concoctent un renversement du pouvoir. Et les officiers de la classe VII croient, eux aussi, que Krit les soutient. Et Krit, je suppose, joue sur les deux tableaux. Amusant, vous ne trouvez pas ? » Un certain frémissement était perceptible dans la voix de Crappe.

« Je croyais que vous détestiez les coups d'État ?

– Oh (il eut un rire forcé), j'essaie de m'y habituer.

Mais je trouve ce genre d'expérience très éprouvant. Ils sont imprévisibles, Field, totalement imprévisibles.

– Merci, Crappe. » Field se dirigea vers la porte.

« Déjà le sucre disparaît. Vous ne connaissez pas un bon endroit pour acheter du sucre ? » Crappe avait ouvert un de ses tiroirs et s'était mis à l'étudier. « Trois grands sacs suffiront ?

– Merci encore », répéta Field et, tout en se grattant, il sortit.

Il somnola dans le taxi et garda à grand-peine les yeux ouverts tandis qu'il barbotait dans les quelques centimètres d'eau qui inondaient le sol entre le portail et sa maison. Les premières poussées de chaleur ne faisaient qu'accroître sa fatigue et ses démangeaisons et empirer la douleur dans son bas-ventre. Sa cervelle flottait dans les nuages.

Ao était assise face à lui, de l'autre côté de la table de la salle à manger. Elle l'avait vu entrer et le gratifia d'un sourire ravi. Une autre fille en blouse blanche et jupe bleue était installée vis-à-vis d'Ao, le dos à la porte. Field crut tout d'abord que l'une était le reflet de l'autre. Il s'immobilisa sur le seuil de la pièce. En l'entendant entrer, la fille se détourna pour le regarder. Le soulagement se lisait sur son visage. C'était sa propre fille. Il ne la reconnaissait pas parce qu'elle n'était jamais entrée dans la maison jusque-là. Une bouffée de crainte l'envahit. Il tendit une main comme pour assurer son équilibre : « Qu'est-ce qui t'arrive ? »

Songlin se leva : « Rien. Tu devais venir à l'université hier. Je me faisais de la bile. »

Il traversa la pièce à pas lents et se laissa tomber dans un fauteuil comme pour dire : « Ah, ce n'est que ça. » En vérité, c'était la première fois qu'il manquait un rendez-vous avec elle sans la prévenir. Son esprit s'embruma à nouveau. Et il se rendit compte qu'il en avait été ainsi toute la semaine.

« J'ai oublié. » Il regarda Ao. De quoi avaient-elles parlé ? Il ne voulait pas de Songlin dans sa maison. Il ne voulait pas être jugé, discrédité ou rendu responsable, sauf sur un terrain de son choix. « Tu ne devrais pas venir ici. » Elle joignit les mains au-dessus de sa tête, faisant le signe du *waï*, et s'agenouilla à côté de lui : « Je regrette.

– Tu ne devrais pas venir ici », répéta-t-il malgré lui. Il ne voyait aucun moyen de s'expliquer. Et il ne voulait à aucun prix qu'on l'associât avec elle ; surtout maintenant qu'une espèce de cinglé en voulait à sa peau. « Il ne faut pas que tu restes ici. » Il crut voir des larmes dans ses yeux mais sans les distinguer clairement. Il était trop fatigué, trop dérouté. Il ne pouvait supporter de la voir dans cet état ; il se contenta de secouer la tête en détournant le regard. Il y eut un staccato de pas, puis la porte claqua et, lorsqu'il releva la tête, elle était partie. La photographie de son père dans les Rocheuses était posée sur la table, devant la chaise sur laquelle elle était assise. Il esquissa un geste pour balayer la photo et l'expédier par terre, puis il se ravisa et se mit péniblement sur pied pour aller téléphoner au centre médical.

Woodward venait d'arriver. Il déclara que les démangeaisons étaient tout à fait banales ; une simple allergie aux sulfamides. « Arrête d'en prendre », se contenta-t-il de suggérer.

Ao s'approcha de Field par-derrière et le poussa vers l'escalier. Il se laissa laver et mettre au lit par elle. Puis elle s'assit au bord du matelas et ne le quitta pas des yeux jusqu'à ce qu'il sombrât dans le sommeil.

Le téléphone le réveilla tard dans la matinée. La pluie crépitait contre les feuilles, au-dehors. Il bascula par-dessus Ao qui s'était endormie à côté de lui, et descendit l'escalier. Une voix impérative, mais chaleureuse, s'éleva dans l'appareil, se dispensant de toute formule de politesse.

« John, qu'est-ce que vous êtes en train de faire ? »

C'était Mme Laker.

– Je dormais.

– Très bien. La sieste dans la journée, c'est parfait, mais le meilleur moment, c'est l'après-midi. Il faut que je vous voie, John. Tout de suite.

– Eh bien, vous savez où je suis, Catherine.

– Non. Je n'ose pas partir d'ici. Je crains que les éléments ne se déchaînent. Il faut que vous veniez.

– Où ?

– Au British Club. »

Elle raccrocha. Field était sur le point de lui dire que lui aussi voulait la voir. « La garce », murmura-t-il, puis il alla prendre une douche, s'habilla et sortit. Une fois dans la rue, il faillit revenir sur ses pas pour demander à Ao ce qu'elle avait dit à sa fille, mais dans un certain sens, il préférait ne pas le savoir.

Le British Club était une villa de stuc basse sur un terrain perdu derrière les immeubles modernes entre les routes de Silom et de Surawong. Bangkok s'était étalée autour de la propriété mais les membres du club avaient refusé de vendre. Le club-house avait eu jadis un certain charme colonial. Seuls les grands patrons des firmes commerciales anglaises avaient été admis à s'inscrire. Une politique plus libérale avait ensuite entraîné un afflux d'autres élus puis des rénovations, et suscité une atmosphère impersonnelle lobotomisée, comparable à celle d'une chaîne de motels. L'Impala de Mme Laker était garée au-dehors mais, sous les *sala* bordant la piscine, il ne vit pas trace d'elle. Field entra dans le club-house et s'arrêta sur le seuil de la salle cloisonnée de bois pour brosser ses cheveux trempés de pluie. La salle à manger se trouvait sur la gauche.

La plupart des tables étaient occupées par des hommes en chemise blanche et cravate sombre sans veston : l'uniforme des *farang*. Il regarda autour de lui. Au milieu de cette foule anonyme, un vieil homme était assis seul à une table. Il était petit et frêle et portait un complet de lin crème auquel le temps avait donné une sorte de patine dorée. Son costume, son col empesé et tout le reste étaient d'une élégance extrême. L'homme se tenait très droit sur son siège. Un vaste panama était posé sur la chaise en face de lui. C'était le père de Michael Woodward. Le vieil amiral de quatre-vingt-quinze ans. Field s'approcha de lui pour le saluer.

L'amiral concentrait toute son attention sur une assiette contenant un « steak and kidney pie » à demi mangé. Il leva aussitôt les yeux et, avant que Field ait pu dire un mot, aboya : « Bonjour, jeune Field. Asseyez-vous.

– Merci, amiral. Juste une minute.

– Ceci, dit le vieillard en montrant les restes de nourriture sur son assiette, est toujours aussi répugnant. Ne laissez personne prétendre le contraire. »

Field considéra le magma sombre et farineux : « J'en suis certain, amiral, dit-il.

– Néanmoins, je viens ici une fois par mois depuis 1912 et je commande toujours le même plat. La vérité, Field, c'est que je l'ai en horreur.

– Mais alors, pourquoi le commandez-vous, amiral ?

– Pour la même raison qui m'amène ici. Non parce que je suis britannique. Parce que je ne le suis pas. Je suis thaï. » Il prononça cette dernière phrase assez fort pour être entendu des autres tables. « Je viens ici pour me rappeler qu'autrefois j'étais anglais. Et je commande ça – il désigna de nouveau son assiette –, pour me rappeler combien c'est répugnant. Un steak and kidney pie, c'est exactement ce que peut commander à l'étranger un Anglais qui a le mal du pays, vous ne le croyez pas ? La nostalgie est un dangereux animal, Field. Il peut vous sauter dessus par-derrière. De mon temps, nous nous battions face à face.

– Donc, vous venez ici pour affronter l'ennemi ?

– Exact. L'ennemi de la vie est la nostalgie. » Il poignarda de sa fourchette une bouchée de viande trop cuite et se mit à la mastiquer avec satisfaction. « Ça commence à se figer. » Il repoussa l'assiette. « Comment va mon fils ?

– Très bien. Je l'ai vu il y a deux jours.

– Parfait. Je suis content de ce qu'il fait. Avec lui, les choses bougent un peu. J'aime ça. Ce n'est pas moi qui pourrais le faire. Je suis entré dans ce club en 1941, figurez-vous, le lendemain du débarquement des Japonais. Une réunion se tenait ici pour tous les Britanniques. Crosby, un idiot, était ambassadeur, ministre plénipotentiaire, comme nous l'appelions alors. Il nous a dit : "Ne bougez pas. J'ai la situation en main." Tout le monde reconnaissait que Crosby était un garçon très bien et que s'il pensait avoir la situation en main, il ne fallait pas s'inquiéter. Alors, je me suis levé et j'ai dit : "Écoutez-moi, je suis thaï, je sais très bien ce qui se passe et je vous conseille de vous sauver le plus vite possible. Tous au galop. Séance tenante." Bien entendu, ils ne m'ont pas fait confiance et sont restés sur place. Le lendemain, ils étaient cernés et arrêtés. Ils ont passé trois ans et demi dans un camp de prisonniers. »

Une serveuse thaïe vint lui prendre son assiette et posa devant lui un bol rempli de diplomate à l'anglaise. Il le considéra d'un œil discret, mais connaisseur. La crème dans le récipient était d'un jaune soutenu. L'amiral

Woodward prit sa fourchette et la plongea dans le bol, faisant trembler la crème. Il la ressortit, les dents fichées dans un cube blanc, et la tendit sous le nez de Field.

« Regardez. Nous vivons au pays de l'ananas. Il pousse de tous les côtés. Examinez ce cube. Il vient d'une boîte. Ils mettent de l'ananas en conserve dans leur diplomate. C'est ainsi que cela se pratique en Angleterre – donc, on ne fait pas mieux. Ceci, voyez-vous, est un exemple de la mentalité coloniale, un sentiment inentamable de supériorité quelle que soit l'infériorité de celui qui l'éprouve. » Sa bouche se referma sur le cube blanc. « Je vais finir ça tout seul, dit-il. Allez, filez, jeune homme. »

Field gagna la salle de billard. Elle était vide ; il grimpa l'escalier qui, au-dessus du hall, donnait accès à une salle de lecture climatisée et sans odeurs définies. Il n'y avait pas de livres. Mme Laker attendait, seule dans un fauteuil, les genoux joints, les bras posés sur les appuis et les yeux clos. Elle portait une robe de lin verte.

Comme Field s'approchait d'elle, elle leva les yeux : « Asseyez-vous ici, John. » Elle lui montra le fauteuil voisin du sien. « Vous sentez-vous fort ?

– Non, répondit Field, et je voudrais vous poser une question. »

Elle tendit une main pour l'arrêter : « John, écoutez-moi bien. Le mal a un pouvoir plus grand ici parce qu'il est plus couramment utilisé. Nous devons donc rester vigilants contre le mal. Maintenant, je vais vous dire des choses que vous ne devez jamais répéter. » Elle regarda Field, attendant son acquiescement, et le dévisagea jusqu'à ce qu'il eût incliné la tête. « Quand mon mari, Norman, est tombé malade en 1959, on a diagnostiqué la polio. Il a été emmené au Centre hospitalier de Bangkok que vous connaissez et placé dans un poumon d'acier au rez-de-chaussée. C'était en décembre et il faisait froid,

John. Un froid que je n'aurais cru possible. En manteau de fourrure, je me suis assise à côté de lui, enfermé dans l'appareil, et j'ai écouté le terrible bruit rauque de sa respiration. Ce froid a donné le signal de la fin. C'était comme une main étalée sur le pays, vous comprenez ? Il est resté cinq jours dans le poumon d'acier. Jamais je n'ai quitté son chevet. Puis, le matin de Noël, tandis que j'essuyais la salive au coin de sa bouche, il a tout à coup souri, non pas à moi mais au-delà, dans le vague, comme à quelqu'un qui l'accueillait, et il est mort, ou il a paru mourir. J'avais tellement froid, John. Alors, le docteur est arrivé et m'a emmenée sur la galerie. Il n'y avait pas d'infirmière. Nous avons laissé Norman seul. Jamais je n'ai revu son corps, vous comprenez. Le docteur m'a conduite de la galerie droit à ma voiture. Sur le moment, j'ai pensé qu'il voulait m'épargner le chagrin de voir Norman mort. Vénus était à son apogée trois semaines avant et, durant les quinze jours entre cette date et son attaque, j'ai constamment pensé les mêmes choses que Norman en même temps. Déjà je devenais son interprète. Tout était prêt pour sa succession.

« Ensuite, après sa mort, j'ai réussi à ne pas pleurer, à ne pas me tuer quand j'en avais tellement envie. Je ne pensais à rien d'autre et, pourtant, je ne sais quelle force invisible maintenait sur mes lèvres une espèce de sourire grotesque. Pendant des semaines, John. Des semaines. Je me suis enfuie. Je suis rentrée à New York et là, le 22 février, j'ai reçu un message de Norman.

– Un message ?

– J'étais étendue dans ma baignoire, cherchant le courage de m'ouvrir les poignets quand, soudain, toutes mes appréhensions se sont évanouies en même temps que mon sourire artificiel. Puis, dans les vapeurs chaudes qui m'entouraient, la force de Norman m'a enveloppée et j'ai reçu un message. Il se trouvait avec un groupe dans les Andes. Je ne veux pas dire que c'était un esprit. Pas du tout. Il était et reste de ce monde-ci.

– Dans les Andes ?

– C'est là qu'il est encore.

– Pourquoi n'allez-vous pas le voir là-bas ?

– Ce n'est pas un groupe de ce genre-là. D'après son message, je devais retourner à Bangkok. Alors, je suis revenue ici et j'ai trouvé notre entreprise au bord de la faillite. Mais tous les jours il me donnait des instructions. Je n'avais été que son instrument. Depuis ce jour-là, John. Et, dans un sens, je le soupçonne de n'être, lui aussi, qu'un instrument.

– De qui ?

– Ça, je ne peux pas l'expliquer. Après vingt-six ans, je ne comprends toujours pas leurs intentions ni ma raison d'être. Mais je veux comprendre. Voyez-vous – elle fit une pause pour s'assurer qu'il écoutait –, le corps, dans cette tombe du cimetière, n'est pas le sien. Non, John. Une force mystérieuse l'a enlevé de l'hôpital. Souvenez-vous, je suis sortie avec le docteur. Il n'y avait personne. Nous le croyions mort. Mais cette force a surgi et l'a enlevé vivant pour le remplacer par je ne sais quelle forme organique. Et maintenant Norman m'a donné de nouvelles instructions. Je dois retirer cette substance organique de sa tombe avant que les eaux l'inondent de nouveau. Ces eaux sont infestées par les forces du mal. Je me demande, John, si cette requête ne dérive pas de la certitude que les Vietnamiens vont venir, que les Vietnamiens vont envahir le pays et, s'ils le font, ils seront à Bangkok en quelques heures. L'armée, ici, ne les arrêtera jamais, vous le savez. Ils sont si corrompus. Norman, Norman a toujours détesté les Vietnamiens. Jamais il ne laisserait cette substance organique dans leurs mains.

Sans être son corps véritable, elle fait partie intégrante de son groupe. Ce n'est qu'une spéculation de ma part, je le reconnais. Mes instructions, toutefois, sont claires. Je dois réduire en cendres la substance et la conserver. D'après mes calculs, la journée d'aujourd'hui est peut-être la dernière avant la crue et nous devons donc agir tout de suite. J'ai besoin de votre aide, John, au cas où je ne serais pas assez forte. Au cas où je ne sais quelle manifestation réclamerait votre calme et votre force. Ils nous attendent au cimetière. »

Field s'était enfermé dans un profond silence. Il ne voulait se mêler en rien de cette histoire. « Très bien, Catherine, dit-il. Mais d'abord, vous allez me dire une chose : comment êtes-vous entrée en contact avec Som Nosavan ? »

Elle le considéra avec stupeur, battant des paupières. « Je ne veux pas perdre de temps à discuter affaires.

– Moi, si. » Il se carra solidement sur son siège pour montrer sa résolution de ne pas bouger.

Brusquement, elle expliqua : « L'ambassade du Laos m'a proposé le marché.

– Som lui-même ?

– Non. Un attaché commercial. Ensuite, un fonctionnaire du gouvernement est venu me voir à Bangkok.

– Qui ?

– Je ne me souviens pas.

– Allons, Catherine. Pas à moi.

– Kamphet quelque chose. Kamphet Panyajak.

– Vous n'aviez donc jamais rencontré Kamphet ou Som avant de traiter cette opération ?

– Non, mais de quoi voulez-vous parler ?

– De rien, Catherine. Allons-nous-en. »

Comme ils sortaient du bâtiment, le chauffeur de Mme Laker expédia un rapide jet d'aérosol sur le siège arrière contre les moustiques. La pluie avait provisoirement cessé.

« Ne prenons pas la voiture, dit Field. C'est à cinq minutes à pied. »

Mme Laker, négligeant cette remarque, monta dans la voiture et il suivit le mouvement. L'odeur du D.D.T. s'était répandue dans tout le véhicule.

« Quelle infection, se plaignit Field.

– Il faut être prudent. »

Leur conversation en resta là jusqu'à leur arrivée au cimetière où attendaient huit hommes et une camionnette. Silom Road était en partie inondée ainsi que l'allée entre les deux sections du cimetière. Ils attendirent dans la voiture que le chauffeur leur eût apporté des bottes sorties du coffre arrière, puis s'avancèrent dans environ cinq centimètres d'eau limoneuse. À l'intérieur de l'enceinte du cimetière, la nappe liquide, semblable à une mer verte, atteignait le double de profondeur. Le gardien était venu s'installer sur une plate-forme couverte à un mètre au-dessus du niveau de l'eau.

Les huit ouvriers, en short, pieds nus, attendaient, rassemblés, les instructions. Mme Laker inspecta l'étendue marécageuse et s'avança dans l'eau, élevant ses bottes de quelques centimètres à peine au-dessus de la surface. Field la suivit et les ouvriers leur emboîtèrent le pas avec des leviers et des cordes. Ils passèrent devant le monument en bois de Basil Southend, conseiller royal, qui flottait et n'était maintenu en place que par un réseau de lianes entrelacées. Le mausolée de sa femme s'était détaché et dérivait parmi d'autres tombes plus solides. Cinquante mètres plus loin, Mme Laker obliqua sur la droite et poussa un cri tout en plongeant jusqu'aux cuisses et en basculant en avant. Field se précipita pour la hisser hors de l'eau. Elle avait le visage et les cheveux ruisselants.

« Nous aurions dû venir hier », dit-elle.

Field ôta sa chemise et la lui donna pour essuyer son visage et ses bras : « Plus précisément, vous auriez dû apporter des cuissardes. » Il regarda derrière lui les ouvriers thaïs qui attendaient, encore en eau peu profonde, gloussant de rire.

« Mah Nee ! »

Ils obéirent aussitôt et sautèrent en avant, immergés jusqu'à la taille. Field repartit en leur faisant signe de le suivre. La tombe était noyée sous une dizaine de centimètres d'eau. Il donna l'ordre aux hommes de soulever la dalle de marbre, mais lui-même se maintint en retrait sans trop savoir pourquoi. Comme la dalle se soulevait, il y eut un bruit de cataracte liquide, tandis que l'eau s'engouffrait dans la fosse. Il lui parut curieux que le caveau fût aussi imperméable et il se tourna vers Mme Laker qui, derrière lui, ne semblait pas s'en étonner. Sans aucun doute, elle avait dû veiller avec soin à l'étanchéité de la sépulture.

« C'est un cercueil d'acier », annonça-t-elle.

Déjà, les Thaïs se penchaient sur l'orifice submergé pour en voir l'intérieur. Il leur fallut une demi-heure pour disposer des cordes au-dessous de la bière et commencer à la soulever en se plaignant de son poids excessif.

« Naturellement que c'est lourd, dit Mme Laker, puisque c'est de l'acier. »

Le cercueil qui remontait des profondeurs était énorme.

« Il était très gros ? s'enquit Field.

– Pas du tout, voyons. Ç'aurait été très malsain sous ce climat. Il m'a semblé qu'il méritait un large espace, pour qu'il ne soit pas à l'étroit. »

Le cercueil émergea alors à la surface et une odeur

pénétrante se répandit. Non pas putride, mais différente de toute odeur connue. Et pourtant insupportable de tout près.

Tout en s'efforçant de sortir leur fardeau de l'eau, les hommes essayèrent de se couvrir le visage. Field s'écarta. Lorsqu'il les vit qui tentaient d'élever le cercueil sur leurs épaules, il les en dissuada. « Portez-le sous l'eau, dit-il, ça sentira moins. » Durant toute l'opération, Mme Laker avait conservé une sérénité apparente, comme si l'air avait été chargé de parfums. Field ne s'attarda pas à assister au transport de la substance organique. Il ressortit du cimetière et monta à l'arrière de l'Impala de Mme Laker, ses bottes aux pieds. Le dossier de plastique collait à son dos nu.

« Arrête le climatiseur, Lek. »

Dix minutes plus tard, les hommes apparurent avec le cercueil sur leurs épaules, se bouchant le nez d'une main. Mme Laker les suivait, mains pendant à ses côtés comme dans une procession funéraire, ses cheveux souillés de boue et rejetés en arrière retombant sur le côté gauche de son visage terreux. Elle attendit que le cercueil fût chargé sur la camionnette avant de rejoindre Field. Le chauffeur se baissa pour ôter ses bottes à Mme Laker, mais elle lui déclara que c'était sans importance et se laissa tomber, trempée des pieds à la tête, sur le siège arrière. De là jusqu'à Wat Tat Thong où elle avait organisé la crémation, la circulation était pratiquement paralysée ; Silom Road était sèche mais toutes les voies latérales étaient noyées sous quinze centimètres d'eau ; beaucoup de voitures avaient calé et les autres roulaient au pas. Ces encombrements étaient, en fait, bénéfiques aux hommes qui pouvaient ainsi descendre à volonté de l'arrière du camion pour échapper à la puanteur. Il leur fallut près de deux heures pour arriver à destination et, durant tout le trajet, Mme Laker resta silencieuse, les yeux fermés, repliée sur elle-même. Field remarqua que ses bottes étaient remplies d'eau ; puis il se rendit compte qu'il en était de même pour les siennes et il les vida par la vitre. Puis il ôta ses chaussettes et retroussa les jambes de son pantalon. Elle tenait toujours sa chemise à la main droite. Il la lui reprit, la tordit pour l'essorer et la mit à sécher sur la lunette arrière.

Wat Tat Thong, lieu d'élection pour les crémations, était aménagé en vue de faciliter la réception des morts. Les ouvriers thaïs purent donc placer le cercueil sur un chariot qu'ils poussèrent à tour de rôle et, en quelques minutes, l'amenèrent jusqu'à la table disposée devant le four juste au-dessous de la cheminée blanche haute de quinze mètres. Ils étaient sur le point de se retirer en laissant aux moines le soin d'achever la tâche quand Mme Laker se précipita en criant : « Revenez ici ! Ouvrez-le. Il faut l'ouvrir. »

Comme ils ne cachaient pas leur réticence, elle se tourna vers Field qui se tenait à distance, sa chemise et son pantalon trempés et terreux. « Il faut que je le voie, John. Je dois être certaine. S'il vous plaît. »

Il ne répondit pas mais remonta sa chemise au niveau de son nez et s'approcha du cercueil, fermé de sceaux métalliques aux deux extrémités. Il en arracha un qui se détacha avec un raclement, puis il alla à l'autre bout et saisit le second. Mme Laker le rejoignit. Il lui conseilla, à travers le tissu : « Couvrez-vous le visage, Catherine. »

Elle resta sans réaction ; il fit sauter le sceau et, d'un geste brusque, releva le couvercle qui se dressa, comme projeté par un ressort. Submergé par l'odeur, Field recula précipitamment jusqu'à ce qu'il pût respirer, et vit Mme Laker penchée sur l'intérieur du cercueil.

« Mon Dieu, murmura-t-elle. Mon Dieu. » Et elle s'évanouit.

Field se contraignit à s'avancer vers elle pour la relever. Et, tout en se baissant, il ne put s'empêcher de jeter, lui aussi, un coup d'œil. Le cadavre était vert vif mais, par ailleurs, en parfait état de conservation. Pour un peu, on l'aurait cru vivant. C'était un homme d'une stature impressionnante. Et nullement en raison du gonflement subi par son corps car son veston croisé s'ajustait sans un pli à son buste. Un sourire bienveillant flottait sur ses lèvres et il était coiffé avec soin.

Mme Laker ne pesait rien et il la transporta jusqu'à la voiture, laissant les moines poursuivre les rites de l'incinération. Elle reprit conscience sur le siège arrière mais ne prononça pas une parole et se tint parfaitement immobile. Une heure plus tard, les moines réapparurent avec le *ghod* contenant les os et les cendres qu'ils remirent à Mme Laker. Elle avait été contrainte de l'acheter au dernier moment sous le coup d'une décision soudaine. L'urne d'argent, en forme symbolique de phallus, était couverte de motifs gravés thaïs les plus ordinaires. Elle prit le *ghod*, haut d'une trentaine de centimètres, et le tint devant elle à bout de bras, le visage pensif.

« Ce n'était pas lui, murmura-t-elle.

– Qu'est-ce que vous voulez dire ?

– Ce n'était pas Norman. Ce mort ne lui ressemble en rien. Rien du tout. Jamais je n'ai vu cet homme. » Elle tenait l'urne d'argent sur ses genoux avec un soin proche de l'adulation. Au bout d'un moment, elle ajouta :

« Biologie cellulaire.

– Quoi ?

– Biologie cellulaire. Si j'apprends comment fonctionnent les cellules, je serai peut-être capable de contrôler leur action et, par conséquent, d'éviter la manipulation des étoiles. »

Chapitre 8

L'eau était montée assez haut dans la matinée pour franchir Sukhumwit Road à partir de la basse ville et atteindre le quartier plus élevé où habitait Field, mais la crue étant faible, elle avait été absorbée par le sol avant d'atteindre sa maison.

Field resta chez lui le temps de se doucher et de se changer et, surtout, d'entreprendre son veilleur de nuit sur le chapitre de la sécurité. Celui-ci restant sans réaction, il chapitra la grand-mère du boy, la cuisinière, et lui expliqua qu'il fallait garder les portes fermées et qu'elle et son fils devaient se méfier de tout inconnu pénétrant dans la propriété. Ao écouta toutes ces recommandations sans sourciller.

Il ressortit ensuite aux dernières lueurs du crépuscule et constata que la pluie s'était remise à tomber. Il parcourut l'allée au pas de course en direction de Sukhumwit et sauta dans le premier véhicule qui passait, un *tuc-tuc* aux rideaux de plastique semi-transparents qui drainaient l'eau à l'intérieur plutôt que de l'en protéger.

« Patpong, dit-il.

– Soixante.

– Non, non. Trente.

– Bangkok trop de circulation. Cinquante. Système sens unique.

– Trente », répéta Field, et il se carra sur le siège, souriant, jusqu'à ce que l'homme eût mis sa radio en marche et démarré. Les tambours vibraient sous son auvent de plastique et autour de lui comme dans une caisse de résonance.

Derrière les tambours, une voix s'éleva, mi-chantante, mi-hurlante : *Made in Thailand, not in Japan.* C'était le dernier tube de Bangkok, inspiré du sursaut nationaliste dont Meechaï Woodward était en partie responsable. L'humidité et la chaleur extérieure agissaient sur l'enveloppe étanche comme la flamme d'un brûleur sur une marmite, Field étant l'ingrédient destiné à être bouilli.

Comme ils passaient devant l'ambassade britannique, Field vit à travers la feuille gondolée de plastique qu'une réception était en cours dans la résidence. Et, devant, la reine Victoria trônait illuminée avec une douzaine de guirlandes autour du cou. Jamais Field n'avait pu comprendre comment les femmes de Bangkok pouvaient franchir le portail gardé par les Gurkhas pour aller accrocher leurs couronnes. C'eût été tout différent au temps jadis, quand la légation britannique se trouvait au bord du fleuve avec toutes les autres ambassades étrangères. Il n'y avait pas de rues à Bangkok et le roi, par sympathie pour les goûts des *farang*, avait comblé le canal qui courait derrière leurs demeures pour leur offrir une chaussée où faire rouler leurs voitures.

Devant le portail britannique sur cette nouvelle artère, les représentants de la reine avaient érigé une Victoria de plusieurs tonnes qui toisait tous les passants avec la toute-puissance arrogante de l'Empire. Cette menace souveraine n'impressionnait pas les Thaïs. Au contraire, sa réputation de fécondité personnelle attirait les femmes stériles qui lui apportaient des offrandes, allumaient des cierges sur ses genoux et récitaient des prières. En un rien de temps, elle était devenue une déesse locale mineure. « Esprit » eût été plus juste, mais sa taille et son gabarit excluaient ce terme. Au cours des années vingt, la légation avait déménagé là où elle se trouvait encore sur Phloenchit Road, statue comprise. Mais, cette fois, la reine avait été installée à cinquante mètres à l'intérieur de l'enceinte ; théoriquement parce que l'impérialisme n'était plus de saison. Mais cette discrétion masquait le sentiment, répandu parmi les Britanniques, que le culte de Victoria, muée en divinité de la fécondité, ne correspondait pas à leurs conceptions de la royauté. Cependant, sa réputation restait inentamée. Lorsque les Japonais avaient occupé Bangkok en 1941, ils avaient donné l'ordre d'enfermer la statue dans une caisse. Et les ouvriers thaïs qui avaient fabriqué le coffrage n'avaient pas manqué de ménager des fentes dans les planches pour les yeux.

Il était sept heures du soir et il faisait nuit lorsque Field arriva à Patpong. Sur le palier, aux appartements de Paga, la fille à la réception était celle-là même qui avait refusé de le reconnaître la semaine précédente.

Elle lança vers le bas de l'escalier : « Bonjour, monsieur. Massage ? Vous voulez massage ?

– Je veux Paga.

– Paga ? Vous voulez quoi ? »

Field attendit d'avoir atteint le palier et s'approcha d'elle : « Je suis le grand ami de Paga. Souviens-toi. Nous en avons déjà discuté la dernière fois.

– Excuses, monsieur. » Elle sourit.

« Elle est là-haut ? » Field se dirigea vers les marches.

« Non, monsieur. Elle pas là.

– Où est-elle ?

– Sortie.

– Où ?

– Palais royal, peut-être.

– Bonne fille. » Il lui donna une tape légère sur le sommet de la tête, qui se trouvait au niveau de sa poitrine, et dévala l'escalier. Les caniveaux débordaient l'un vers l'autre sans se rejoindre complètement au centre, si bien qu'il y avait intérêt à suivre le trottoir à la recherche du terrain le plus élevé. Le palais royal se trouvait de l'autre côté et témoignait de la toute dernière initiative de Paga pour rénover les vieux quartiers. Tous ses bars n'avaient pas bougé depuis des années mais chacun n'avait cessé de réapparaître avec de nouveaux noms et de nouveaux décors. Quatre filles se tenaient sur l'île au centre du bar ovale et quatre autres à l'extrémité opposée ; toutes étaient en train de danser en socquettes et escarpins. Une soixantaine d'autres, dans la salle, incitaient les *farang* à boire et à leur offrir à boire, en échange de quoi elles se laissaient peloter. Plus d'une centaine de personnes se pressaient dans l'établissement. Paga, derrière le bar, était penchée sur la caisse et les additions à côté de la caissière, une jolie fille à l'air efficace.

Field se pencha sur le comptoir pour se faire entendre en dépit du martèlement de la musique. « Je ne savais pas que tu montais encore en première ligne. »

Paga releva la tête sans sourire – les chiffres l'accaparaient. « Contrôle de routine, John. Viens ici. »

Il se faufila sous la porte du comptoir et se laissa tomber sur un tabouret à côté d'elle.

« Toujours malade.

– Oh, fit Paga, compatissante. Ce n'est pas bon. Pourquoi toi l'acheter, hein ?

– Un caprice. »

Elle lui administra une tape sur la main avec un air de reproche.

« Qu'est-ce que tu veux ?

– Un mékong soda. » Le whisky de riz ne figurait pas dans son régime officiel, mais au stade où il en était il se considérait comme affranchi des prescriptions du docteur. Si la médecine ne pouvait rien pour lui, pourquoi en tiendrait-il compte ?

« Ça va ronger ton foie, le prévint Paga. Te rendre aveugle.

– La masturbation aussi.

– Qui a dit ça ? Mieux vaut boire bière ou whisky.

– Je ne dois rien à mon foie. » Il saisit la bouteille avec laquelle une fille était sur le point de le servir et l'approcha de la lampe de bureau de Paga pour regarder la date.

« Bon Dieu, il est de cette semaine. Donne-moi une bouteille plus vieille. » La fille trouva cette réflexion très drôle et lui tendit une autre bouteille de mékong qu'il refusa. Elle continua à lui en proposer toute une série que Field rejeta tour à tour. « Voilà, dit-il enfin. Celle-ci est bonne. Du 15 août ; elle a deux semaines. Le poison devrait être résorbé.

– Désolée pour la fille malade, dit Paga. Je te fais un cadeau. Tu prends la fille que tu veux sauf la caissière, et tu ne paies pas la commission.

– Merci, Paga. » Il passa un bras sur l'épaule de la caissière. « Nok est la plus jolie, ici, et la seule avec de l'argent.

– Un cadeau de deux cents baht. Tu paies seulement la fille. »

Field secoua la tête. « Je ne couche plus. L'abstinence peut-être. Les filles sont charmantes à regarder, mais je ne couche plus. »

Elle l'examina avec attention : « Tu as un problème, John ?

– Si je ne veux pas tirer mon coup, est-ce que j'ai pour autant un problème ?

– Un homme venu te demander, aujourd'hui. Pas gentil.

– À quoi ressemblait-il ?

– Il est venu ici avant moi, alors j'ai pas vu. Cette fille a vu. » Paga lui montra une jeune danseuse, jambes nues, au maillot de bain largement échancré sur les cuisses. La fille glissa un billet de dix baht dans un temple miniature devant lequel elle s'inclina.

« Elle doit avoir un riche client », dit Field.

« Pin, viens ici. » La fille s'approcha de Paga d'une démarche aérienne. « Qui était l'homme qui a demandé John Field ? »

La fille passa une main sur le bras de John :

« Pas savoir. Jamais vu avant. Pas thaï. Chinois.

– Très bien, dit Field.

– Pas gentil.

– Qu'est-ce que tu lui as dit ?

– Moi vous connais pas.

– Parfait », marmonna Field, et il effleura de la main sa croupe nue avant de se retourner vers Paga : « Tu te souviens de Somchaï Pamak ?

– Bien sûr, dit-elle. Dans le temps, il vient chez Sweet's et dépense beaucoup d'argent. Deux mille baht pour un soir. Des verres pour les amis. Des verres pour les filles. Emmène les filles au fond. Paie la fille. Paie la chambre. Grand dépensier.

– Tu l'as vu ?

– Oh non. Il a disparu. Ses amis je vois quelquefois. Je les vois après lui disparu mais pas maintenant.

– Pourquoi ?

– Somchaï grand dealer. Tu te rappelles ?

– Bien sûr.

– Ses amis petits dealers. Thavorn ; ils prennent lui avec beaucoup de kilos, il y a longtemps.

– Avant ou après la disparition de Somchaï ?

– Peut-être un an après. Tué par peloton exécution.

– C'est vrai. » Field se souvenait de l'incident. « Et c'était un ami de Somchaï ?

– Bon ami. Ensuite, Hu Tien Sing et Hu Tien Phu, des frères, tu sais, et d'autres Vietnamiens pris à Paris. J'ai appris plus tard. Et puis le frère de Somchaï pris à Bangkok. Lui aussi grand dépensier. Je crois il achète quelqu'un parce que lui déjà sorti de prison, mais je le vois pas. Et aussi Tasanaï. Pas longtemps. Très malin. Et un ou deux encore pris mais je me rappelle pas.

– Alors, Somchaï fait encore du trafic ?

– Bien sûr, John. C'est pourquoi lui disparaît. C'est ton problème ? Attention, John. S'il a un ami en prison, il achète autre ami. Six amis en prison, il achète six autres amis. Regarde, John. » Elle lui désigna une fille à l'allure timide qui essayait de danser au-dessous devant un public mi-indifférent, mi-lascif. « Nouvelle fille. Tu la veux ?

– Je t'ai dit, je ne couche plus. » Elle prit une mine soucieuse. « C'était plus amusant avant, Paga. La qualité du spectacle a baissé. C'est ta faute.

– Pas moi. Je dirige meilleure école. Trop de *farang* aujourd'hui, John. Trop d'argent. Pas ma faute.

– D'ailleurs, j'ai ma malade.

– À quoi elle te sert ?

– Conversation. »

Paga estima qu'il la faisait marcher : « Va-t'en, maintenant. J'ai mes livres à faire. » Après un instant de réflexion elle ajouta : « Je vais me renseigner sur Somchaï, O.K. ?

– D'accord, Paga. Renseigne-toi. »

Au-dehors, il s'arrêta et inspecta le trottoir vers la gauche. La pluie avait cessé. Deux ou trois filles presque nues attendaient devant l'entrée de chaque bar. Si leur parcelle de trottoir s'était effondrée, elles se tenaient sur des planches de contreplaqué recouvrant les crevasses remplies d'eau. Toute cette foule de Blancs, de Japonais, de Thaïs déambulant à pas lents, s'arrêtant aux portes qui s'ouvraient pour leur laisser voir les danseuses à l'intérieur, restreignait son champ de vision. À chaque pause, les filles sur le trottoir essayaient de le racoler. De toute façon, dans cette cohue, songea-t-il, les amis de Somchaï pouvaient aisément faire le guet ou rôder à sa recherche. Non. Pas à sa recherche. Après tout, il ne se cachait pas. N'importe quel idiot pouvait le trouver. N'importe où, quand ils le voulaient. Ils devaient donc être là, attendant simplement l'heure et le lieu appropriés au mieux de leurs intérêts personnels. Il promena un lent regard circulaire du trottoir sur la rue, puis de l'autre côté tout aussi encombré de passants, et enfin vers sa droite. N'importe où dans cette foule, pensa-t-il. N'importe lequel de ces hommes. Pour la première fois, il se sentit étreint d'une peur consciente, concrète, et voulut battre en retraite dans le bar où le nombre de visages à surveiller était limité. Où un tueur risquait de trancher sur les autres. Il se contraignit à rester immobile.

Une fille surgit près de lui, lui prit le bras : « Tu reviens, John.

– Non. » Elle l'entraîna de côté pour dégager l'entrée du bar. « Non, répéta-t-il sans qu'elle l'entendît. Non, je ne reviens pas. »

Le jour suivant était un samedi et le ciel, par les fenêtres de sa chambre, était d'un bleu pâle et léger. Il conduisit très tôt Ao au Centre hospitalier et remarqua, en roulant, que les rues étaient vides et la ville encore silencieuse. Il n'y avait aucun suspect autour de sa maison. Personne ne suivit son taxi. La vie était telle qu'elle avait toujours été, mis à part sa douleur au bas-ventre qui ne le tenaillait, après tout, que depuis cinq semaines, un laps de temps assez court, très court même, une simple éclipse au milieu des années qu'il avait passées dans cet endroit et qu'il y passerait encore. Il avait connu d'autres éclipses semblables ; pas exactement comme celle-ci, ou comme l'aventure avec Somchaï, mais de brefs moments durs à supporter. Et il les avait surmontés.

Woodward n'avait de nouvelles précises pour aucun des deux. La nouvelle sélection d'antibiotiques n'était pas arrivée et, après avoir examiné l'écoulement de Field, le docteur s'abstint de tout commentaire. Le liquide était manifestement très jaune. Woodward pressa la chair ici et là et demanda si c'était douloureux. En général, Field était obligé d'en convenir. À propos d'Ao, il se contenta d'émettre des sons vaguement encourageants.

« En tout cas, j'ai bien peur qu'elle ne reste stérile, ce qui est peut-être une bénédiction déguisée.

– Stérile », répéta Ao. C'était, semblait-il, le seul mot qu'elle avait retenu.

« J'en ai peur, répéta Woodward.

– Stérile », dit-elle encore, avec une inflexion plus dramatique dans la voix.

Ce témoignage d'émotion de la part d'un être dont l'expérience familiale et sexuelle avait été si restreinte et brutale parut étrange à Field.

« Tu pourrais m'être d'un grand service ce matin, dit Woodward à Field. Si tu es libre. » Un sourire ambigu éclarait son visage.

« Bien sûr. »

Field reconduisit Ao au rez-de-chaussée et la mit dans

un taxi. Quand il revint au Centre hospitalier, Woodward s'était changé et, en tenue paysanne, il attendait sur la galerie.

« Nous allons marcher, dit-il.

– Pourquoi voulais-tu que je reste ?

– Ce n'est pas tellement que je le voulais, John. Tu parais si nerveux. » Il obliqua à droite dans Convent Road. »

« Je le suis.

– Il ne faut pas te biler pour ton infection.

– Ça ne dure que depuis cinq semaines, non ? Je ne me bile pas. Je suis résigné. Ce qui fait de Ao une compagne de rêve. » Il eut un petit rire. « Malheureusement, j'ai aussi des malfrats aux fesses. » Woodward le regarda, imperturbable. « Oh, tu vois le topo : des trafiquants de drogue qui pensent que j'en sais trop. Pan, pan, et voilà. »

Woodward prit un air songeur : « Et ils ont de bonnes raisons d'avoir peur ?

– Tu parles. J'aimerais bien leur expliquer que j'ai perdu la mémoire... Et la vue. Field l'aveugle, voilà mon nom. Je ne demanderais qu'à signer une promesse de silence si on me donnait une chance. Mais ça n'en prend pas le chemin.

– Alors, qu'est-ce que tu comptes faire ?

– Garder une certaine distance entre mes bons amis et moi pour limiter la casse. »

Woodward prit Field par le bras et l'attira vers lui tandis qu'ils traversaient Silom Road. « Je pensais que ça pourrait t'amuser.

– Quoi ?

– Un arrivage de marathoniens du sexe. Douze jours. Mille quatre cents dollars.

– Quoi ?

– Cinquante Hollandais en bordée. Un forfait collectif. »

Il ne dit pas un mot de plus jusqu'à l'extrémité de Patpong, où ils traversèrent en direction d'un vaste hôtel flambant neuf devant l'entrée duquel étaient massés en silence quelques centaines d'étudiants brandissant une cinquantaine de pancartes en anglais. Woodward laissa Field en lisière de l'attroupement, se contenta de lui dire : « Attends-moi ici », et il s'avança vers la première rangée des manifestants. En le voyant, ils l'acclamèrent et il leva son chapeau de paille au bout de sa canne. Field se déplaça de façon à distinguer le texte des pancartes.

« SYPHILIS TOURS GO HOME » était le plus original. Dix minutes plus tard s'arrêtait un car de l'aérodrome. Les portières arrière et avant s'ouvrirent, déversant des grappes d'hommes riant et bavardant, surchargés de sacs bourrés d'alcool et de cigarettes achetés en franchise. Ils étaient tous entre deux âges et en général adipeux. Field imagina Ao en train de masser ces cuisses comme des troncs d'arbre. Tout d'abord, ils ne remarquèrent pas les pancartes. Ils étaient tous descendus du car lorsqu'un groupe d'étudiants se précipita vers eux pour les photographier tandis que les autres criaient : « Sex Tours, go home ! Sex Tours, go home ! » Les touristes comprirent brusquement que cette foule attendait leur arrivée. Un ou deux d'entre eux tentèrent de se faufiler dans le hall de l'hôtel, mais les étudiants se tenaient par les bras et ces pères de famille corpulents n'avaient aucune envie d'avoir recours à la force, pas contre des enfants à l'air aussi innocent car, avec leurs uniformes et leurs cheveux courts, ils donnaient beaucoup plus l'impression d'avoir douze ans que d'être des universitaires. Ils se contentèrent, au contraire, de rougir et de se détourner, gênés. Certains battirent en retraite vers le car où les photographes se mirent à les mitrailler. Quelques instants plus tard, ils se pressaient les uns contre les autres, luttant pour remonter à bord du véhicule. Une fois à l'intérieur s'ouvrit une discussion avec le chauffeur sur les mesures à prendre. Les étudiants avaient encerclé le car et s'esclaffaient. Field lui-même riait sans réserve.

Puis il reconnut Songlin au milieu de la foule. Elle n'avait pas de pancarte mais un garçon lui tenait la main, brandissant de l'autre un placard qui proclamait : « LES FILLES THAÏES AUX HOMMES THAÏS. » Field crut reconnaître l'écriture de sa fille. Il battit en retraite, de peur qu'elle ne le vît, et garda les yeux rivés sur le jeune couple jusqu'à ce qu'il se sentît envahi par un accès de découragement. « Elle n'a pas le droit de me juger », murmura-t-il pour lui-même, et il s'éloigna.

L'air commençait à se charger d'humidité mais pas au point de le distraire de sa dépression. Il déambula sans hâte jusqu'au carrefour où il s'engagea dans Rama IV et longea une rangée de gratte-ciel. Il marchait le pied gauche plus bas que le droit car, à la base de ces immeubles neufs aux fondations profondes, la chaussée tendait à s'affaisser, et les trottoirs disjoints les bordaient comme des ourlets de jupe. Au bout de quelque temps, il jeta un coup d'œil en arrière pour voir si quelqu'un le suivait. Une foule de passants environnait mais, parmi eux, aucun qui attirât son attention par son visage ou un comportement particulier. Avec un haussement d'épaules, il reprit sa marche. Au coin de Sathom Avenue, il attendit le feu vert durant trois minutes. Au milieu du croisement, trois policiers sifflaient leurs partitions personnelles pour rythmer le mouvement des voitures. Ils ne portaient pas de masques antipollution.

Soudain, l'un des policiers retint le regard de Field. Il connaissait l'homme mais ne parvenait pas à le situer.

Puis la mémoire lui revint et il s'approcha du bord de la chaussée : « Seni ! Seni ! » cria-t-il. L'homme détourna la tête et s'efforça de regarder au-delà du va-et-vient des voitures et des gaz d'échappement avant de saluer Field de la main. Un instant plus tard, le feu changeant de couleur, il vint le rejoindre.

« Salut, John, dit l'homme avec enjouement.

– Ça alors, persifla Field, qu'est-ce que tu fabriques ici, à régler la circulation ? La brigade des stups t'a viré ? »

Seni se mit à rire. Sec et musclé, il portait des gants blancs. « Je vais là-bas l'après-midi. À mi-temps. Le matin, je dirige la circulation.

– Comme un simple flic ?

– Pour me faire un peu d'argent, John. Les gens des stups sont tous honnêtes, comme moi. Et le salaire d'un policier ne paie même pas mon dîner, encore moins celui de ma femme et de mes enfants. Je travaille avec les agents de la circulation pour arrondir mes fins de mois.

– Tu fais de l'extorsion de fonds.

– Oh, tu sais, fit Seni en souriant, nous interceptons, par exemple, les gens qui n'ont pas leurs papiers en règle. On peut ou les arrêter, ou les faire payer. Alors, ils casquent pour l'école de mon fils. C'est un bon coin, ici. J'y suis depuis quinze jours.

– Je ne t'avais pas remarqué. Vous portiez tous des masques.

– C'était bien mieux. Je peux à peine respirer là-bas ; mais le ministre du Tourisme ne veut pas que nous les portions. Bangkok est une ville orientale exotique. C'est ce qui attire les touristes. La pollution n'est pas exotique. Donc, il n'y a pas de pollution. Donc, les masques sont inutiles. En fait, ils sont interdits.

– Quand finis-tu ?

– Dans dix minutes.
– Il faut que je te parle, Sem.
– Attends un instant. »

Suivi de Field, le policier alla prévenir ses camarades qu'il s'en allait, puis se dirigea vers Wireless Road et les deux hommes gagnèrent le parc Lumphini, un vaste espace vert avec un canal serpentant sous les arbres. Field entreprit de raconter ses mésaventures tandis qu'ils suivaient le cours d'eau. Au fond du parc s'élevait un petit pavillon du XIXe siècle, vide à l'exception d'une vieille femme chargée de veiller sur quelques étagères encombrées de livres et quelques aquariums remplis de poissons exotiques. Au plafond tournait un ventilateur. Immobile, Sem vint s'abriter du soleil devant les poissons pendant que Field finissait de lui exposer l'histoire de Somchaï Pamak.

« C'est très bien, fut le premier commentaire du policier thaï.
– Comment ça ! protesta Field.
– Tu as comblé certaines lacunes.
– Parfait. Maintenant, combles-en d'autres pour moi.
– Nous étions au courant pour Iem mais pas pour Somchaï. Maintenant, je comprends. Iem est un technicien, pas un organisateur. Nous savons donc que le Laos est de nouveau dans le circuit mais le problème est de le prouver. Ils produisaient une moyenne de cent tonnes d'opium. Dans les années soixante. Avec la guerre, ce chiffre est tombé à quarante et même trente tonnes. Le Pathet Lao a interdit le trafic dans les zones communistes. Maintenant, tout est communiste et nous pensons qu'ils vont revenir aux alentours de soixante-quinze tonnes. Nous sommes également sûrs que les paysans ne se livrent à aucun trafic clandestin. En avril, tous les ans, les hélicoptères du gouvernement survolent les zones

officielles de culture et emportent toute la récolte. Ils paient les paysans en pratiquant le troc. Ainsi, tout l'opium se retrouve dans les entrepôts du gouvernement. Et c'est là...

– Quoi ?

– C'est là que le mystère commence. Par exemple, le Laos a signé la convention des Nations unies sur le contrôle de la drogue dans les années soixante. Maintenant, ils la violent en oubliant systématiquement de déclarer ce qu'ils font de leurs stocks. Nous pensons que douze mille tonnes s'en vont en Russie et vers le bloc soviétique. Leur ministère du Commerce et de l'Industrie ne dira pas ce qui arrive au reste. Ce fonctionnaire que tu as vu...

– Kamphet ?

– Oui. Jamais je n'avais entendu parler de lui.

– Je t'ai tout dit, Seni. Tout ce que j'ai besoin de savoir en ce qui me concerne, c'est qui est à la tête des opérations.

– Soixante tonnes. Disons six tonnes d'héroïne. Un grand caïd. Plus qu'un homme d'affaires. Nous ne savons pas. Peut-être un général. En tout cas, quelqu'un qui ne manque pas de décorum.

– Allons, voyons, insista Field. Je ne peux pas me contenter de ça. Écoute, je m'expose, en faisant ton boulot pour rien. On ne me paie même pas pour faire respecter les feux et les risques que je cours sont pires que les gaz d'échappement.

– Je ne peux rien pour toi. Sincèrement. Nous ne pouvons pas dire un mot en public avant d'être prêts à boucler toute l'affaire. Il y a sept mois, nous avons ramassé un type venant du Laos avec vingt kilos. La drogue était planquée dans un camion de bois, mais il n'a rien du prototype du chauffeur de poids lourd. Nous l'avons bouclé dans la prison de Bang Kwang pour le faire souffrir un peu et, depuis, il n'arrête pas d'essayer de nous acheter pour sortir. Je crois qu'il pourrait nous donner la réponse que nous cherchons si on arrivait à le décider à parler. Nous l'avons sérieusement cuisiné mais tu dis que Somchaï a encore six amis bouclés ici, ce qui explique pourquoi nous n'avons pas pu le faire parler. Il est sans doute terrifié. J'irai le voir pour faire une nouvelle tentative la semaine prochaine.

– Merci », dit Field sans enthousiasme, tout en songeant : si je suis encore vivant.

« Je suis désolé », murmura Seni.

Field concentrait son attention sur un aquarium plein de petits poissons bleus rayés. « Ne t'en fais pas. » Il ne montait que très peu de bulles par le tube d'air branché sur le fond du récipient. Les poissons vont mourir, pensa Field, s'ils les laissent s'asphyxier. Soudain, la pensée d'Henry Crappe lui vint à l'esprit. Et cette manie qu'avait Crappe de récolter des renseignements qu'il ne voulait pas connaître. Dégradant. C'était le mot qu'il avait prononcé. « Tu crois que j'ai envie de savoir ? » dit-il calmement à Seni sans un regard autour de lui. « Tu ne me diras pas ce que je veux savoir. C'est bien ça ? Hein ? » Il se retourna, submergé du désir de lui hurler à la figure : C'est bien ça, la carotte et le bâton. Oui ? C'est ça ? Eh bien, je t'emmerde. Je ne veux rien savoir. Tu comprends. Mon problème est parfaitement banal. Pour des raisons pratiques de survie, j'ai besoin de savoir. Rien d'important. Rien de moral. Rien de métaphysique. Je tiens simplement à rester en vie. Et je ne vivrais pas ici si je voulais savoir le secret des choses. Je vivrais dans mon pays.

Seni ne donna aucun signe d'avoir entendu cette algarade. Il se contenta de disparaître en silence pour resurgir un peu plus tard. Field contemplait toujours les poissons bleus.

« Il semble qu'une femme soit impliquée dans le coup.
– Une femme, répéta Field.
– Au sommet. C'est une rumeur que nous avons captée. » Il redisparut.

« Une femme, murmura Field pour lui-même. Voilà le nombre des suspects réduit à vingt-cinq millions. » Il s'approcha des étagères et parcourut les livres des yeux. Il n'y avait que des romans datant d'avant la Seconde Guerre mondiale. Anglais et américains. Par centaines. Aucun des titres ou des auteurs ne lui était familier. Au contact, ils lui laissèrent sur les doigts une épaisse couche de poussière. Il frappa dans ses mains et la vieille gardienne se dressa comme un ressort, paniquée. Field esquissa un *waï* d'excuse à son intention et sortit pour se diriger vers les bureaux du *Bangkok Post*.

Henry Crappe n'était pas à son bureau. Field ne s'attendait d'ailleurs pas à le trouver au journal à une heure pareille ; en fait, la salle de rédaction était pratiquement vide et, dans le coin, le classeur de Crappe était dégarni de chaussettes avec ses tiroirs fermés. Field secoua celui qui l'intéressait et tira sur la poignée. Il était verrouillé. Sans succès, il chercha les clefs sur la table et considéra le meuble de métal vert, frustré. Brusquement, il se jeta contre le classeur, lui imprima une violente poussée suivie d'une série de coups de pied, et les quatre tiroirs s'ouvrirent en même temps.

Une voix, à l'autre bout de la pièce, s'écria : « Hé là, dites donc, qu'est-ce que vous fabriquez ?
– Salut ! dit Field avec un large sourire. Ne vous en faites donc pas. »

Trois des quatre tiroirs étaient remplis de sacs de sucre, de riz, de lait en poudre, de sel, de légumes en conserve, de boîtes d'œufs. Crappe se préparait pour un putsch de longue durée. Chacun savait que Crappe et sa famille se retranchaient dans l'immeuble du journal dès qu'un putsch se déclenchait et n'en ressortaient qu'une fois le calme revenu. Un seul détail étonna Field : si trois des quatre tiroirs de Crappe étaient remplis de provisions, il ne conservait donc aucun dossier, sinon ceux consacrés à la drogue.

Field fouilla dans le quatrième tiroir jusqu'à ce qu'il eût trouvé le dossier de 1984-1985. Après avoir examiné une douzaine de feuillets, il tomba sur une coupure de presse concernant l'homme arrêté avec un chargement de teck et d'héroïne en traversant sur le bac du Laos à Nong Khaï en Thaïlande. À l'article étaient jointes des photos d'identité judiciaire. Field prit les documents et laissa un mot d'excuse sur le bureau.

Il passa le reste de l'après-midi à se demander comment il pourrait pénétrer dans la prison au-delà de la salle de visite, puis, une fois le problème étudié, à essayer de retrouver la trace de Woodward qui n'était ni au Centre hospitalier ni dans les taudis de Klong Toey. Field prospecta les alentours de l'université dans l'espoir de retrouver les restes de la manifestation anti-sexiste et, par conséquent, Woodward et non sa fille. N'ayant vu personne, il ne lui restait plus guère qu'à téléphoner chez Woodward et à y laisser un message lui demandant de l'appeler d'urgence dès son retour. Field attendit son coup de fil toute la soirée et, découragé, le rappela à onze heures du soir. Woodward était chez lui mais la domestique qui avait pris le message était allée se coucher très tôt en oubliant de prévenir qui que ce fût.

« Michael, il faut que je pénètre dans la prison de Bang Kwang le plus tôt possible. Tu y as tes entrées.

– J'y ai passé tout l'après-midi.

– Merde. »

Il y eut une pause, puis Woodward demanda :

« Est-ce vraiment urgent ?

– Il s'agit de ce petit problème d'armes à feu dont je t'ai parlé. »

Cette réflexion suscita un nouveau silence, puis Woodward déclara d'un ton neutre : « Une épidémie de choléra s'est déclarée à la prison. Aujourd'hui, il y a eu trente malades et deux hommes sont morts. Je suis allé examiner les détenus *farang*, en principe sur la demande de diverses ambassades. En fait, tous les malades sont groupés. Je pourrais y retourner demain.

– Et moi ?

– Peut-être que si tu venais déguisé en pasteur je pourrais te faite entrer. Ça te paraît possible ?

– Bon Dieu, Michael ! Je t'ai dit que j'étais un Irlandais de la basse ville, autrement dit bon pour la soutane.

– Es-tu vacciné contre le choléra ?

– On en meurt ?

– Pas si les symptômes sont détectés à temps.

– Tu les détecteras, Michael. »

Le pénitencier de haute sécurité se trouvait en amont de Bangkok, à Nonthaburi, sur les rives du Chao Phraya, à une heure de trajet par l'autoroute. La forteresse occupait un site pittoresque, cernée par cinq rangées de barbelés courant le long des murs ; les jardins qui l'entouraient avaient un caractère intime et sans apprêt et dégageaient une impression de bien-être et de sécurité. Cette impression fut confirmée par les sourires qui accueillirent le Dr Woodward au passage de sept portes garnies de barreaux destinées à assurer la sécurité extérieure. Field avait revêtu un pantalon sombre et une chemise blanche. Les mains derrière le dos, il avait adopté une expression d'autorité recueillie, inspirée de ses souvenirs d'enfance sur l'attitude des prêtres, et marchait sur les talons de son ami.

Woodward, dans son complet venu de Londres, représentait le prototype du parfait médecin britannique. C'était la première fois que Field voyait ce personnage hors de l'hôpital, mais Woodward jouant dans la prison le rôle d'un docteur occasionnel pour les détenus étrangers – ils étaient cent vingt-neuf, tous condamnés pour des délits concernant la drogue –, il avait choisi sa tenue en fonction de son rôle. Curieusement, il avait insisté pour s'arrêter en route devant une boutique de beignets où il avait acheté deux grands sacs pleins de beignets au chocolat.

Au-delà des portes s'étendait une longue cour étroite à ciel ouvert. De chaque côté, une double rangée de barreaux isolait les visiteurs des détenus. L'heure des visites n'avait pas encore sonné et l'endroit donnait l'impression d'un zoo abandonné. À l'extrémité de la cour, derrière les portes d'acier, attendaient des gardiens et des surveillants, des prévôts en chemise et short bleus, portant des matraques pour frapper, théoriquement et en cas de besoin, leurs camarades de détention.

De l'autre côté de la porte par laquelle furent admis les deux hommes était aménagé un espace vert avec des baraquements administratifs en bambou et une profusion de fleurs. Ils attendirent un moment tandis que les gardes sondaient les beignets avec de longues aiguilles. Des prisonniers en uniforme allaient et venaient, les Blancs mis à part, qui refusaient à la fois de porter les vêtements des détenus et de travailler. L'aspect presque engageant de l'établissement fut un instant troublé par le passage d'un prisonnier, les fers aux pieds reliés par une chaîne que soutenait une corde fixée à sa taille. Puis deux jeunes Français blonds en tenue de sport apparurent, plongés dans une conversation animée, et l'atmosphère de relais campagnard se recomposa.

« Où a lieu la garden-party ? » murmura Field.

Woodward lui lança un regard sombre. Tous deux savaient que dans l'établissement prévu pour trois mille prisonniers en étaient entassés six mille, pour la plupart enfermés pour quatorze heures chaque soir dans des cellules sans fenêtres ni ventilateurs, donc étouffantes, où ils couchaient collés ventre à dos sur une seule rangée. Le reste allait de soi, excepté qu'il y avait plus d'héroïne à l'intérieur qu'au-dehors. Les gardiens, les surveillants et même les prisonniers disposant d'argent et d'une certaine marge de liberté, mués en dealers, s'arrangeaient de telle sorte qu'il était difficile à quiconque d'échapper à la tentation.

On les conduisit sur la droite où, derrière une baie, se trouvait un vaste *sala* fermé de barreaux du sol au plafond au milieu d'un étroit terrain de jeux lui-même clos de barreaux. Sous le *sala*, des prisonniers étaient étendus sur des paillasses, les Thaïs d'un côté et, de l'autre, les étrangers divisés en deux groupes restreints de Chinois et de Blancs. Deux prévôts, un jeune Noir américain, visiblement adepte du body-building, et un Thaï corpulent, se tenaient à la porte qu'ils déverrouillaient et reverrouillaient à chaque passage. L'Américain leur ouvrit largement la porte avec un respect affecté et Woodward lui lança un des sacs de beignets.

« Distribue-les, Willy », dit-il.

L'homme rattrapa le paquet avec un plaisir manifeste : « Qui c'est ce type, docteur ?

– Un ami, Willy. Un pasteur. Il est venu pour vous remonter un peu le moral.

– D'accord, mon gars. » Le prévôt ne paraissait pas convaincu et il considéra Field avec une indulgence méprisante sous-entendant qu'à vouloir trop bien faire on ne faisait le bonheur de personne.

« Willy, dit calmement Woodward en l'éloignant du surveillant thaï, tu connais Phoumi Boussarath ?

– Je crois, oui. Un pigeon, c'est bien ça ?

– Tu peux aller me le chercher ?

– Hé, docteur Woodward, vous savez bien que je peux pas quitter la porte. » Il la verrouilla avec soin avant de jeter un coup d'œil furtif à Field qui, manifestement, prêtait l'oreille. Cette fois, le regard du prévôt était chargé de méfiance.

« Je sais, Willy. Envoie un autre *farang* le chercher. Il peut dire qu'il a la fièvre. C'est un Laotien, non ? Autrement dit, un étranger, tout comme toi. J'ai donc le droit de l'examiner. » Le prévôt hésitait encore. Il avait tourné le dos à Field. « Allons, Willy, je te donnerai un tube de Valium. D'accord ? »

L'homme eut un sourire enfantin : « Bien sûr, docteur Woodward, c'est d'accord. Je vais arranger ça. Comptez sur moi. »

Willy appela un *farang* qui déambulait à une vingtaine de mètres, comme perdu dans un rêve ; un être maigre et maladif. Les prisonniers semblaient se répartir en deux groupes : ceux qui s'entraînaient physiquement en vue de compétitions physiques et ceux qui se laissaient aller, minés par la drogue ou la maladie, et aussi par l'inaction, l'ennui, la frustration, la détresse.

Field suivit Woodward sous le *sala* dont la porte était ouverte. « Du Valium ? dit-il.

– Pour celui qui devient fou entre quatre murs, il y a des moments où la seule solution est l'oubli. Le Valium vous le procure assez bien. Mieux vaut ça que l'héroïne. Pour le détenu qui passe dix ans avec l'esprit lucide dans un trou pareil, il n'y a pas de médaille.

– Je sais, Michael, je sais. Je ne fais pas de critiques.

– Bien », dit Woodward, et il s'écarta pour aller examiner les victimes du choléra.

Ils étaient tous sous perfusion, bardés de tuyaux leur injectant le plasma destiné à lutter contre la déshydratation mortelle entraînée par le choléra. Field le suivit et s'arrêta pour parler avec les quelques *farang*. Il y avait un coiffeur australien qui avait essayé de créer un réseau de trafic de drogue avec son ami, un joueur de football. Ils étaient maintenant bouclés ensemble : une sorte de bénédiction, selon lui, à part que le prix des drogues dans la prison avait doublé. Il y avait eu du grabuge après qu'un détenu allemand eut envoyé en recommandé une enveloppe pleine d'héroïne du bureau postal de la prison à un de ses amis de Cologne. La police allemande avait ouvert l'enveloppe. Maintenant, le gouverneur thaï leur serrait la vis.

Dans un coin gisait un Français barbu qui empestait. Comme Field avait un mouvement de recul, l'homme lui expliqua qu'il était philosophiquement opposé aux ablutions.

« Et, en plus, cher monsieur, je suis le seul étranger innocent dans cette prison. Totalement innocent. Sans compter que, parmi tous les Blancs enfermés ici, je suis un des quatre qui ne prennent ni héroïne, ni aucune autre drogue. »

Woodward les rejoignit alors que l'homme achevait ses explications et l'interrompit : « Nous savons que tu es innocent, François. Seulement, tu as vendu des petites Cambodgiennes vraiment très, très jeunes à l'Europe pendant dix ans.

– Mon cher docteur, ce n'était pas illégal dans ce pays.

– Et alors ? s'enquit Field.

– L'une des filles est revenue et lui a mis un kilo de qualité n° 1 dans sa valise.

– Mais je déteste les drogues. Vous le savez, docteur.

– Je le sais, François », reconnut Woodward.

Un homme franchit la porte en traînant les pieds et Willy, le surveillant américain, le poussa en direction de Woodward. Field s'avança pour l'aborder.

« Phoumi ? »

L'homme considéra avec nervosité les victimes du choléra, comme pour voir si l'une ou l'autre le surveillait, puis se tourna vers Field d'un air contraint. Ses yeux étaient ceux d'un camé en manque de drogue. En dépit de sa solide charpente, il donnait l'impression d'un être apathique ou, plutôt, d'un individu qui a perdu le contrôle des rapports entre son corps et son esprit. Cet état de décrépitude fit renaître l'espoir chez Field.

« Tu n'as pas assez d'argent pour te payer de la drogue ? » demanda-t-il, et il attira le prisonnier dans un coin du *sala*. Puis il coinça Phoumi dans un angle, qui s'immobilisa adossé aux cloisons de plâtre. De part et d'autre, les barreaux reliant le sol au plafond découpaient le décor verdoyant en tranches parallèles.

Au mot de drogue, l'homme changea d'expression et son visage s'éclaira légèrement, mais il répondit avec méfiance : « Pourquoi vous me dites ça ?

– Je veux dire, murmura Field, que Somchaï te laisse tomber.

– Somchaï ?

– Oui, Somchaï. Et Iem. Il te laisse tomber aussi. Tu comprends ? » L'homme, sans réaction, posa sur Field un regard absent, éteint. Ses pupilles étaient transparentes. Il était pétrifié. « Ce sont ces types-là qui t'ont envoyé ici. Ce n'est pas juste... Et les autres amis de Somchaï – Thavorn, Hu, Minh, Tasanaï – est-ce qu'on s'occupe d'eux ? » L'homme resta silencieux. « Ils sont ici ? » Field eut un signe de tête vers le sol du *sala*, derrière eux.

« Il y en a avec les malades ? Tu peux au moins me dire ça. Allons. »

L'homme ne quittait pas Field des yeux : « Non. Pas un. » Il n'avait vraiment rien d'un chauffeur de camion.

« Et le frère de Somchaï est sorti. Libre.

– Je sais. Bien sûr, je sais, marmonna l'homme. Il était ici.

– Somchaï a payé pour le faire libérer mais personne ne t'a donné d'argent. Qu'est-ce que tu as fait ? Tu as dû leur causer des ennuis. »

L'homme paraissait incapable de remuer les lèvres.

« Alors, personne ne te donne d'argent ? » Comme il n'obtenait pas de réponse, Field, du bout de l'index, appuya sur l'estomac du prisonnier. La chair céda sous la pression, molle et flasque. Il enfonça un peu plus le doigt

« Et ta famille ?

– Ils sont au Laos. Ils ne peuvent rien faire.

– Alors, comment peux-tu payer ta drogue ? »

L'homme hésita : « Je ne peux pas.

– Voyons, pourquoi est-ce que Somchaï ne t'aide pas ?

– J'ai été piégé, murmura l'homme. Et maintenant, je suis ici, mais je ne veux pas mourir. » À travers les barreaux il jeta un coup d'œil à la porte d'où le prévôt thaï les observait. Leurs regards s'affrontèrent et Phoumi baissa les yeux. « Je ne veux donner à personne des raisons de me tuer. »

Field, alors, passa à l'attaque : « Mais tu as travaillé pour Kamphet. Pourquoi est-ce qu'il t'a trahi ? »

L'homme eut un sursaut de terreur. Incapable de lever les yeux sur Field, il plongea sa main droite sous sa manche gauche et se mit à se gratter frénétiquement.

« Bien sûr, reprit Field. Regarde-toi. Tu n'es pas un petit dealer minable. Tu étais un bureaucrate. Un fonctionnaire. Mais oui. Ça crève les yeux. Et dans quoi ? Le Commerce et l'Industrie ? Les Affaires étrangères ? Allons, bon sang. Plus nous parlerons longtemps, plus on nous remarquera.

– Les Affaires étrangères.

– Bon. Alors pourquoi est-ce que Kamphet vous a trahi ?

– Si je vous le dis, qu'est-ce que vous allez faire ? » Il leva un bref instant les yeux sur Field. Il ne niait pas la question cruciale concernant le rôle joué par Kamphet.

« D'abord, dit Field, je te donnerai cinq mille baht. Ce qui te paiera un peu de bonheur. Ensuite, j'éliminerai Kamphet et Somchaï. Tu comprends ? Je les éliminerai pour des raisons personnelles. Mais personne ne saura que c'était grâce à toi. Enfin, je t'aiderai à obtenir le pardon du roi. » La moitié de sa deuxième promesse et la troisième en totalité étaient des mensonges. Field savait qu'il pouvait, tout au plus, sauver sa propre peau. Et cela coûterait cher. Au cours des manœuvres qu'il allait entreprendre dans ce but, il s'arrangerait pour que le nom du personnage ne soit prononcé à aucun moment ; il ferait la paix avec ses adversaires. Du moins, c'était ainsi qu'il imaginait l'évolution de la situation. Et cependant, il savait d'instinct que chaque minute de conversation supplémentaire avec ce pigeon, comme l'avait appelé Willy, augmentait les chances des amis de Somchaï dans la prison de se douter de quelque chose et de le faire payer cher à l'homme trop bavard. Dans son état pitoyable, ils ne pouvaient guère que le tuer. Field, s'interdisant tout apitoiement ou toute bienveillance, déclara d'un ton sec : « Allez, vite, parle.

– J'étais à la section des Nations unies. » Les mots lui sortaient, saccadés, de la bouche comme des renvois. « L'un de mes travaux était d'organiser le contrôle de la lutte contre les stupéfiants. Nous avions négligé pendant des années de respecter le traité prévoyant l'envoi de rapports sur la question, si bien que l'on m'avait demandé d'en établir un, destiné à New York. Je suis allé au ministère du Commerce et de l'Industrie. Le responsable de la récolte et de la vente officielle d'opium était Kamphet, mais il m'a systématiquement mis des bâtons dans les roues. Je devais être prudent parce qu'il travaillait aussi dans le bureau du Premier ministre. Chaque fois que j'obtenais un renseignement, il était incomplet. Et le reste, il n'arrêtait pas de me dire que c'était secret. » Il jeta un coup d'œil vers le prévôt thaï qui le surveillait toujours mais ne pouvait rien entendre. Phoumi reprit la parole, d'une voix à peine audible : « Ça m'a pris du temps, mais j'ai fini par me rendre compte ; quelques hommes étaient impliqués dans le trafic de la drogue et ils se gardaient bien de l'admettre. Un jour, j'ai découvert le rôle joué par Iem et tous ses antécédents. Ensuite, je suis tombé sur son permis d'importation d'anhydride acétique et j'ai compris. Je suis allé trouver Kamphet. Il a avoué partiellement et m'a offert l'occasion de m'en mettre plein les poches. Il suffisait que je me rende en Thaïlande au volant d'un camion de bois. Il m'achetait et je n'étais qu'un pauvre fonctionnaire. Maintenant, me voilà ici où ils peuvent me contrôler.

– À qui étais-tu censé livrer la marchandise ?

– À personne. Je ne devais pas assister au transfert. Je n'avais qu'à laisser le camion dans une rue donnée.

– Mais qui supervise les opérations à Bangkok ?

– Je ne sais pas.

– Tu te fous de moi. Tout ce que tu m'as dit, je le savais déjà, C'est le contact de Bangkok que je veux.

– Vraiment, je ne sais pas. » Ils se dévisagèrent en silence. « Alors, vous n'allez pas me donner l'argent ? »

Il avait parlé d'un ton pitoyable, comme s'il n'avait eu que cette espérance en tête depuis le début. Il tendit une main pour la poser sur celle de Field et, comme il avançait le bras, il découvrit sa peau jusqu'à la saignée. Elle était constellée de points comme une portée musicale. Field lui étreignit le bras. « Ça ne représente pas six mois de piqûres. » L'homme resta silencieux. « Tu étais donc drogué avant.

– Pourquoi pensez-vous que j'avais besoin de l'argent de Somchaï ?

– Et pourquoi est-ce que je croirais ce que tu me dis ? »

L'homme répondit, évasif : « Ça, c'est votre problème, j'en ai peur. »

Field se sentit soudain vidé de son énergie. Il laissa retomber le bras du prisonnier et se tourna vers la porte, comme pour s'en aller. Son regard, encore une fois, croisa celui du surveillant thaï qui, même à cette distance, semblait chargé d'animosité. « Oh, merde », fit-il. Il se retourna à nouveau, compta cinq mille baht aussi discrètement que possible, puis feignit de donner une accolade à Phoumi pour lui permettre de glisser l'argent dans son pantalon. « Tâche de les faire durer. Ne claque pas tout en une fois. »

Phoumi ne comprit pas l'allusion, et à peine eut-il senti la liasse de billets qui gonflait sa poche qu'il se désintéressa de la conversation. Lentement, il s'écarta de Field sans prononcer une parole, sans doute obnubilé par le choix de celui qui pourrait lui vendre son héroïne au prix le plus avantageux.

« Attends ! » Field lui barrait le passage. « Écoute-moi. Si Kamphet travaille pour le Premier ministre, est-ce que le Premier ministre est au courant ? »

Phoumi rassembla ce qui lui restait de sa dignité de

fonctionnaire. « Si un membre d'un gouvernement est mêlé au trafic de drogue, le gouvernement entier l'est-il du même coup ? » Il glissa de côté pour contourner Field et sortit du *sala*. Devant les barreaux, il attendit, sans lever les yeux, que le prévôt thaï eût ouvert la porte. Ils n'échangèrent pas un mot. Willy, le prévôt américain, debout à l'écart, mangeait un beignet. Il semblait avoir oublié tout le reste. Il avalait d'énormes bouchées sans s'en rendre compte, un peu comme un fauve qui doit se battre pour manger. Le chocolat avait fondu sur ses doigts.

« Merde ! murmura Field. Tu te rends compte ! Un putain de camé. » Il pivota sur lui-même, frustré, et vit les trente matelas alignés sur le sol entre lesquels circulait Woodward examinant les malades comme Bonaparte quand il rendait visite aux pestiférés de Jaffa. « Merde ! »

Woodward l'entendit jurer et vint rejoindre Field.

« Alors ? demanda-t-il.

– Il m'a tout dit. Tout ce que je savais déjà et qui ne me sert à rien. Le seul renseignement dont j'ai besoin me manque toujours. »

Woodward lui passa un bras sur l'épaule : « Allez, viens. Sortons d'ici. »

Chapitre 9

La première des grandes marées de la saison remonta le Chao Phraya depuis le golfe de Thaïlande pendant que Field était à la prison. Elle atteignit Bangkok au début de l'après-midi avec le commencement des pluies et s'étala sur les rives en inondant les pelouses des ambassades de France et du Portugal, les rues menant à la vieille église portugaise et à la cathédrale française pseudo-normande, le débarcadère du Roi, les alentours de Wat Mahattat et vint battre les murs du grand palais où la concentration des pompes enraya son avance en rejetant les eaux latéralement vers les quartiers adjacents. Field et Woodward regagnèrent Bangkok au moment où la pluie débordant les gouttières dans la haute ville commençait à s'étaler des deux côtés des routes de Silom et de Surawong, puis de Sukhumwit, jusqu'à ce que les deux flots parallèles se rejoignent au milieu de la chaussée et, suivant la pente à peine perceptible vers le fleuve, rencontrent à mi-chemin la marée qui montait. Cette jonction, comparable à un coup de tonnerre amorti, rappelait une fois de plus à la ville la folie qu'elle avait faite en écoutant les avis répétés des urbanistes occidentaux durant les quarante années précédentes.

Bangkok avait été construite sur un estuaire avec des klong en guise de routes, mais ces canaux avaient toujours joué un rôle secondaire sans rapport avec les communications. Ils gonflaient avec les marées, drainaient les moussons. Ils constituaient un système de contrôle des inondations imparfait mais essentiel. Maintenant, les *klong* étaient comblés ou, pis, recouverts, si bien qu'ainsi obstrués ils demeuraient stagnants jusqu'à l'arrivée des pluies. Alors ils s'emplissaient, débordaient et envahissaient les rues.

La différence entre les inondations de Bangkok et celles des autres villes tenait à ce que toute violence était absente du mouvement des eaux. Bien au contraire, une sorte de marée fangeuse et tiède qui semblait suinter du sol recouvrait la ville de trente centimètres d'eau, de boue et de débris. Seuls le grand palais et la résidence du roi, le palais Chitrlada ainsi que le quartier résidentiel environnant où habitaient de nombreux généraux étaient maintenus au sec grâce à une concentration exceptionnelle de pompes. Si le secteur était protégé, c'était parce qu'y vivaient non seulement Krit, mais aussi ses alliés réels et possibles.

Avec l'affaissement progressif de la ville, les effets de l'inondation étaient pires que lors des mauvaises années précédentes ; toutefois, les voitures continuaient à rouler au pas le long des rues, immergées sous dix centimètres d'eau, tandis que se multipliaient les sacs de sable destinés à défendre les entrées des quelques boutiques encore dépourvues d'un muret de protection permanent de trente centimètres de haut. Les commerçants se tenaient au sec à l'intérieur, attendant avec calme les clients qui continuaient à circuler, jambes nues, le long des trottoirs.

Field déposa Woodward au Centre hospitalier où des passerelles de bois avaient été déjà aménagées pour permettre aux malades et aux visiteurs de passer sans se mouiller de leurs voitures aux escaliers. De là, il se rendit jusqu'à la boulangerie de Saigon. Le taxi avait suffisamment accéléré au croisement pour déraper en prenant son virage, suscitant un remous qui, propulsé vers le trottoir, jaillit par-dessus le muret de protection et pénétra dans la boulangerie.

Field, choisissant sous l'eau opaque les fragments encore en place de la chaussée, gagna le seuil de la boutique. Feignant d'ignorer les regards furieux des propriétaires, il s'avança sur le plancher mouillé et passa devant les deux bonnes sœurs françaises, vêtues de blanc, qui buvaient du café et mangeaient des croissants à petites bouchées nostalgiques. Une douzaine de tartes à la noix de coco s'alignaient sur un plateau. Il acheta le lot complet et ressortit en barbotant.

L'inondation avait maintenant traversé Sukhumwit Road et il découvrit sa *soï* entièrement noyée ainsi que le terrain environnant. Tenant haut le carton de tartes, il se dirigea vers sa maison qui semblait posée sur une île, avec le rez-de-chaussée encore à une cinquantaine de centimètres au-dessus de la nappe liquide. Au-delà des écrans treillissés, il vit Ao accroupie sur le porche couvert. Il traversa la pièce et écarta l'écran ajouré. Le *klong* avait disparu. La véranda était devenue une sorte d'appontement d'où Ao contemplait l'eau jaunâtre. Elle tourna la tête vers lui et lui sourit.

« Je t'ai apporté des gâteaux. » Il lui tendit le paquet, mais son regard fut attiré vers l'extrémité de la galerie.

Deux cobras y étaient allongés, presque droits comme des tronçons de bambou, et semblant eux aussi regarder l'eau. Couleur de pierre grise, ils avaient environ un mètre de long. Les serpents parurent indifférents à la présence de Field, comme ils l'avaient été à celle d'Ao. Celle-ci vit le regard de Field rivé sur les reptiles : « Eux vivre sous la maison. Plus de place maintenant. »

Field se baissa avec l'intention de leur lancer une chaussure et constata qu'il était pieds nus. Il tenait encore le carton de gâteaux à la main et envisagea de l'utiliser comme projectile. Après tout, les cobras savaient nager. Ils pouvaient aller se réfugier sur une autre galerie. « Foutue baraque », marmonna-t-il avant de donner les tartes à Ao et de rentrer à l'intérieur en refermant avec soin l'écran derrière lui. « Yaï ! Yaï ! » cria-t-il. La vieille femme apparut, venant de l'étage. « Bière. » Il mit en marche un ventilateur de plafond et s'assit dans un fauteuil d'osier. Une fois servi, il vida sa chope d'un trait. Et il en réclama une autre.

C'était étrange. La douleur était toujours présente dans son bas-ventre. Et certainement plus pénible à supporter qu'avant. S'il l'analysait avec soin, il pourrait sans aucun doute mesurer la progression de l'infection dans son organisme. Et pourtant, de toute la journée il n'avait pas pensé à cette souffrance, elle s'y était comme intégrée. Et ce qu'il avait dit en plaisantant à Paga était vrai : le sexe ne l'intéressait plus. C'était une activité inaccessible. Son corps se détournait donc de cette forme de satisfaction physique. La souffrance et l'absence de plaisir sexuel ; ce n'étaient plus là que de minces détails en comparaison de l'éventuelle apparition la nuit à ses côtés, ou surgi d'une foule, d'un autre cireur armé d'un pistolet onze millimètres et effaçant à jamais, d'une seule balle, tous ses petits maux physiques et ses désirs. Peut-être pouvait-on aussi surmonter ce danger en s'y habituant, en acquérant une sorte de méfiance naturelle, en vivant avec cette menace comme si elle était aussi normale que le sexe et la santé. Il s'efforça de chasser cette perspective de son esprit pour se demander ce qu'il pouvait faire, vers qui il pouvait se tourner.

L'après-midi s'écoula tandis qu'il buvait bière sur bière et glissait peu à peu de la réalité de ses problèmes dans une sorte de rêve éveillé. Après tout, la vie restait aussi agréable qu'elle l'avait toujours été. Il leva les yeux vers la photo de son père tellement emmitouflé dans ses vêtements que le froid de la montagne semblait sourdre du cliché et se répandre dans la pièce. Un bref instant, il sentit ce froid le pénétrer sous l'épiderme, puis rejeta aussitôt ce souvenir vieux de vingt ans. Non, il avait chaud. Et une Thaïe ravissante et douce attendait sur la galerie. Et quelque part en ville, il avait une fille malheureuse parce qu'elle croyait l'aimer plus qu'il ne l'aimait alors qu'il était certain du contraire. Et il était maître de sa vie. Tout le reste était secondaire.

À la tombée de la nuit, la marée avait suffisamment baissé pour laisser apparaître le terrain détrempé entourant la maison, tandis que la *soï* était encore immergée sous quelques centimètres d'eau. Après avoir bu une dernière bière, Field monta en trébuchant jusqu'au premier où il éparpilla ses vêtements, puis s'écroula sur son lit et s'endormit. Au-dehors il faisait encore jour. Quelques heures plus tard, il s'éveilla et trouva Ao pelotonnée dans ses bras. Sa main droite posée sur l'épaule de la jeune fille glissa et vint coiffer un sein juvénile et ferme. Il exerça une légère pression sur la chair et sentit le téton se durcir entre deux de ses doigts. Elle se serra contre lui et il se sentit parcouru d'une vague de désir aussitôt suivie d'une vague de regret. « Comment un petit corps aussi délicieux peut-il être à ce point pourri en dedans ? » dit-il à mi-voix. En l'entendant, elle ne bougea pas et il bascula de côté pour aller occuper, à l'écart, le bord du lit. Lorsqu'il se réveilla de nouveau, ce fut sans en savoir la raison. Ao dormait, une jambe étendue qui lui effleurait le côté. Il caressa doucement les orteils d'Ao, largement étalés et révélateurs d'une enfance passée pieds nus. Le ventilateur émettait au plafond un ronronnement léger. Au-dehors, dans l'air immobile ne s'élevait aucun froissement de feuilles. Il se pencha pour regarder la pendule. Il n'était que onze heures. Il aurait dû se sentir affamé ; il n'en était rien. Ses paupières se refermèrent mais, dans le silence, il entendit un bruit à peine perceptible qu'il mit un moment à identifier, un bruit trahissant une présence humaine. Il tourna la tête pour regarder par la fenêtre les cimes des arbres. Elles ne bougeaient pas.

Field se leva et s'approcha de l'écran. Le silence régnait à nouveau, troublé par le seul bruit des insectes. Puis encore une fois, il entendit une voix. Très basse, quelques mots. Il pensa au veilleur de nuit ; peut-être celui-ci parlait-il à sa grand-mère, mais deux ou trois chuchotements ne constituaient guère une conversation.

Le pistolet, pensa-t-il, où ai-je mis le pistolet ? Il rampa vers le lit et se releva dans l'obscurité, essayant d'émerger du nuage d'hébétude chargé de bière qui l'enveloppait encore. Avec mes affaires, se dit-il. Le pistolet est quelque part dans mes affaires. Il se traîna autour du lit et alla ouvrir les tiroirs l'un après l'autre. Il finit par trouver l'arme au milieu de ses chaussettes et l'éleva en l'air pour l'examiner de plus près. Il dégagea le cran de sûreté, puis s'avança sur la pointe des pieds le long du couloir vers l'escalier. Descendu à mi-hauteur des marches, il entrevit les silhouettes de deux hommes penchés sur le verrou de la porte de verre coulissante. Ils avaient déjà repoussé les écrans. Field s'immobilisa pour les observer jusqu'à ce qu'il pût se rendre compte de leur manège. Munis d'un petit instrument, ils tentaient de forcer la serrure. Les grincements de métal étaient clairement audibles. Puis ils cessèrent ; une main s'était écartée de la porte tandis qu'ils cherchaient un nouvel outil. Cette fois, les grattements métalliques étaient différents. Fasciné par le bruit, Field entendit le loquet glisser et la porte s'entrouvrit.

Il se précipita vers le bas de l'escalier : « Espèces de fumiers ! hurla-t-il. Foutez le camp ! Foutez le camp ! » Il traversa la pièce en courant et tendit le pistolet en direction des deux ombres figées sur place. Fébrilement, il pressa la détente à plusieurs reprises avant de percevoir la première détonation. « Les fumiers ! » Il continua à tirer et à crier, mais ils étaient partis. Il alla jusqu'à la porte, la vision brouillée par la fureur. Puis l'écho des détonations lui revint à la mémoire. Il y en avait eu cinq ou six. Il n'avait ni réfléchi, ni compté. Des bruits ineptes, incontrôlés. Ensuite il y eut un fracas de verre brisé et un piétinement rapide sur les planches. Prudent, il gagna la galerie et n'y vit personne, pas même les cobras. Avec la marée basse, ils avaient dû retourner sous la maison. Il scruta la nuit. Ou les hommes s'étaient sauvés, ou ils s'étaient cachés à quelque distance pour l'attendre. Il revint à l'intérieur, traversa la maison obscure, déverrouilla la porte près de la cuisine et se dirigea vers la cabane des domestiques. Elle était plongée dans le silence. « Yaï ! Ouvre ! » Il n'y eut pas de réponse. Il voulut ouvrir la porte ; elle était fermée. Il se mit à cogner dessus et, le silence persistant, la heurta de son pied nu. Il s'acharna ainsi jusqu'à ce que la porte lui fût ouverte par le petit-fils de la cuisinière, son gardien de nuit fictif. Field l'empoigna par le cou et le tira au-dehors. « Pauvre crétin ! Qu'est-ce que tu fous là-dedans ? » Il projeta le garçon sur le sol. « Crétin ! » Le jeune homme restait prostré sur le ciment, inerte. « Bon Dieu de merde ! » Field, à grands pas, regagna sa maison et remonta l'escalier. Alors seulement il se rendit compte qu'il était nu et que, lorsqu'il avait houspillé le garçon, il avait tenu le pistolet braqué sur lui.

Ao était assise sur le lit : « Qu'est-ce qui se passe, John ?

– Habille-toi ! »

Field, à tâtons, fouilla dans son armoire et en sortit un pantalon et une chemise. Derrière lui, Ao allumait la lumière.

« Éteins ! cria-t-il. Éteins, bon sang ! Et habille-toi. »

Il dévala l'escalier et appela le veilleur de nuit qui rentra dans la maison en se traînant sur les genoux, les mains jointes tendues comme pour implorer son pardon.

« Va chercher un taxi. Vite. Un taxi. »

Field attendit avec Ao dans l'obscurité, près de la porte de la cuisine, puis le jeune garçon revint en courant ; le taxi attendait à l'extérieur de la propriété. La distance entre la maison et le portail semblait soudain avoir atteint des kilomètres. Field frappa l'épaule du jeune garçon. « Fais venir le taxi jusqu'à la porte », dit-il.

Ao n'avait pas émis un son mais, une fois le garçon parti, elle vint se placer derrière Field et lui prit le bras : « Où aller, John ? Tard maintenant.

– Je dois voir Paga. »

Il y eut un silence. Ao réfléchissait. D'une voix contrainte, étranglée, elle demanda. « Tu redonnes moi à Paga ? »

D'abord inattentif, il prit conscience du frémissement de sa voix : « Non. J'ai un problème. Paga peut m'aider. C'est tout. » La petite Fiat vint s'arrêter devant la maison. Field cria au chauffeur : « Éteins tes phares. » Il saisit Ao par le bras, l'entraîna le long de l'allée spongieuse et la poussa au fond du siège arrière. « Patpong », dit-il. Les jambes coincées derrière le siège du chauffeur, il avait presque les genoux au menton.

« Cent baht, monsieur.

– D'accord. D'accord. N'allume pas avant qu'on soit dans la rue. » La voiture franchit le portail avec lenteur, passa devant le veilleur de Field, les mains toujours jointes devant lui et devant le gardien du lotissement, à demi éveillé sur sa plate-forme. Une fois au-dehors, Field lança. « Allez, roule en vitesse. » Il jeta un coup d'œil circulaire. Dans la rue, une voiture démarrait. « Bon Dieu, murmura-t-il, cent putains de baht pour se faire tuer. Hé ! » Il tapa le chauffeur sur l'épaule : « Trente baht pour rouler lentement. Cent baht pour aller vite ! »

Le chauffeur se retourna. C'était un Thaï chinois et Field savait par expérience que les chauffeurs de taxi chinois de la ville possédaient tous un grain de folie qui se révélait en général dans leur façon de conduire, un peu comparable à la tentative d'un esprit mathématique pour résoudre un problème totalement irrationnel. Tous les as du volant se déchaînaient. À peine ces instructions reçues, l'homme écrasa le pied sur l'accélérateur, fit une embardée en travers de la chaussée, reprit sa ligne droite et émergea en décollant presque du sol de l'étroite *soï* pour foncer sur l'avenue Sukhumwit à six voies, se faufiler entre un *tuc-tuc* et une BMW devant laquelle il vint se placer en lui faisant une queue de poisson. Toute cette voltige s'était exécutée en silence et sans le moindre coup de klaxon. L'homme portait autour du cou un mouchoir blanc étroitement enroulé qui donnait l'impression d'une cordelette. Soudain, il lâcha le volant des deux mains, saisit les pointes de son mouchoir et le tira circulairement à gestes vifs pour essuyer une sueur qui ne pouvait être qu'imaginaire, car l'air climatisé de son véhicule aurait été assez froid pour ventiler la chambre frigorifique d'une boucherie. Field jeta un coup d'œil en arrière vers le vaste courant anonyme de la circulation chargé d'une agressivité manifeste. Avec un haussement d'épaules, il se laissa aller contre les ressorts avachis du siège. Ils avaient traversé en cahotant sous la grande rocade et venaient de parcourir une centaine de mètres quand le chauffeur lâcha de nouveau le volant et arracha le mouchoir entortillé par-dessus sa tête pour le passer, tel un rasoir, sur l'arête de son nez.

À l'extrémité de Silom Road, taxis et *tuc-tuc* étaient groupés dans quelques centimètres d'eau où ils pouvaient attendre les clients de dernière heure. Devant les appartements de Paga, Field ouvrit sa portière et descendit du véhicule, pataugeant dans l'eau stagnante en traînant Ao derrière lui. La fille postée à l'étage le reconnut et l'assura que Paga n'était pas là. Devant son ton embarrassé, Field jugea bon de passer outre et de gravir l'escalier, après quoi il fit irruption dans les cinq chambres de passe qui se louaient au tarif de cinq cents baht l'heure. Une seule était occupée et Field ne s'attarda pas à présenter ses excuses au couple en action qu'absorbaient d'autres exercices. La fille, en haut des marches, affirma avec insistance qu'elle ignorait où se trouvait Paga qui ne s'était pas montrée depuis le vendredi, deux jours plus tôt. Field pensa à la caissière du King's Castle et entraîna Ao en bas de l'escalier. Sur le seuil de la maison, il s'arrêta. Personne ne s'y tenait en faction, à part une fille qui annonçait aux passants : « Par ici, monsieur. Entrez, monsieur. » Le peu d'intérêt qu'elle aurait pu susciter laissait indifférents les piétons contraints de barboter dans l'eau boueuse. Field enjamba le muret de protection et traversa rapidement les petits appontements édifiés devant chaque porte de l'autre côté.

À l'intérieur, la foule était moins dense que d'habitude mais la température aussi basse et la musique aussi bruyante. Field se faufila jusqu'au bar ovale sur la gauche et se retrouva en face de la caissière et, derrière elle, de la porte.

« Où est Paga ? »

La fille secoua la tête : « Pas venue depuis que vous ici la dernière fois.

– Allons, Nok, où est-elle ?

– Sais pas, John. Elle ici une fois par semaine pour ramasser argent. Vous vouloir un verre ? »

Field gardait les yeux fixés sur la porte. Il vit entrer deux Thaïs. Ils n'avaient pas l'allure prudente et la mine curieuse d'hommes pénétrant dans un bar en quête de distractions faciles. Non. Leur attitude était directe, résolue. Ils lançaient des regards inquisiteurs. Field fit passer Ao derrière le bar, puis se pencha de nouveau sur la caissière :

« Écoute, Nok. Tu gardes mon amie avec toi. Donne-lui un badge. Et garde-la bien. Ne la laisse parler à aucun homme. Ne la laisse pas travailler. Je veux dire, elle peut laver des verres ou je ne sais quoi, mais pas d'hommes, compris ? Je reviens tout à l'heure.

– Nous fermer bientôt, John.

– Si je ne reviens pas ce soir, Nok, ramène-la à la maison. À la maison. »

Ao avait l'air affolé : « Tu me laisses, John ?

– Ne me parle pas. Les hommes vont s'en apercevoir. Pour l'instant, reste ici. Ne bouge pas. Je vais revenir. »

De l'autre côté du bar, l'allée était étroite entre la rangée des consommateurs assis devant le comptoir et un autre alignement de clients installés sur la banquette, le long du mur. Un troupeau de filles y circulait, allant d'un homme à un autre pour les inciter à consommer. Les deux Thaïs se frayaient un chemin dans cette concentration de chair humaine, examinant avec soin les consommateurs au passage. Field détourna la tête et se faufila vers la porte. Ils ne le virent que lorsqu'il s'en trouvait à un mètre alors que cinq ou six les en séparaient. Les filles se mirent à protester à voix aiguës tandis que les deux hommes les bousculaient brutalement. Field ne jeta pas un regard en arrière. Il se glissa entre les deux personnes qui le séparaient du trottoir, s'arrêta un bref instant à l'extérieur, tentant de se souvenir des autres bars de Paga, courut à droite sur quelques mètres et escalada un escalier avant que les aboyeurs du Bunny Club aient eu le temps de faire leur numéro de retape.

C'était un boui-boui minable à l'éclairage douteux. Des rouleaux de papier hygiénique étaient posés sur le bar en face desquels une fille dansait nue. Il n'y avait que deux clients, chacun avec une fille dans les bras. Field se pencha par-dessus le comptoir et demanda Paga. La caissière lui répondit qu'elle ne l'avait pas vue. L'attention de Field fut attirée par un imposant Noir assis à sa gauche avec une fille courbée sur son bas-ventre et en train de s'activer avec ses lèvres sur un pénis très petit.

« C'est encourageant », remarqua Field, et il commença à descendre les marches.

Derrière lui, il entendit une voix qui demandait : « Qu'est-ce que t'as dit, mec ? » Sur le seuil de la porte, Field s'immobilisa pour réfléchir. Le Kangourou. C'était une boîte de Paga. Il attendit l'arrivée d'un groupe compact d'Australiens pour se mêler à eux et les accompagner jusqu'à une autre entrée vers laquelle il obliqua avec la quasi-certitude de ne pas avoir été suivi. La fille, au bas de l'escalier, actionna une sonnette et, au sommet des marches, une porte s'ouvrit sur une sorte de petit salon confortable et malpropre avec un bar le long d'une cloison, une petite estrade en face et, sur les côtés, des fauteuils profonds. Sur l'estrade une fille, visiblement plus âgée que les autres, avec un visage couturé et un corps musclé, dansait nue, tenant dans chaque main cinq bougies allumées au bénéfice d'une demi-douzaine d'hommes. Elle s'effleurait les seins des flammes, marquant un temps d'arrêt quand le foyer de chaleur atteignait ses tétons, tenant les bougies inclinées de telle sorte que la cire rouge s'écoulait en traînées sur sa peau. Une fois les seins cuirassés de cire, elle abaissa les flammes vers son abdomen, puis autour de son sexe où, par miracle, la toison de son pubis ne prit pas feu, tandis que l'intérieur de ses cuisses se couvrait d'une carapace rouge. Field était fasciné par la vision de cette cire fondante. C'était comme une deuxième peau rongée d'ulcères sanglants qui, soudain, lui rappela ses propres souffrances. Posant la main sur son bas-ventre comme pour apaiser la douleur réveillée, il se pencha par-dessus le bar : « Paga, tu l'as vue ? »

Non, la caissière ne l'avait pas vue, mais peut-être la fille enfermée dans la chambre, derrière, avec un *farang* pourrait-elle le renseigner.

« Pas long maintenant. Elle travailler vite. Tu veux boire, John ? »

Il commanda un mékong soda et s'assit au bar. Six des sept filles dans la salle s'affairaient à séduire les clients en se livrant sur eux à des massages du bas-ventre destinés à faire commander des verres à des individus auxquels, dans leurs pays respectifs, pas une femme n'aurait accordé un regard. La plupart reniflaient, affligées de rhumes dus à la climatisation. Un policier en uniforme décoré de deux rangées de rubans était assis dans un coin. Son pistolet semblait d'une taille excessive pour un local aussi réduit. Field le montra à la caissière.

« Un ami ? s'enquit-il.

– Très cher. Il vient tous les soirs pour l'argent. »

L'artiste aux bougies sauta au bas de l'estrade, tandis

que la cire se craquelait sur son corps, et l'unique fille disponible monta la remplacer avec des bananes censées jouer le rôle du partenaire mâle. Elle était en pleine exécution de son numéro quand la cloche, au rez-de-chaussée, se mit à carillonner et, une seconde après, un Thaï surgit en courant, son pistolet brandi. Field se jeta de côté en renversant son verre. Mais l'homme ne lui prêta aucune attention. Il était déjà sur l'estrade désertée, en train de ramasser les bananes utilisées ; puis il se mit à crier devant la porte de la minuscule loge dans laquelle la fille s'était enfermée. Il brandissait également le bas de son bikini et donc son badge.

Field s'était suffisamment ressaisi pour demander : « Qu'est-ce qu'il veut, ce type ?

– C'est l'Équipe 1-2-3. Il a son badge. Grosse amende. Police thaïe mauvaise. »

Le policier du quartier resta tranquillement assis. Il était payé pour ne pas intervenir. Sauf vis-à-vis des escouades volantes de la police anticorruption. L'homme s'en alla avec le badge et les bananes dans un journal. Quelques instants plus tard, la fille nue sortait de la loge en pleurant. L'amende lui coûterait un mois de salaire. Field lui donna cinq cents baht et demanda à la caissière d'interrompre le couple dans la chambre privée, le temps de demander où se trouvait Paga. La perspective de laisser Ao seule plus longtemps qu'il n'était nécessaire l'inquiétait.

« Bien sûr, John. » Elle revint quelques minutes plus tard. « Peut-être au Duke's Den. Essayez là-bas. D'accord ? »

Paga baptisait tous ses bars de noms de têtes couronnées ou d'animaux. Jamais elle n'avait expliqué pourquoi. Field descendit l'escalier à pas comptés et jeta un coup d'œil au-dehors. La pluie s'était remise à tomber, légère. Ne parvenant pas à distinguer les visages des passants ou de ceux qui attendaient sous les auvents, il s'élança hors du bar et franchit rapidement les soixante-quinze mètres qui le séparaient de l'escalier du Duke's Den.

Dans la salle du haut, un jeune couple forniquait calmement, debout, elle le dos au public et une jambe passée sur une épaule de son partenaire. La scène, ainsi que la pièce de vastes dimensions, était peinte en noir et la centaine de clients, hommes et entraîneuses, contemplaient le spectacle en silence. L'homme donna trois coups de reins, abaissa la jambe de la fille pour soulever l'autre, s'activa à nouveau trois fois, puis lança sa partenaire de côté, au-dessus de lui, à l'horizontale, et donna encore trois coups de reins. Puis il posa sur la salle un regard terne chargé d'indifférence, tandis que la fille simulait assez adroitement la passion. Elle portait une Rolex au poignet.

La patronne était invisible. Field demanda à l'une des filles de la prévenir et se posta au fond de la salle pour attendre.

« John ! John ! »

Près de l'entrée, Henry Crappe lui faisait des signes. Field se dirigea vers lui avant de se rendre compte que George Espoir était également là.

Field se laissa tomber sur un siège et demanda :

« Alors, où en sont ces recherches ? »

Espoir esquissa un mince sourire. Puis il jeta un regard de mépris complice vers Henry Crappe : « Ça avance », répliqua-t-il.

Sur la scène, l'homme prenant la fille par-derrière donna trois coups de reins, puis la fille abaissa les mains sur le sol et noua ses jambes autour de la taille de l'homme. Encore trois poussées. C'était le tableau final et les deux partenaires se séparèrent discrètement avant de quitter la scène, l'homme tenant son pénis pour le cacher aux spectateurs.

« Les Thaïs sont toujours réservés, observa Crappe.

– Réservés », répéta Espoir, comme pour dire : je pourrais faire mille commentaires grossiers mais mon éducation me l'interdit. En vérité, il paraissait assez ivre pour être incapable de toute repartie mordante.

« Vous souffrez toujours ? » demanda Crappe. N'obtenant pas de réponse, il reprit : « Avez-vous trouvé ce que vous vouliez dans le tiroir ?

– Oui, Henry. Désolé pour votre classeur.

– Les serrures étaient bonnes, dit-il d'un ton dolent. Vous n'avez pas pris de sac de riz, j'espère ?

– Non, Henry.

– Je n'étais pas sûr. Je n'avais pas compté le riz. Et Somchaï ? »

Field le coupa : « Je ne veux pas parler de ça. » Son but était d'étouffer l'histoire. De la mettre en sommeil. Si seulement il pouvait trouver l'homme adéquat à rassurer. Si Espoir se mettait à bavarder sur ce sujet, c'était la fin de tout. « Gardez ça pour vous, Henry, hein ? » Il insista : « Je compte sur vous. »

Espoir avait écouté la discussion avec intérêt mais sans le moindre commentaire. Quelques instants plus tard, le spectacle reprenait avec quatre filles potelées dans un numéro d'ébats homosexuels. Sans doute était-ce leur première apparition sur la scène car elles ne cessaient de pouffer avec des gloussements embarrassés, en tournant le dos au public.

La patronne, l'une des jeunes sœurs de Paga, surgit brusquement dans la salle. Elle eut un sourire incertain à l'adresse de Crappe, tout en demandant à Field : « Tu veux quoi, John ?

– Je veux voir Paga. C'est urgent. Où est-elle ?
– Sais pas.
– Tu peux la trouver ? »
Elle acquiesça. « Attends ici. »
« Qui est Paga ? demanda Espoir.
– Une amie », répondit Field, et il se détourna, laissant son esprit dériver dans une sorte de vague neutralité qui lui tenait lieu d'autodéfense.
« Si vous revenez ici dans quinze jours, remarqua Crappe pour changer de sujet, ces filles seront des professionnelles accomplies. Un exploit remarquable. Les rizières s'estompent plus vite que vous ne l'imaginez. Il faut considérer tout ça comme une corporation médiévale avec des apprentis et des maîtres. L'ordre de préséance défie presque l'analyse. Trois cent quatre-vingt-dix-huit bars, cent dix-neuf salons de massage, quatre-vingt-seize dancings, etc., cinquante-six restaurants avec "hôtesses" entre guillemets. Toutes ces filles ont leur place dans la hiérarchie. Il y a quelques call-girls très chères, des ex-reines de beauté ou autres à tant la nuit, un tarif exorbitant, non pour le plaisir de l'homme mais pour son prestige. Là, vous découvrez la pleine expression de la cupidité masculine. Les généraux carriéristes en particulier utilisent ce que j'appellerai le sexe de prestige. Les spécialistes du massage, elles, vous pouvez l'imaginer, représentent la classe moyenne de la profession, le massage corps à corps est pratiqué par les grandes bourgeoises, le massage manuel par des filles de moyenne bourgeoisie, toutes des professionnelles patentées ayant pignon sur rue, en général mariées et mères de famille. Ensuite viennent les entraîneuses de bar – petites bourgeoises – et les choses se compliquent. Il y a une sous-catégorie supérieure pour les Japonais parce qu'ils paient plus, et une sous-catégorie inférieure pour les autres

farang, plus une troisième pour les Thaïs. Contrairement aux Japonais, nous n'obtenons, en fait, pas de filles mieux que celles des Thaïs, simplement elles nous coûtent plus cher. Il y a ensuite les artistes. Puis les filles des bordels, les semi-volontaires valant un peu mieux que les non-volontaires. Après vient le rebut qui travaille dans des boîtes minables et les épaves du bas de gamme qui travaillent dehors, dans la rue. Naturellement, dans toutes les catégories, il y a encore des subdivisions basées sur l'âge.

– Fermez-la », lui intima Field.

Il y eut un silence pesant qu'Espoir tenta de combler en plaisantant. « Babillage sur Babylone », dit-il. Field le fit taire d'un regard aigu, puis saisit par le bras une fille qui passait : « Mékong soda. »

Les quatre lesbiennes quittèrent la scène, une main sur les seins, une autre sur le pubis. Elles furent remplacées par une fille qui s'enfonça dans le sexe une bobine de fil, en tira une extrémité dont elle fit une boucle qu'elle offrit à un Allemand assis au premier rang. Celui-ci prit le fil entre ses dents et recula vers le fond de la pièce en dévidant la bobine invisible. La fille dansait comme un poisson au bout d'une ligne. Elle acheva son numéro en s'introduisant dans le vagin des balles de ping-pong qu'elle déposa ensuite dans des chopes de bière. Field, indifférent à ces attractions variées, concentrait son attention sur son verre d'alcool défendu. Enfin, pensa-t-il, ça ne me fait peut-être pas de bien, mais je ne m'en sens pas plus mal pour autant.

Il vit ensuite les deux Thaïs apparaître au sommet des marches, en même temps qu'ils le repéraient, à demi éclairé par les lumières de la scène. Field vida son verre et les regarda se frayer un passage dans sa direction. Il plongea la main dans sa ceinture et sortit son pistolet qu'il tint partiellement caché au creux de sa main, tout en le braquant sur les deux hommes. Ils aperçurent l'arme et s'immobilisèrent. Personne d'autre ne l'observait. Tous les spectateurs applaudissaient la danseuse chaque fois qu'une balle tombait dans la chope de bière.

Espoir le poussa du coude : « Qu'est-ce que vous pensez de ça ?

– Hein ?

– Qu'est-ce que vous en pensez ?

– De quoi ?

– Ça.

– Le ping-pong ? »

Espoir le dévisagea d'un air dubitatif et se mit à rire : « Oui, le ping-pong.

– Je déteste ça. »

La sœur de Paga réapparut et chuchota à l'oreille de Field : « Pas sûr, John ; peut-être elle au Golden Panda. »

Field lui donna une tape légère sur la cuisse et regarda les deux hommes. Même s'il sortait de la pièce le premier, ils le tueraient avant qu'il ait atteint un taxi. Il se tourna vers Espoir, écœuré, et murmura pour ne pas être entendu de Crappe : « Votre voiture est en bas ?

– Mais oui, en effet, répondit Espoir, étonné de cette attention.

– Je vais vous emmener dans un endroit intéressant. » Il tira Espoir par le bras et se pencha sur Henry Crappe : « Il faut que je parle à ton ami en tête à tête, Henry. Salut. » Il aida l'Anglais à se lever et le poussa doucement devant lui en le plaçant dans la ligne de vision des Thaïs. Ils attendaient près du haut des marches, mais à la dernière seconde, Field se glissa devant Espoir pour descendre le premier. Les deux Thaïs avaient beau le suivre de près, ils ne pourraient approcher Field, masqué par son compagnon dont l'imposante carrure encombrait l'escalier. Arrivé en bas, Field se mit brusquement à courir et bondit à l'arrière de la voiture de l'hôtel d'Espoir ; la vitre teintée empêcherait les Thaïs de voir s'il tenait son pistolet pointé sur eux. Le chauffeur commença par protester, mais Espoir monta dans le véhicule quelques secondes après. Field vit les deux poursuivants hésiter sur le trottoir. Les renflements, à la base de leur dos, étaient à peine visibles sous leurs chemises flottantes. Puis ils filèrent en courant vers leur voiture. C'était une petite Fiat garée à une cinquantaine de mètres. Field donna au chauffeur de l'hôtel ses instructions en thaï et lui dit de rouler vite. Très vite, répéta-t-il, sinon M. Espoir changerait de chauffeur dès le lendemain matin. La voiture décolla du trottoir, vira à gauche dans Silom Road et franchit un feu vert qui passait au rouge, ce qui pouvait lui donner deux ou trois minutes d'avance sur la Fiat. Puis elle fila devant la grande statue de Rama VI, le roi pédéraste qui aimait les uniformes et les boy-scouts. Le gazon autour de son effigie était jonché de quelques centaines de mâles solitaires.

La brutalité des accélérations prit Espoir au dépourvu et Field vit qu'il était sur le point de se plaindre. « Ne vous inquiétez pas pour le chauffeur. Je lui ai dit d'allller vite. »

Espoir fixa sur Field un regard brouillé : « Vraiment ?

– Oui. Laissez-le tranquille. » Field gardait les yeux fixés droit devant lui, et il y eut un silence qui se prolongea une dizaine de minutes. Puis Espoir se réveilla : « Où allons-nous ?

– Au Golden Panda. »

Ils n'échangèrent plus une parole jusqu'à l'arrivée. C'était une construction en hauteur qui ressemblait à un hôtel de luxe moderne. De jeunes hommes gardaient les portes ouvertes laissant voir une vaste étendue de moelleuse moquette marron sur laquelle étaient disposés de profonds fauteuils d'un brun plus clair. Sur un côté de la pièce était aménagée une cage vitrée dans laquelle étaient enfermées une centaine de filles. Field précédant Espoir se dirigea vers un coin de la salle, au fond, et se laissa tomber dans un fauteuil. Puis il demanda la patronne. À sa place apparut un petit homme maigrichon, l'un de ceux qui aidaient les clients à faire leur choix.

« Bonsoir, monsieur. Vous venir tard. Vous vouloir service spécial ?

– Non, non, coupa Field.

– Fille très jeune, peut-être ? » Il jeta aux deux hommes un bref coup d'œil : Un garçon, non ?

– Je veux voir Paga. Elle est ici ?

– Vous vouloir lui demander quelque chose ? » Field se leva et, dominant l'homme de toute sa taille, répondit : « Je suis un ami de Paga. Je veux la voir. C'est urgent. Compris ? John Field. Vous me l'envoyez ou vous envoyez la patronne.

– Asseyez-vous, monsieur. Prenez un verre. Vous vouloir une fille d'abord ?

– Non ! »

Une fois l'homme parti, Espoir s'affala sur les coussins de son siège et tenta de surmonter les effets de tout ce qu'il avait bu dans la soirée. « Quelle curieuse ville, vous ne trouvez pas ? dit-il. Sans le moindre caractère pathétique. Tout y est trop facile. Ils aiment trop leur roi qui est trop bon. Les politiciens et les généraux sont trop corrompus. Et ces filles. Toutes ces filles. Bien sûr, c'est merveilleux pour votre ego de les avoir sous la main. Un choix sans limites. En fait, il y en a trop. Ça ne vous sape pas le moral, à la fin ? Je veux dire, elles sont toutes disponibles mais aucune ne vous veut pour tel ou tel pouvoir particulier émanant de vous. Seulement pour le fric. Où est l'élément affectif ? Sans élément affectif, le pathétique est absent. »

Field se contraignit à répondre. Il ne voulait pas qu'Espoir, dépité, lui faussât compagnie : « C'est plus compliqué que ça. Pas de danger qu'on me prenne à coucher avec une femme *farang*. Toutes ces syphilis, ces herpès, ce sida me terrifient.

– Vraiment ? » Espoir lui lança un regard curieux. « Vous vous abstiendriez. À cause des maladies ?

– À cause de leur physique, oui, leur physique. Et de la sensation donnée par le contact. » Field savait qu'il était en train de se ridiculiser.

« Le contact de la peau ? »

Field lui jeta un regard furieux. « C'est peut-être ce que vous appelez l'élément affectif. »

Sous l'effet du sarcasme de cette réplique, Espoir eut un renvoi et il ajouta, comme si les mots accompagnaient son indigestion : « Bien sûr, ça ne change rien à mon livre. Je veux dire, je suis ici pour récolter un peu de couleur locale. L'intrigue est déjà bâtie. Depuis des mois. Ce qui me manque... (Il prit un ton pressant, tout en se penchant pour souffler dans la figure de Field) ... c'est l'aspect moral. J'ai toujours besoin de cette donnée. Le reste, franchement, relève du tour de passe-passe, ni vu ni connu je t'embrouille. Attention, je ne suis pas pire qu'un Balzac ou un Dickens. À chacun sa manière ; la mienne, c'est d'enjoliver l'histoire d'une sorte de verbiage distingué qui rappelle un peu un problème de mots croisés hypersophistiqué, si vous voyez ce que je veux dire. Ça fait plaisir aux lecteurs, en tout cas, ça les impressionne. En tout cas, ça se vend. Là-dessus, vous injectez quelques espions minables pour le bas monde et des considérations morales pour les intellectuels. »

Field n'avait écouté que d'une oreille, encore que, avec

Espoir penché sur lui à quelques centimètres de son visage, il lui était difficile de neutraliser sa voix. Son regard ne cessait d'aller de l'entrée à l'escalier près du fond où avait disparu l'employé malingre, en principe à la recherche de Paga. Entre-temps quelques clients thaïs et *farang* étaient montés avec des filles, mais il était tard et l'essentiel de la circulation se faisait vers le bas des marches, les hommes à la mine détendue adoptant une allure dégagée. Espoir se tenait toujours penché en avant et semblait attendre un commentaire, si bien que Field lui déclara : « Henry Crappe peut vous fournir ça. »

Espoir le dévisagea pour voir si Field persiflait : « Ça m'étonnerait, je crains que l'élément affectif ne lui échappe.

– Vous ne le connaissez pas, dit Field. Il est très complexe. Comme tout ce qui nous entoure.

– Quelle importance ? » Espoir se renversa au fond de son fauteuil. Il laissa errer son regard sur la cage aux filles et secoua légèrement la tête : « Il est très grand, ce bordel ?

– Le bâtiment, demanda Field, la ville ou votre cervelle ?

– Ha. »

Field vit la porte d'entrée s'ouvrir largement, livrant passage aux deux Thaïs. Peut-être étaient-ils retournés au Duke's Den pour questionner la patronne. Il saisit Espoir par le bras et l'entraîna vers l'escalier du fond, hors de vue. Ils auraient pu grimper à l'étage au-dessus mais le remue-ménage aurait attiré l'attention. Il alla jusqu'au bureau de réception et posa mille baht sur le comptoir.

« 41 et 47, dit-il.

– Nous n'avons pas 41, monsieur. Elle malade.

– Ça doit être le 49.

– 49 n'avons pas, monsieur. »

Field jeta un regard en arrière, plissant les yeux pour lire les numéros portés par les filles dans la cage. Les deux hommes ne s'étaient pas avancés jusque-là. Peut-être questionnaient-ils les employés chargés de guider les clients. Au premier rang se trouvait une grande fille portant des lunettes.

« 24.

– Vous payer pour extra maintenant, monsieur.

– Non. » Field ne cessait de guetter par-dessus son épaule. « Pas maintenant. » Il poussa Espoir vers le haut de l'escalier.

« Hé, vous avez payé pour moi ?

– Bien sûr. Pourquoi pas ?

– Je n'ai pas vu. » Il trébucha sur une marche. « Moins vite, mon vieux.

– Si, si. Grouillons-nous. Allez. »

La caissière, à la caisse, cria : « Attendez, monsieur. Attendez les filles. »

Il s'immobilisa à mi-hauteur jusqu'à ce que les filles fussent en vue. Elles n'étaient remarquables ni l'une ni l'autre, mais Espoir était trop soûl pour s'en rendre compte et Field lui abandonna le 47, la plus présentable des deux. On les introduisit dans des chambres adjacentes au premier étage. Dès qu'Espoir eut disparu à l'intérieur, Field déclara qu'il voulait monter à un étage plus élevé. Les femmes attendant dans le couloir le changement des serviettes et des draps se mirent à bavarder, lorsqu'il réapparut, se dirigeant vers l'escalier.

« Vous ne m'avez pas vu, expliqua-t-il en thaï, si des hommes viennent me chercher, O.K. ? Je suis un ami de Paga. Vous ne m'avez pas vu. » Il leur donna à chacune vingt baht et se mit à gravir les marches, suivi de la fille qu'il avait choisie. Au troisième étage il s'arrêta et, de nouveau, donna de l'argent à la femme qui attendait dans le couloir. Une fois dans la nouvelle chambre, il se débarrassa de ses vêtements poisseux de transpiration. Du coin de l'œil, il entrevit une tache verdâtre sur son caleçon qu'il jeta dans un coin, puis il alla s'asseoir au fond de la baignoire vide.

La fille s'étonna d'une telle précipitation. « Toi ami de Paga ? demanda-t-elle.

– Oui. Elle est là, ce soir ?

– Non. Elle pas là. Toi avoir ennuis.

– Oui. Et je suis malade. » Il montra son pénis enflammé.

« Oh, toi malade.

– Pas de sexe. Simplement laver et masser, mais je te donnerai cinq cents baht. »

Elle s'attela à la tâche avec diligence et Field la regarda pour la première fois. Elle devait avoir de trente à trente-cinq ans. Déjà sur le déclin, sa peau commençait à se détendre en plis flasques. Sous ses cheveux noirs apparaissaient des racines grises. En revanche, son professionnalisme compensait son âge et, sous ses doigts, Field peu à peu se décontracta. Le décor de la pièce s'inspirait de celui d'un hôtel de luxe. La baignoire et le lit étaient l'un et l'autre de forme ovale.

« C'est quoi, ton nom ?

– John.

– Toi marié, John ?

– Non.

– Moi j'étais. Mon mari tué dans accident motocyclette.

– Tu as des enfants ?

– Une fille. Si mon mari pas mort, moi pas faire massage. Ma mère s'occupe du bébé. Je vis près aérodrome avec elle. Elle pas savoir moi fais massages... Toi premier homme aujourd'hui.

– La journée est finie. »

Elle haussa les épaules : « Quelquefois des petits, quelquefois des grands. » Elle ajouta une poignée de sels à l'eau du bain. « Savon pas bon pour moi. Savon gratte, mauvais pour ma peau. Toutes les filles pareil. Ça les gratte aussi. » Elle tendit un flacon pour le montrer à Field. « Tu vois, Badedas mauvais pour moi. »

Lorsqu'elle eut fini, Field l'envoya chercher le patron. C'était un homme qui ressemblait à Paga et qui paraissait même connaître Field. Il écouta Field avec bienveillance ou, du moins, fit semblant. Par ailleurs, il n'avait pas vu sa tante depuis une semaine. Le salon de massage fermait à une heure, mais il consentit à laisser Field passer la nuit sur place s'il acceptait d'être enfermé dans un bâtiment clos avec la climatisation coupée. C'était une forme de torture mais Field se résigna.

À une heure du matin, la fille s'habilla et le laissa étendu sur le lit. « Maintenant, je rentre, John.

– Dis bonjour à ta mère pour moi. »

Elle émit un petit rire et sortit. Cinq minutes après, la circulation d'air s'interrompit et Field commença à transpirer.

Chapitre 10

Le salon de massage du Golden Panda était fermé jusqu'à midi, le lendemain. Lorsqu'un employé de la direction libéra enfin Field, il dut croire que ce personnage fripé et transpirant était un client oublié par erreur la nuit précédente. Field prit un taxi jusqu'au Dusit Thani Hotel, acheta dans le hall du rez-de-chaussée une chemise et un rasoir et obtint d'un ami au bureau de réception la permission d'occuper une chambre juste le temps de prendre un bain. Il monta ensuite avec l'ascenseur jusqu'au dernier étage et grimpa les dernières marches menant au club des correspondants de presse étrangers, avec ses baies vitrées dominant le parc Lumphini, le Polo Club et, dans le lointain, l'université de sa fille.

Field était venu là dans un but bien précis. Il tenait toujours à rassurer Somchaï et son ami. Mais comment ? Il n'en avait aucune idée. Il n'arrivait même pas à trouver Paga. L'autre option était de prendre contact avec la personne adéquate pour étaler toute l'histoire au grand jour. Rares étaient les journalistes capables de cette initiative. Ils étaient en effet très peu nombreux à connaître suffisamment les milieux de la drogue pour découvrir les pièces manquantes du puzzle. Et sans ces pièces, les bribes d'information détenues par Field étaient inutilisables, du moins de son point de vue.

Il gagna le bar et entama la conversation avec un Néo-Zélandais qui connaissait bien les arcanes du milieu militaire thaï et un Suédois qui en savait tout autant sur les États Shan. Field offrit une tournée de bière et la vie parut reprendre son rythme normal. Il semblait que jamais il n'avait quitté le bar, qu'il écrivait encore des articles destinés au public, qu'il se contentait d'évoquer les événements sans y participer. Il avait l'impression de retrouver une sorte de paix. Une demi-heure plus tard, l'homme qu'il attendait fit son entrée ; c'était un Indien spécialiste du Viêt Nam et de ses États satellites. Field s'avança pour arrêter le nouvel arrivant et l'entraîner vers un canapé près des fenêtres où il lui expliqua son histoire en passant sous silence les tentatives de meurtre dont il avait été l'objet. Il fit allusion à des menaces reçues. Pas plus. Il ne voulait pas paraître effrayé. L'homme l'écouta avec soin et réfléchit un moment avant de répondre qu'il ne pouvait l'aider. Sa carrière se fondait sur sa liberté d'accès au Viêt Nam et au Laos. S'il écrivait cet article, jamais il ne retraverserait la frontière : « Cela ne vaut pas le coup de bousiller mes contacts pour une histoire de drogue. »

Field lui expliqua qu'il ne s'agissait pas exactement d'une histoire de drogue. C'était une affaire politique dans la mesure où le Premier ministre du Laos avait un adjoint qui coiffait le trafic. Par extension, le gouvernement lui-même était impliqué. D'ailleurs, tous les journalistes savaient bien que les histoires de drogue étaient devenues très complexes. Comment en eût-il été autrement alors qu'en Thaïlande le nombre des drogués était passé en dix ans de cinquante mille à cinq cent mille et que, dans les démocraties occidentales, la drogue, distraction mineure pour la jeunesse en révolte des années soixante, était devenue le problème d'ordre médical le plus crucial de cette partie du monde ? Si un gouvernement communiste vendait six tonnes d'héroïne par an sur le marché clandestin, le problème n'était pas seulement politique mais idéologique.

Le journaliste avait écouté poliment Field vider son sac, mais il était assez averti pour décortiquer lui-même le sujet. S'il ne l'avait pas traité, c'était que, semblable sur ce point à la plupart de ses confrères, il considérait toujours les histoires de drogue comme relevant d'un journalisme fangeux, assimilable aux comptes rendus des crimes crapuleux et à la rubrique des chiens écrasés ; la pâture des débutants et des nullités. Ainsi, la saisie de dix kilos d'héroïne ne pouvait se comparer en dignité ou en importance à un papier sur, par exemple, la visite protocolaire dans une zone frontière brûlante par un politicien connu. Que cette visite ne donnât aucun résultat était sans importance. La valeur d'un journaliste se définissait d'après le niveau social (unanimement reconnu) de ses reportages.

Field évita donc d'insister. Il n'était même pas déçu. Descendu dans la rue, il se dirigea vers l'université de Chulalongkorn à la recherche de sa fille. Là, l'inondation s'était retirée, du moins jusqu'à la prochaine conjugaison de la pluie et de la marée, laissant au campus l'aspect d'un marécage récemment drainé. Il passa une bonne partie de l'après-midi à retrouver Songlin qui sortait d'un cours de littérature.

Elle leva les mains et lui fit un sourire contrit. Devant son expression, il se sentit envahi d'un désir de lui parler en anglais. Il aurait pu s'adresser ainsi à n'importe lequel des centaines d'étudiants en vue, même s'ils ne comprenaient que quelques mots, à tous sans exception sauf à elle.

« Je savais que tu viendrais aujourd'hui », lui dit-elle.

Il lui sourit : « On vous apprend à lire dans les cartes ?

– Oh non, répliqua-t-elle en riant. Hier, j'ai rencontré un de tes amis et il m'a demandé si je t'avais vu ces derniers temps.

– Un ami ? explosa-t-il. Qui ça, un ami ? » Ce brusque changement de ton effraya Songlin qui resta silencieuse.

« Qui ? répéta Field en lui saisissant le bras dans un geste de protection qui aurait pu passer pour une menace.

– Un homme. Un Thaï. Il m'a abordée dans la rue.

– Comment ça, dans la rue ?

– Je faisais la queue devant un cinéma et il est venu me trouver. Il m'avait reconnue. »

Field, s'efforçant de se contrôler, l'attira vers lui, l'étreignit comme il ne l'avait pas fait depuis des années, depuis son enfance. « Ça ne pouvait pas être un ami, Songlin, maintenant, dis-moi, tu étais seule ?

– Non, j'étais avec un garçon.

– Un garçon ?

– Un ami. Nous suivons plusieurs cours ensemble.

– À quoi ressemblait-il, cet homme ?

– Je ne sais pas. C'était un Thaï. À moitié chinois, peut-être. Il avait une cravate, un peu comme un homme d'affaires.

Field sentait la situation lui échapper. « As-tu avec toi tout ce dont tu as besoin ?

– Je ne comprends pas.

– Je veux que tu rentres à la maison.

– Je ne peux pas. J'ai des cours.

– Laisse-les tomber. J'ai des ennuis et ces gens... ces gens risquent de te faire du mal. » Il lui donna une liasse de baht. « Prends un taxi pour rentrer. Tu prépareras une petite valise et tu attendras mon coup de fil. Si je te dis d'aller ici ou là, tu le feras. Si je te dis de partir avec quelqu'un, tu le feras. Sans discuter. Ne laisse personne entrer dans l'appartement. Tu entends ? Personne. Que ta mère reste chez elle. Ils la laisseront en paix.

– Pourquoi je n'irais pas simplement chez Amara ?

– Oui, d'accord, Songlin ; on verra. Mais ne bouge pas avant que je te le dise. Je vais appeler Amara aujourd'hui. En tout cas, tu entends, ne bouge pas avant que je t'aie téléphoné ou qu'on vienne te chercher. Maintenant, file. »

Elle se dirigea vers Rama IV avec résolution et, tout en la suivant des yeux, il regretta de ne pas lui avoir fait d'excuses pour s'être montré si brutal lorsqu'elle était venue chez lui. En aucune circonstance il n'était doué pour présenter des excuses. Et s'il s'y était résigné, il aurait pu amorcer la conversation à propos d'Ao. Non. Il valait mieux ne rien dire. Pourquoi s'était-elle si facilement soumise à ses plans ? Parce que s'offrait à elle une chance de pénétrer dans son univers à lui. Une fois qu'elle fut hors de vue, au-delà des arbres et des bâtiments, il se mit en route dans la direction opposée vers l'entrée de Dunant Road. Si qui que ce fût suivait Songlin, il prendrait Field en filature. Dunant n'était pas une artère favorable pour y trouver un taxi et, comme il y parvenait, la pluie de l'après-midi commença à tomber.

« Merde. » Il jeta un regard circulaire et vit un homme replet qui s'approchait de lui en traversant le campus d'une démarche nonchalante. « Merde. » Field s'éloigna le long du trottoir en direction de Phloenchit Road à plus d'un kilomètre de là et, jetant un coup d'œil par-dessus son épaule, constata que l'homme avait accéléré l'allure et que la distance entre eux deux s'était réduite de moitié. « Pauvre con. » Field cessa de se parler à lui-même et prit à son tour le pas de course. La longueur de ses jambes lui permettait de conserver son avance ; sur quoi, la pluie se mit à tomber à torrents et coula en ruisseaux sur le trottoir. S'efforçant d'éviter les flaques, Field jetait de fréquents coups d'œil en arrière pour vérifier que son poursuivant ne gagnait pas sur lui. En dix minutes, il eut atteint la route principale où la pluie tombait plus dru que jamais. Il vit un autobus qui roulait dans des gerbes d'eau et s'élança pour le rattraper. Cent mètres plus loin, la circulation était bloquée. Il sauta à bas du véhicule, traversa la galerie couverte de Siam Plaza où il louvoya le long des allées bordées de magasins, avant de s'engouffrer dans une pâtisserie. Tout était blanc dans la boutique, pains et gâteaux. Les murs étaient blancs, luisants ; les pâtisseries étaient couvertes de sucre glace. Field acheta un beignet à la confiture et alla se poster près de la porte d'entrée. Il mangea son petit pain de la main gauche tout en gardant la droite sur le pistolet glissé dans sa ceinture. Si l'homme surgissait, Field ne serait pas pris à l'improviste. Mais personne ne vint et l'eau commença à se déverser le long des allées. Quelques instants plus tard, l'électricité était coupée pour éviter tout risque d'électrocution.

Il était déjà trempé, si bien qu'il n'avait rien à gagner à attendre au sec dans l'obscurité. Lentement, il s'éloigna au milieu de la sombre masse liquide vers la rue principale où il s'arrêta dans quinze centimètres d'eau jusqu'à ce qu'apparût un taxi. Il lui fallut deux heures pour parvenir à Patpong et au King's Castle. Il dit au chauffeur de l'attendre et pénétra en pataugeant dans le bar.

Avant toute autre chose, il vit Ao, toujours en jupe bleue et blouse blanche, que faisait sauter sur ses genoux un homme connu dans tout Bangkok sous le nom de Trésor. Il vivait du trafic de drogue douce et de publicité, en tout cas d'opérations marginales, et sa vie se partageait entre un brouillard chimique durant le jour et un brouillard éthylique durant la nuit. Field le haïssait. Il se pétrifia en voyant le personnage qui grognait à l'oreille d'Ao. Trésor affectait un style vedette du cinéma muet et possédait un sens de l'humour parfait pour des filles incapables de comprendre un mot d'anglais. Il continuait à grommeler, tout en secouant la jeune fille : « Tu la sens. Tu sens la queue du tigre. » Là-dessus il gronda en découvrant les dents : « Tu vois, mon petit chou, je suis un tigre. »

Field se rua en avant et l'arracha aux genoux de Trésor : « Fous-lui la paix. C'est ma... ma... »

Trésor était ravi : « Oh, mais oui, j'ai vu ça tout de suite, John, tout de suite. C'est ta... ta... Bien sûr. »

Field l'entraîna par le bras. Derrière lui, il entendit la voix qui poursuivait : « Brûlons le bar. Pas de preuve. Pas de preuve. Pas de preuve de son... ah... euh... son... man... Qui a une allumette... Qui va m'aider ? »

Field poussa avec violence Ao sur la banquette du taxi et se tassa contre elle.

Elle protesta : « Toi me laisser là, John. Je m'amuse, c'est tout. »

Il leva la main et la gifla. Elle n'avait pas vu le coup venir. Repliant les jambes sur le siège, elle s'entoura les genoux de ses bras et resta silencieuse. Il leur fallut une heure pour aller jusque chez Amara, en roulant presque tout au long du trajet dans trente centimètres d'eau. Partout la circulation était ralentie par les voitures en panne, mais à mesure qu'ils progressaient la pluie se faisait plus fine et, la nuit venue, elle cessa de tomber. Ils s'étaient engagés de quelques mètres dans l'allée d'Amara quand, l'eau devenue plus profonde, le moteur du taxi se mit à tousser. Le chauffeur tenta de passer en marche arrière mais il était trop tard.

« Arrête ! cria Field. Arrête ici. » Il sauta dans l'eau

jusqu'à mi-mollet. Au-dessus de lui, le ciel était si clair que les étoiles se reflétaient dans la nappe d'eau figée, à ses pieds. Un instant, Field s'immobilisa, songeur. Puis l'écho d'un piano parvint jusqu'à lui. Il regarda de côté et vit une douzaine de voitures abandonnées sur la chaussée inondée. Toutes étaient des Mercedes ou des BMW. « Amara ! Amara ! Venez me chercher ! » La maison n'était plus qu'à dix mètres. « Amara ! »

Quelques instants plus tard, une flamme apparut dans l'obscurité, éclairant une élégante barque de pêche aux formes fuselées à l'arrière de laquelle un homme debout se dirigeait à l'aide d'une perche. Field sortit Ao du taxi en la prenant dans ses bras et la déposa dans la barque avant d'y sauter lui-même.

« Attends ici ! » cria-t-il au chauffeur, tandis qu'ils s'éloignaient en direction d'un air de Jack Teagarden, au rythme duquel s'esquissa la forme de la maison d'Amara flottant sur un horizon imprécis comme une sorte d'exotique plate-forme pétrolière.

La barque pénétra à l'intérieur du rez-de-chaussée inondé et vint se ranger sous la galerie surélevée où l'arrêta un serviteur posté sur l'escalier principal. Amara apparut, penchée à la balustrade de la galerie.

« Tu es en retard, Johnny, mon grand ! cria-t-elle, même pour quelqu'un qui n'a pas été invité. Le dîner est fini. Ahha ! » Elle lui donna un baiser. « Et tu es trempé comme un barbet. » Elle secoua les gouttes d'eau accrochées à ses bras vêtus de soie. « Tu ne peux pas danser avec moi. Et voici... Ahha... une amie. » Elle concentra son attention sur Ao.

« Une amie, oui ! », confirma Field. Il guida la jeune fille vers les plats chargés de nourriture disposés sur la table. « Va donc manger un peu. » Puis il se retourna vers Amara.

« Qu'est-ce qui se passe, John ? » Elle l'entraîna à l'écart du buffet et des tables où étaient étendus les invités.

– Rien.

– Alors, pourquoi es-tu venu ? Ahha. Voilà la question.

– Une simple visite, Amara. Et le général Krit, il est ici ?

– Il paraît qu'il ne sait pas nager.

– Alors, il n'a pas asséché le quartier ?

– Oh, oh. Combien de ministres vivent dans le coin ? Combien de généraux ? De colonels de la police ? Pas un. Je ne pourrais pas payer autant qu'eux tous réunis pour leurs secteurs. Mais je suis devenue une spécialiste de la vie sur les îles et... oh... des terres englouties. Le principe d'Archimède. Je ne reproche rien à Krit. Oh, non. Jamais. Il n'est qu'un général pour nous, mon cher. Si médiocre, si stupide, si inconsistant. C'est le genre d'homme qui vendrait son pays pour trois nuits avec Miss Monde. Oh, oui. Je suis toujours partisan de Krit. Oh, oui. Peut-être qu'il finira par payer les réparations de ma maison. Qu'en penses-tu ? Non. Oh, non. Maintenant, regarde là-bas. La femme de Meechaï. C'est pour ça que tu n'as pas été invité.

– Et Michael non plus.

– Il ne sort jamais. Tu sais ça, John. Ahha. Pas ton roi de la capote anglaise. Il passe tous ses lundis soir dans les taudis. Toute la nuit, d'après elle. À l'abattoir, d'après lui. Ce n'est sûrement pas l'endroit choisi pour un docteur. Et c'est toi le coupable.

– Je n'y suis pour rien du tout.

– Va dire ça à l'épouse abandonnée. »

Field jeta un coup d'œil à la femme de Woodward, élégante et mince dans le fourreau de soie qui lui laissait le dos et les épaules nus comme s'il n'y avait pas eu de moustiques. Au même instant il entrevit Ao, qui lui apparut robuste et massive en comparaison, encore en train d'empiler de la nourriture sur une assiette. Amara surprit son regard sans qu'une parole fût échangée entre eux.

« Pourquoi l'as-tu amenée ici ? Cette enfant ?

– J'étais obligé. Quelle importance ? Tu laisses bien tes tantes amener leurs gitons. »

Amara balaya cette objection du geste : « Les garçons ne comptent pas – les femmes mariées sont enchantées. Ces garçons contribuent à répandre la rumeur selon laquelle le sida fait des ravages en ville, ce qui incite les maris à se montrer plus prudents... En tout cas, moi, je m'en fiche. Je n'ai rien à reprocher aux prostituées. » Indiquant ses invités, elle reprit : « Elles font la même chose avec les hommes de leur propre classe. Les prostituées font partie du libéralisme, tout comme l'attitude moderniste de mes amis. C'est la monogamie que je réprouve. Dès qu'elle a été introduite dans les mœurs, ç'a été la fin des concubines, et la prostitution s'est mise à prospérer. 1935 a été une année noire pour la sécurité des femmes légitimes. Ahha !

Field s'autorisa un sourire : « Peux-tu héberger Songlin ?

– Bien sûr.

– Je veux dire, ce soir. Je vais lui téléphoner et tu enverras ta voiture.

– Le téléphone est coupé. Noyé, dirai-je.

– Très bien. Peux-tu envoyer ta voiture ? Il faudrait la garder ici vingt-quatre heures par jour.

– Alors, tu vois. J'avais raison de te demander ce qui n'allait pas.

– C'est sans importance, Amara. Simplement, ne laisse personne l'approcher.

– Bien sûr, c'est sans importance, John. Rien n'a d'importance.

– Peux-tu envoyer ta voiture tout de suite ?

– Mais bien entendu. » Elle fit convoquer le chauffeur et lui donna des instructions. « Maintenant, nous devons partir aussi. Et il faut que tu viennes avec nous.

– Pas ce soir, Amara.

– Oh si, Johnny. Viens avec nous. J'ai tout arrangé. Une balade en bateau. Les eaux ont assez monté pour que nous allions à un endroit à la campagne où on prépare le meilleur court-bouillon de poisson-chat. C'est la grande aventure. La première fois depuis qu'ils ont comblé les canaux que nous pouvons essayer d'y aller en bateau. La première fois depuis je ne sais combien d'années. » Elle s'interrompit en criant : « C'est l'heure ! C'est l'heure ! » Des nappes de lin et des paniers de champagne furent transportés de l'un des pavillons jusqu'au bas des marches. « Les nouilles et le poisson-chat sont bons, dit-elle à Field d'un ton d'excuse, mais le reste... Oh, non. Ahha ! Pas bon du tout ! Alors, il faut venir.

– Non. » Field s'approcha de la table couverte de rangées de plats – curries au lait de coco, nouilles fraîches, boulettes pochées, poisson à la vapeur, porc aux fleurs de banane, crevettes. Il picora quelques bouchées, puis rejoignit Ao et descendit avec elle jusqu'au bateau. Il y avait maintenant cinq barques de plus attendant en ligne, chacune éclairée d'une torche. « Je te le renvoie tout de suite », lança-t-il à Amara, et dès qu'ils furent remontés dans le taxi, il dit au chauffeur de les conduire aux taudis de Klong Toey.

« Profond là-bas, protesta le chauffeur.

– Essaie toujours, fit Field. Allez, en route, la marée descend. »

Ils roulèrent au pas vers le centre de Bangkok où la circulation s'était clairsemée, et louvoyèrent entre les voitures en panne et les *tuc-tuc*. Certaines parties de la chaussée étaient de nouveau à sec. D'autres, recevant le trop-plein des pompes chargées d'assécher les beaux quartiers, étaient encore recouvertes d'une mer stagnante. Le taxi traversa le quartier des entrepôts en direction du fleuve et se mit à longer le bidonville bâti sur pilotis. Curieusement, ce labyrinthe de baraques en bois était l'un des rares secteurs de Bangkok rationnellement conçu pour le temps de la mousson. Ses passerelles restaient toujours au-dessus du niveau des eaux.

Ils contournèrent l'enceinte de la Fondation pour les morts non réclamés. Les morts inconnus, la plupart victimes d'assassinats, y étaient amenés et gardés quelques jours au cas où se présenteraient des parents. À l'extérieur, une enseigne au néon brillait au-dessus d'une fenêtre décorée de photos en couleurs des morts, chacun déformé, soit par une balafre, soit par une tuméfaction violacée. Pong Hsi Kun, l'homme d'affaires du général Krit, avait offert cette institution charitable à la ville quelques années plus tôt, comme preuve de ses bonnes intentions, et la rumeur publique avait aussitôt souligné l'opportunité de ce don.

L'abattoir aux cochons se trouvait juste au-delà, après l'école catholique. Cette zone était au sec car elle avait été inondée durant trois mois en 1983 et les détaillants de viande chinois avaient perdu une fortune. Une ville asiatique sans porc était comme une ville italienne sans pâtes. Les commerçants avaient personnellement financé des digues pour être sûrs que le ravitaillement en viande ne serait plus jamais interrompu. Cette modernisation mise à part, l'ensemble des installations était comme relégué dans un siècle lointain.

L'abattoir lui-même se divisait en deux longs hangars bas aux dimensions d'un terrain de football.

Comme le taxi suivait le chemin terreux longeant le côté du bâtiment principal, une odeur envahissante de pourriture et de fange émanant des os et des déchets empilés à l'extérieur pénétra par les fenêtres du véhicule. À peine furent-ils arrêtés que le chauffeur déclara d'un ton pressant : « Vous payer maintenant, monsieur.

– Je veux que tu attendes.

– Moi pas attendre ici. Vous payer. »

Field haussa les épaules et se résigna. Comme il ouvrait sa portière retentit un long hurlement humain. Un hurlement de mort au-delà de l'humain et qui faisait vaciller la raison. Aussitôt s'éleva un autre cri provenant d'une autre direction, puis tout un concert de hurlements. Field dut tirer Ao hors de la voiture et l'entraîner en avant. À l'intérieur, les rampes au néon éclairaient une série de petites stalles. Il y en avait des douzaines. Certaines étaient pleines d'énormes cochons qui s'agitaient avec nervosité. D'autres étaient équipées en leur centre d'un vaste échaudoir entouré d'une table de ciment. Dans chacune de ces stalles étaient enfermées à part une vingtaine de bêtes avec cinq hommes en short, torse nu. Les cochons s'écrasaient tous les uns contre les autres dans le coin le plus éloigné de la table d'abattage.

Cette vision fascinait à tel point Field qu'il remarqua à peine les excrétions animales dans lesquelles il marchait. Les cochons se dérobaient comme des êtres humains : agglutinés comme pour se rassurer, haletant comme s'ils ne pouvaient retrouver leur souffle, la bave à la bouche, les yeux chavirés. Dans la stalle la plus proche, l'un des hommes, la peau luisante des mucosités et du sang des bêtes, s'avança tenant à la main un long crochet de fer avec lequel il frappa un des porcs sur la tête. Involontairement, la bête ouvrit la bouche. Aussitôt, l'homme y enfonça son crochet et le tira violemment à lui, si bien que la pointe acérée de métal creva la chair sous la mâchoire. L'homme s'efforça de haler la bête ainsi harponnée et l'animal poussa un long hurlement humain. Le cochon atteignait la moitié de la hauteur de l'homme et pesait beaucoup plus mais, sans se débattre, il se contentait de brailler en refusant d'avancer. Lorsqu'il fut près de la cuve, quatre hommes le saisirent par les pattes et le jetèrent sur la table. Un cinquième brandit un couteau et, d'un geste vif, tailla un large X dans la gorge de la bête. Puis ils la basculèrent sur le côté pour que le sang s'écoulât en ruisseaux dans un tonneau. Tandis que le cochon se vidait, son cri s'éteignit peu à peu. Ils le poussèrent ensuite sur le jet de vapeur, lui raclèrent la peau et le découpèrent en deux, rassemblant les organes internes pour une destination à part.

Field jeta un coup d'œil vers Ao qui attendait, déjà adaptée à ce cadre nouveau, le visage indifférent. Sans doute avait-elle assisté à un nombre incalculable d'égorgements dans son village, encore que sur une échelle dérisoire par comparaison.

Les hommes, s'apercevant que Field les observait attentivement, lui demandèrent ce qu'il voulait. La question lui était posée avec une hostilité ouverte.

« Le docteur Wuthiwat », dit-il.

Ils tendirent la main vers l'autre côté de la stalle. Field s'avança, suivi d'Ao, glissant sur le sol gluant de déjections, le long d'une double rangée de stalles remplies de bêtes hurlantes et d'hommes à demi nus. Une douceâtre odeur de mort flottait dans l'air. Rien d'étonnant à ce que l'abattoir fut l'une des pépinières de tueurs à gages minables de Bangkok. Woodward avait un jour fait observer que, pour un homme qui avait passé toute une nuit à égorger des porcs, égorger un homme n'était guère différent.

Tout autour des murs intérieurs des hangars étaient accrochés en surplomb des logements improvisés suspendus à moins de deux mètres des stalles. Ils abritaient les familles des bouchers. Au-dehors, près du hangar, étaient aménagés des stands de provisions. Michael Woodward était assis derrière l'un de ces comptoirs en tenue de paysan. Sur le plateau de bois brut, devant lui, était jeté un linge sur lequel était disposé tout le matériel sanitaire nécessaire en cas de problèmes médicaux mineurs. Assis sur un tabouret de bois, Woodward, la tête dressée, menton au creux des paumes, regardait dans le vide. À ses pieds, le sol fangeux était jaunâtre sous la lumière crue. Il ne parut ni content ni mécontent de les voir.

« Mes fidèles patients toujours debout, se contenta-t-il de dire.

– Jusqu'en enfer, ajouta Field en s'asseyant en face de lui. Es-tu prêt à aider un vieil ami ?

– Pourquoi pas ?

– J'ai besoin de protection. »

Woodward fit un geste vers l'intérieur de l'abattoir d'où s'élevait toujours un concert de hurlements. « La fine fleur du métier. Deux, peut-être trois cents des meilleurs couteaux de la ville. Et tous bons catholiques. Parfaits pour toi. »

Les bouddhistes répugnant, en principe, à verser le sang, l'abattoir était peuplé de chrétiens, pour la plupart descendants d'immigrants vietnamiens convertis à l'origine par des prêtres français.

« Que veux-tu, John ? Deux hommes pour te ramener chez toi, propres et bien vêtus ?

– Bien sûr, mais pas ce soir. Je n'ai pas très envie de rentrer à la maison tout de suite.

– Alors, dans ce cas, je peux vous offrir à tous les deux un lit dans cet hôtel. J'ai une charmante bonbonnière au-dessus de cette étable.

– Au-dessus ? »

Woodward tendit la main : « Là-haut. » Il montrait l'une des cloisons de bambou suspendues au-dessus des stalles de l'abattoir. « Le chant du cygne de ces bêtes s'arrête à deux heures. Ensuite, la viande sort d'ici et les hommes peuvent passer à la visite médicale. À ce moment-là, j'ai déjà examiné les femmes et les enfants. En tout cas, le lit est libre jusqu'à quatre heures quand je m'accorde un peu de repos, car cela perturberait ma famille si je rentrais à une heure pareille. Comment vont ces bijoux de famille ?

– Il en sort toujours de l'extrait de jade. »

Woodward hocha la tête : « Surtout, je te le répète, pas de panique. Ne touche pas à l'eau de feu et les secours vont arriver d'un jour à l'autre. Ta moitié n'est pas venue ce matin pour sa piqûre.

– Elle était coincée avec moi. En pleine cavale. »

Woodward fit signe à Ao de s'approcher et prépara une aiguille.

« J'ai vu ta femme ce soir, dit Field.

– La douce créature. Chez Amara, j'imagine.

– Elle aurait préféré que tu sois là-bas plutôt qu'ici.

– Oui, sans doute. Quand tu es sorti, j'étais assis où tu m'as trouvé, en train de boire ma délicieuse Ovomaltine glacée et songeant que tous les lundis soir depuis onze ans je m'étais retrouvé sur ce tabouret en train de boire une délicieuse Ovomaltine glacée. Conclusion : onze ans font un fameux bail. Et puis je me suis vu soudain ne soignant que les malades riches au Centre hospitalier ou une clientèle privée près du palais ou peut-être, pourquoi pas, à Knightsbridge, me faisant payer une livre de chair et, aussitôt, j'ai été pris d'une envie de vomir spontanée. Alors j'ai bu un peu plus d'Ovomaltine. » Il vida son verre et le remplit de thé contenu dans une théière de métal ventrue posée sur la table à côté de ce qui lui restait de glace. « C'est la tradition, ici. Tu paies pour l'Ovomaltine, le thé glacé est offert par la maison. Naturellement, dans ce cas, l'Ovomaltine aussi est gratuite ; en échange des services rendus. Je vais t'en préparer un peu. » Il fit un signe à la femme derrière le comptoir et demanda à Ao si elle voulait un Coca-Cola.

Une concentration fortuite de cochons hurlants traînés en même temps vers les tables, invisibles de l'endroit où se tenaient Ao et les deux hommes, les réduisit au silence quelques instants.

« Ce qui me chiffonne, reprit calmement Woodward, c'est qu'avec l'âge j'ai de plus en plus de mal à accepter l'idée que je ne peux pas arrêter la mort. Je suis tout au plus capable de la retarder. Et quand on travaille ici, on ne peut pas faire semblant de croire que la mort n'est qu'un accident. Écoute. Elle m'entoure. C'est peut-être très bien ainsi. Prenons ton cas, par exemple. Te voilà, te traînant de gonorrhée en chlamydiose comme si la vie ne devait jamais cesser et, soudain, surgissent ces types, ceux auxquels je n'ai pas été présenté, qui te rappellent quotidiennement l'imminence du grand départ.

– C'est vrai, répondit Field sans sourire. Ça ne me dérange pas. Pourquoi devrais-je m'en soucier ? Simplement, ça tombe mal.

– Ça tombe mal ?

– De mon point de vue, oui. Le fait est que je n'ai jamais compris le fameux problème de la brièveté de la vie. Moi, je la trouve longue. Très longue, répéta Field et, la plupart du temps, dénuée de sens. Je dirais que seules comptent vraiment quelques secondes. Le grand moment, le grand choix. Mais ces secondes-là ne tranchent jamais sur les autres, si bien qu'on peut les traverser sans même s'en apercevoir. Et puis on se retrouve là. On a passé l'épreuve finale, déterminante. On a eu sa chance ; on ne la reconnaît même pas, on la saisit donc encore moins. On ne s'en apercevra sans doute pas pendant des années. Mais on a échoué. Irrévocablement. Et ensuite, tout le reste n'est que l'interminable attente de la fin ; l'attente du néant. »

Woodward lui lança un regard inquisiteur : « Tu crois que cette histoire est pour toi l'épreuve déterminante ?

– Oh non ! » Field se mit à rire. « Mon échec date d'il y a longtemps. Mais ce serait fâcheux de mourir maintenant quand je suis sur le point de découvrir à quand remonte le moment crucial. Pour moi, la vie n'a rien à voir avec la réussite. Je suppose que c'est pour ça que j'ai quitté l'Amérique du Nord. L'important, pour moi, c'est d'assumer mon échec. Qu'est-ce que tu en penses ? Maintenant, ton père est l'homme qui défie le temps.

– Et il n'est jamais malade, dit Woodward. Jamais. Il mange énormément de piments verts. Il dit que ça facilite la digestion et que le reste n'est que détail.

– Quand a lieu la fête en son honneur ?

– La semaine prochaine. J'avais tout combiné pour ne pas être là. Une épidémie de *koro* s'est déclarée au nord, sur la frontière laotienne. Une équipe de médecins y part demain matin.

– De *koro ?*

– Tu ne sais pas ce que c'est ? Ça ne m'étonne pas. Une névrose essentiellement sociale qui intervient en période d'agitation politique et qui peut prendre les proportions d'une épidémie. Ses caractéristiques : hommes et femmes s'imaginent que leurs organes sexuels s'atrophient ou, plus exactement, se rétractent. Toi, être antisocial et trop paresseux pour perdre les pédales, tu es sans aucun doute immunisé. D'ailleurs, si tes organes se rétractaient, tu ne pourrais plus les contaminer. Bien entendu, tout ça est entièrement psychologique. Le point intéressant, c'est que les êtres humains sont parfaitement capables de rétracter leurs organes sexuels ; c'est un talent que nous avons hérité de notre passé animal et dont tirent consciemment parti certains groupes de guerriers auxquels n'a pas été révélée l'existence du suspensoir. Cependant, dans le cas du *koro*, ils croient dur comme fer à une rétraction alors qu'il n'y en a pas trace.

– Mais tu n'y vas pas ?

– Mon père m'a écrit pour me demander d'assister à sa fête. Il dit que ses gendres en font une telle affaire d'État qu'il n'ira pas lui-même à moins que je n'y assiste. À cause de la pluie, on ne peut pas la faire chez lui, alors ils ont suggéré la Banque du Siam. Tu te rends compte ? Ils se sont mis d'accord pour un hôtel. » Woodward clôtura le sujet du geste et se tourna vers Ao avec le sourire. Assise sur le petit tabouret, une jambe repliée sous elle, elle sirotait son Coca. « Vous devriez aller vous coucher, tous les deux. Aucun malade ne viendra me voir tant que je ne serai pas seul. D'ailleurs, ici, il ne faut pas se fier aux apparences. Cette dame – il désigna une énorme femme, derrière un chariot chargé de boissons sucrées – a été arrêtée, l'an dernier, avec trois kilos d'héroïne. C'était la prison à vie. Elle est déjà sortie. Maintenant, je ne peux guère avoir d'influence sur elle. Pas plus que sur les grossistes qui viennent ici chaque nuit. Ils sont tous chinois et mêlés à je ne sais combien de trafics. Pour commencer, il y a le racket de la pesée des carcasses qui représente des sommes énormes tous les jours. Mais tant que vous resterez dans l'enceinte de l'abattoir, vous ne risquez rien. Je vais faire passer la consigne. Maintenant, filez. »

Field et Ao longèrent les stalles et les tables d'abattage jusqu'à un escalier de bois brut qui menait à la chambre de Woodward. Elle était nue, à l'exception d'un lit et d'une petite fenêtre tendue d'un rideau de toile. L'odeur était la même qu'à l'extérieur et dans ce réduit clos s'était concentrée toute la chaleur du jour. Field jeta ses vêtements dans un coin et sombra dans une sorte de torpeur. En fond sonore s'élevaient les hurlements des porcs qui recomposaient, dans son rêve, l'assassinat de Diana à Vientiane. Et pourtant, son cauchemar ne l'arracha pas au sommeil. C'était comme s'il avait besoin d'assister à la scène, de la voir et de la revoir encore.

À sept heures, Woodward les réveilla, disant qu'on lui avait prêté une autre chambre et qu'il les avait donc laissés dormir. Quant à la sécurité de Field, les bouchers ne laisseraient personne l'approcher. S'il voulait rentrer chez lui, deux hommes l'escorteraient et resteraient avec lui aussi longtemps qu'il en aurait besoin. Woodward viendrait voir ce soir-là si tout se passait bien, mais Field n'était pas pressé de partir. Laissant Ao assoupie, il sortit sur le palier. Les stalles au-dessous de lui étaient vides et propres. Dans les autres pièces construites autour des murs de l'abattoir, les familles des bouchers dormaient. Le silence était tel, dans le vaste hangar, qu'il entendait leurs ronflements. Seul, un jeune garçon en chemise et pantalon était indolemment assis au bas des marches. Son visage s'éclaira d'un large sourire qui tendit les muscles de son cou, et il se leva pour suivre Field jusqu'à l'éventaire de provisions. Field lui acheta des nouilles et ils mangèrent sans échanger un mot. Puis il remonta jusqu'à la chambre et s'étendit sur le lit pour réfléchir.

L'histoire était inutilisable pour un journaliste honnête.

Ce qu'il lui fallait, s'il voulait donner de la publicité à l'affaire, c'était un journaliste malhonnête. Les feuilles à scandales de langue thaïe ne manquaient pas mais elles étaient paralysées par la peur devant le nombre des journalistes abattus chaque année. Seul un outsider pouvait courir le risque. Un outsider malhonnête. Ce fut alors que Field pensa à George Espoir. Un article de lui ferait la première page dans n'importe quel pays occidental. Exactement l'homme qu'il me faut, songea Field. Si je ne peux pas endormir la méfiance des amis de Somchaï.

« John. »

Il se tourna. Ao, enveloppée dans le drap, était à demi éveillée.

« Nous partir maintenant ?

– Non. Pas encore. » Il bascula sur le côté et se replongea dans ses réflexions.

Puis des bruits l'attirèrent vers l'escalier et il vit des enfants qui sortaient des logements suspendus de part et d'autre du hangar. Ils étaient propres et vêtus d'uniformes bleu et blanc, comme s'ils quittaient un petit pavillon de la banlieue d'une quelconque ville européenne ou américaine. Field resta assis sur les marches le reste de la journée à contempler les stalles vides. La pluie se mit à tomber au-dehors et son crépitement résonna sur le toit. Sans l'accompagnement de l'inondation, elle faisait l'effet d'une lointaine musique abstraite. Field ne réfléchissait pas vraiment. Il essayait de faire le vide dans son esprit. En fait, il se sentait étonnamment heureux pour la première fois depuis, calcula-t-il, trois semaines. Peut-être était-il même plus heureux qu'il ne l'avait été auparavant. Comment pouvait-il établir une comparaison ? Au cours de l'après-midi, rêveur éveillé, il évoqua Diana telle qu'il l'avait connue vingt-cinq ans plus tôt à Montréal. Puis il regagna la chambre et fit un somme. Ao était étendue sur le lit. Elle avait refusé de sortir de la pièce toute la journée.

Il fut réveillé au début de la soirée par le vacarme des cochons poussés en troupeau vers l'intérieur du bâtiment. Par milliers ils s'écoulaient le long des allées telle une rivière de chair et puis se retrouveraient séparés par groupes d'une centaine environ dans les stalles qui les attendaient. Lorsque l'égorgement commença, il battit en retraite dans la chambre. Cette fois, les hurlements lui parurent moins insupportables. Ao tendit la main à travers le lit et lui serra la cuisse.

« Nous partir maintenant, John ?

– Pas encore.

– Quoi faire ici ?

– On attend », répondit Field en lui caressant les cheveux. Ils étaient épais et drus.

Peu après, il entendit deux voix qui discutaient au-dehors en thaï. Il jeta un coup d'œil derrière la toile qui couvrait la fenêtre. C'était son jeune gardien qui parlait avec un Chinois thaï à l'air prospère en dépit de ses sandales et de sa modeste chemise blanche. Il portait deux anneaux d'or aux doigts et une grosse montre-bracelet en or. Ses dents proéminentes brillaient de l'éclat immaculé des prothèses. Il n'était pas facile de suivre la conversation.

« Il y avait un *farang* ici, la nuit dernière ?

– Je ne sais pas.

– Tu dois savoir. Je l'ai vu traîner dans le coin.

– Tu veux dire le docteur.

– Pas le docteur. Sois pas idiot. Je connais le docteur. Je veux seulement savoir qui est l'autre homme.

– Qui ?

– L'homme. L'autre *farang*.

– Je l'ai pas vu. »

Le Chinois se tenait à distance du Thaï qui balançait un couteau de boucher à la main comme s'il jouait avec.

« Écoute, je te paie si tu me le dis.

– Comment je pourrais dire ce que je ne sais pas ? »

Tout dut être répété cinq ou six fois avant que l'homme se retirât. Quand Woodward réapparut après neuf heures du soir, il était déjà au courant de la conversation. Le même homme avait posé des questions dans tout l'abattoir. C'était un grossiste en viande de relative importance.

« Tu peux sortir maintenant, John, et manger quelque chose. Ils savent que tu es ici, mon ami. La seule question c'est de savoir ce qu'ils peuvent faire. Pas grand-chose, à mon avis. »

Field descendit à sa suite au milieu des cris des cochons agonisants, mais Ao refusa de bouger. « Je vais t'apporter quelque chose, lui dit Field.

– Nous partir bientôt ? répliqua-t-elle.

– Je vais t'apporter de quoi manger. »

Ils s'assirent sur leurs tabourets à l'extérieur et Woodward commanda deux verres d'Ovomaltine glacée. « Ta petite Ao est une gentille fille. Une bonne bouddhiste. Elle refuse de descendre parce qu'elle ne croit pas au sang versé et elle a peur, si elle vient, de s'habituer à la violence.

– C'est toi qui enseignes le bouddhisme, Michael. Qu'est-ce que tu fais ici ?

– Moi ? C'est une sorte d'épreuve que je subis. Comme le grand moment dont tu parlais hier soir. Je me force à venir ici et à ne pas m'y accoutumer. Veux-tu un peu de viande ? Du porc ?

– Non, répondit Field. Je m'en passerai.

– Combien de temps faudrait-il que tu restes ici avant de pouvoir commander du porc grillé ? Maintenant, dis-moi, John. Chaque fois que je viens, je regarde ces lanières de peau croquantes sur le comptoir, délicieuses en vérité, je me pose à moi-même cette question et je réponds non. Simplement à cause du lien visible. Naturellement je mange du porc chez moi. J'adore l'hypocrisie... La mienne en particulier. »

Field jeta un coup d'œil vers sa chambre et vit le grossiste qui le recherchait un peu plus tôt entrer dans l'abattoir. Deux hommes l'accompagnaient.

« Ils sont ici. »

Woodward suivit son regard : « Vite », dit-il.

Ils se glissèrent à l'intérieur et s'accroupirent derrière le mur de l'une des stalles, contraints de se tenir dans une rigole d'écoulement remplie d'eau souillée de sang et de déchets. L'effervescence et la confusion qui régnaient dans les stalles entre les bouchers étaient telles que les trois hommes purent observer la scène par-dessus le faîte du muret.

Le grossiste et ses acolytes étaient à mi-distance de l'abattoir et de la pièce où Field avait dormi quand ils s'arrêtèrent pour questionner un groupe de bouchers en train de travailler dans une stalle. N'obtenant pas de réponse, ils continuèrent à s'avancer vers Field et Woodward, s'arrêtant ici et là, apparemment sans rien apprendre. Comme ils se trouvaient à une vingtaine de mètres, ils aperçurent le jeune homme qui avait gardé la chambre dans l'après-midi. Le grossiste le reconnut et lui fit signe de sortir de sa stalle. Le boucher, dédaignant son geste impératif, se dirigea avec son crochet du côté opposé de la stalle et harponna un porc hurlant pour l'amener à ses compagnons prêts à le dépecer. Tous les cinq ne portaient pour seul vêtement qu'un short. La graisse suintant de la peau des bêtes luisait sur leurs corps, soulignant les muscles et accentuant l'impression de puissance qu'ils dégageaient. C'étaient des hommes disgraciés par la nature qui travaillaient dans le plus discrédité des endroits. Les trois intrus attendirent d'abord avec patience, puis commencèrent à grommeler et pénétrèrent dans la stalle avec des airs menaçants. Field reconnut l'un d'eux, l'homme qui l'avait suivi à l'université, et, cette fois, sa démarche souple et indolente lui parut familière.

« Somchaï, murmura Field pour lui-même. Le frère de Somchaï C'est sûrement lui... Oui. »

Woodward, dérouté, tendait l'oreille pour essayer de comprendre les raisons de la discussion qui s'envenimait dans l'abattoir. C'était le même débat que celui dont Field avait été témoin plus tôt, mais, cette fois, le grossiste était flanqué de deux gardes du corps.

« Enfin, si vous ne savez pas où est ce type, où est le docteur ?

– Il n'est pas ici ce soir, répondit le garde.

– On nous a déjà dit qu'il était là. »

Le plus âgé des bouchers pointa son couteau vers eux.

« Sortez d'ici. Allez, ouste. Sortez.

– Pauvre idiot, lui cria le frère de Somchaï, Tu es aussi bête que tes cochons.

– Sortez. »

Le frère de Somchaï, d'un mouvement rapide, tira de dessous sa chemise, dans son dos, un pistolet. « On te paiera pour nous dire où il est, sinon on te fera parler. »

Son compagnon exhiba à son tour un automatique, mais les deux hommes durent se contenter de rester plantés là, stupidement, à brandir leurs armes comme dans un mauvais film de série B.

« Sortez. » Le boucher le plus âgé marchait sur eux avec son couteau à la main. « Allez, dehors. »

L'anxiété de Woodward était visible. « Je ne peux pas les laisser se faire tuer. Ne bougez pas d'ici. Je vais les arrêter. » Il se releva et s'approcha de la stalle.

« Michael, non ! »

Field tenta de le retenir mais il s'avançait déjà le long des autres stalles où les hommes s'étaient arrêtés de travailler pour observer la scène.

« Attendez ! cria Woodward. Il faut que je vous parle. »

Les cinq bouchers et les trois intrus se tournèrent vers lui avec stupeur.

« Écoutez-moi, reprit Woodward en pénétrant dans l'enceinte de la stalle. L'homme que vous recherchez est parti. »

Le frère de Somchaï se glissa derrière le docteur et lui appliqua le canon de son arme contre la tête. « Maintenant... », commença-t-il.

Mais le jeune boucher armé du crochet qui avait assuré la garde de Field se mit à crier : « Touchez pas le docteur ! » Il se rua en avant. « Le touchez pas ! »

Une sorte de grognement collectif de protestation s'éleva des quatre autres hommes et se propagea aux stalles voisines. Le frère de Somchaï, fut tellement surpris par ce grondement mi-humain, mi-animal qu'il abaissa un instant son pistolet. Aussitôt, le boucher brandit son crochet et l'abattit sur la tempe de l'homme. Celui-ci trébucha en arrière et s'effondra parmi les porcs entassés dans le coin de la stalle. Il tenait encore son arme à la main mais il était trop hébété pour s'en servir.

« Touchez pas le docteur ! hurla le boucher. Vous m'entendez ! Le touchez pas ! » Il se précipita sur l'homme à demi assommé qui tentait de le viser avec son arme ; mais avant qu'il eût achevé son geste, le crochet s'enfonça dans sa bouche ; le boucher imprima une torsion à son instrument, le tira violemment à lui, la pointe acérée creva la peau de l'homme au niveau du cou et se bloqua dans l'os de sa mâchoire. Le boucher se remit à exercer des tractions sur son crochet et entraîna l'homme à quatre pattes qui tentait de résister, s'arc-boutant des deux mains à plat sur le sol gluant jonché de détritus. La mâchoire disloquée, le larynx éventré sous l'effort du boucher qui le remorquait, l'homme laissa échapper des hurlements impossibles à distinguer de ceux des cochons. Il roulait des yeux affolés du côté de ses complices mais ceux-ci semblaient paralysés de terreur. Un instant plus tard le boucher l'avait hissé sur la table de dépeçage et le soulevait sur le dos contre l'échaudoir. Le pistolet encore entre ses doigts pendait, inutile, telle une griffe préhistorique. Le boucher saisit un couteau et, comme pour faire cesser les hurlements de sa victime, lui lacéra la gorge d'une croix profonde, puis le repoussa de côté, de sorte que le sang jailli de la plaie s'écoula comme à l'habitude dans le tonneau, tandis que les cris s'éteignaient peu à peu. Les autres bouchers, qui s'étaient tenus en retrait, n'intervinrent que lorsqu'ils virent le boucher prêt à éventrer l'homme comme il eût fait d'un porc. Tout d'abord, personne ne dit rien. Tous regardaient le corps blême en train de se vider de son sang sur la table ; puis le boucher le plus âgé agita son couteau sous le nez des deux autres intrus : « Sortez. Je vous l'ai dit. Sortez ! »

Le grossiste pivota sur les talons et partit en courant, dérapant sur le sol visqueux, suivi de près par le deuxième tueur. Lorsqu'ils eurent disparu, le vieux boucher se pencha légèrement vers Woodward et lui suggéra de partir et de leur laisser le soin de se débarrasser du cadavre.

Chapitre 11

Maintenant qu'il n'avait plus le choix, Field savait exactement ce qu'il fallait faire. Il s'approcha de Woodward, le prit par le bras et l'entraîna au-dehors.

« Il faut que tu partes tout de suite, Michael, que tu ailles à l'Oriental Hotel. Là, tu trouveras un homme, je ne sais pas dans quelle chambre, mais il s'appelle George Espoir. Ramène-le ici. As-tu du papier ? »

L'air était si saturé d'humidité que sa plume écrivait à peine. Field griffonna : « J'ai votre élément affectif. Venez tout de suite. »

Woodward revint avant minuit, tenant Espoir par le bras pour l'encourager à pénétrer dans l'abattoir, tout en s'efforçant de lui donner seulement l'impression de le guider.

« J'ai déjà visité un endroit de ce genre. » Espoir tentait de prendre un ton dégagé et jovial. « Au Zaïre. J'avais eu l'idée d'un livre qui ne s'est pas concrétisée. Tout était basé sur l'émotion, si vous voyez ce que je veux dire. Trop d'émotions. Une mer déchaînée. Il n'y avait aucune rambarde à quoi pût se raccrocher la grande majorité du public lettré. Un raz de marée pour un lecteur de romans. »

Field le prit à part, le fit asseoir devant le comptoir où l'on servait l'Ovomaltine et lui raconta toute son histoire en présence de Woodward. Espoir ne l'interrompit qu'une fois pour observer : « Maintenant, je comprends le mystère du message du Golden Panda », et déclara à la fin : « Une aventure très désagréable.

– Oui, dit Field, mais un sujet foutrement bon. Vous pourriez le sortir dans un journal important et tout le monde se jetterait dessus. À mon avis, vous pourriez le traiter de façon à apparaître comme un véritable héros. En fait, mettre sur la sellette un gouvernement communiste ferait de vous une star de la presse.

– C'est une bonne histoire, je le reconnais. » Espoir tentait de masquer son excitation, craignant sans doute que Field ne lui cachât quelque détail essentiel. Une sorte de tension inattendue raidissait ses bajoues flasques. « N'importe qui à Londres la prendra. Ou à New York, d'ailleurs.

– C'est la rapidité de l'action dont j'ai besoin.

– Pas de problème. » Espoir attendait, redoutant quelque condition impossible, mais Field se contentait de le regarder avec nervosité. Après un silence qui dura près d'une minute, Espoir eut un sourire de soulagement et ajouta : « Je vais m'en occuper ce soir. L'hôtel peut envoyer un Télex pour moi quand j'aurai discuté avec le rédacteur en chef adéquat. Un bon sujet, oui. Un très bon sujet.

– Vous en ferez parvenir un exemplaire à Michael au Centre hospitalier.

– Bien sûr, bien sûr. » Soudain, Espoir retrouvait toute son assurance. « Et cette femme mystérieuse, quelque part là-haut dans les nuages de l'Olympe, qui tient toutes les ficelles, qui est-ce ?

– Je ne sais pas.

– Dommage, vraiment. L'histoire aurait été complète. Et maintenant vous – il se tourna vers Woodward –, vous qui êtes thaï, quel est votre sentiment sur toute cette corruption ?

– Comment ça, mon sentiment ? Je n'ai aucun sentiment. Qu'est-ce que les sentiments viennent faire là-dedans ? » Woodward avait répondu d'un ton froid, dénué de toute bonhomie.

– Oui, naturellement. Je m'exprime mal. Comment interprétez-vous toute cette corruption ?

– Les communistes sont corrompus, non parce qu'ils sont communistes mais parce qu'ils sont humains. La plupart des Thaïs vivent de gains clandestins car, officiellement, ils sont payés des nèfles. Un capitaine gagne deux cents dollars par mois. Un sergent, quatre-vingt-dix. Le capitaine a besoin d'une voiture et d'argent pour payer les études de ses enfants et son logement, sans parler du reste. Il agit donc comme on peut le prévoir. Il cherche d'autres sources de revenus. Les fonctionnaires de même. Donc, première interprétation de la corruption : les salaires sont trop bas. Voyez-vous, distribuer des bons points à gauche et à droite dans le tiers-monde ne vous mène pas loin. Le problème ne tient pas à la corruption financière mais à celle des esprits des leaders. Par exemple, je suis un grand monarchiste, mais à partir du moment où nos rois ont envoyé nos jeunes élites à l'étranger pour y faire leurs études, elles ont été transformées en Britanniques de couleur modernistes. Je suppose que vous connaissez cette formule.

– Et vous ? demanda Espoir.

– Je suis un exemple parfait. Maintenant, le roi croit comprendre son pays, mais comment le peut-il, sincère et honnête comme il l'est, quand nos chefs, ses conseillers, ne le comprennent pas et lui cachent cette vérité pour cacher, eux, leur propre ignorance et leur corruption. Ils essaient d'utiliser le roi comme un instrument et ils détournent le pays de ses principes bouddhistes. La solution n'est pas de mettre fin à la corruption mais de changer les dirigeants. C'est-à-dire de changer les conseillers du roi.

– D'accord », dit Espoir. L'ennui ou la fatigue semblait l'avoir soudain submergé. « Très intéressant. Ma voiture attend. Voudriez-vous que je vous ramène tous les deux ? » Il partit aussi vite qu'il le pouvait, franchissant sur la pointe des pieds le sol de l'abattoir.

« Alors, voilà donc George Espoir, dit Woodward.

– Tu savais qui c'était ?

– Oh oui, en bon Britannique de couleur que je suis. Sans compter qu'il m'a fait des confidences, en venant ici. Qu'est-ce qu'il m'a dit au juste ? Ah oui. Des choses très intéressantes sur lui-même. Il faut que je t'en parle un de ces jours. Et à ton avis, qu'est-ce qu'il va raconter dans son article ?

– N'importe quelle connerie fera l'affaire, simplement pour lancer la machine.

– Et toi ?

– Il faut que j'attende les événements. Et j'attendrai ici, sans doute. Il est improbable qu'ils reviennent.

– Très improbable. Je me demande ce que va devenir ce tonneau de sang au remplissage duquel a récemment contribué ton ami. Ils vendent le liquide pour faire du boudin. Manges-tu du boudin, John ?

– Pas cette semaine.

– Non. Moi non plus. Veux-tu une autre Ovomaltine ?

– Je préférerais un mékong.

– Ce serait mauvais pour toi.

– Tout ce que je fais est mauvais pour moi. Je meurs de vivre. » Field leva les yeux vers le ciel. Il était de nouveau clair et fourmillait d'étoiles. Field était toujours soulagé de ne pas voir la Grande Ourse. Cette absence seule était une raison de vivre en Orient. « Pas de foutu chariot, dit-il.

– Quoi ?

– Pas de chariot. Le grand symbole du travail dans le ciel occidental. L'équivalent céleste de Jack et Jill. » Son attention fut attirée par un halo brillant à l'horizon. « Qu'est-ce que c'est que ça ? »

Woodward suivit son regard : « Un incendie, dit-il.

– Il faut vraiment l'allumer pour en déclencher un par un temps pareil. »

Woodward observait toujours la lueur rougeoyante. « Klong Toey, dit-il soudain. Klong Toey. » L'instant d'après, il traversait en courant l'abattoir.

« Attends ! » cria Field en se précipitant à sa suite.

Woodward était déjà assis dans la voiture d'un grossiste, expliquant pourquoi il fallait le conduire tout de suite, lorsque Field le rejoignit. Il frappa sur le pare-brise : « Attends, Michael, je viens avec toi. »

Ils étaient presque arrivés quand la route commença à se couvrir de monde, d'abord une foule d'enfants, puis des femmes chargées de baluchons. Tous avaient l'air égaré, perdu. La cohue devint trop dense pour permettre à la voiture de rouler et Woodward, abandonnant le négociant chinois, sauta à bas du véhicule pour questionner l'une des femmes. Elle semblait aussi effrayée par son insistance que par ce qui s'était passé et elle était incapable de parler. Il s'éloigna d'elle au milieu de la multitude, suivi de près par Field. Par-dessus cette armée mouvante de têtes, Field n'apercevait que d'autres têtes sur un mouvant fond lumineux aux reflets orangés. Soudain la foule se clairsema et, devant la brèche qui s'offrait à eux, Woodward s'immobilisa. À vingt mètres en avant s'étendait la lisière du marécage et s'amorçait la passerelle de bois menant au labyrinthe des taudis. L'enchevêtrement des toits de tôle était illuminé ainsi que la multitude des femmes et des enfants qui se pressaient le long des planches. Il n'y avait pas de panique. Lentement, ils s'avancèrent le long de la passerelle de bois brut qui oscillait sur ses pilotis sous une telle masse humaine. Les flammes qui s'élevaient au centre de l'agglomération de masures étaient bien visibles.

Alors seulement Field se rendit compte qu'il avait quitté l'abattoir sans ses deux gardes du corps. Puis son inquiétude se dissipa et il repartit en avant, courant maintenant derrière Woodward le long de la passerelle, tandis que les femmes s'écartaient pour les laisser passer. Ses pieds glissaient sur les planches humides, mais il ne disposait ni du temps, ni de la place pour s'arrêter et se déchausser. Un murmure s'élevait dans leur sillage : « Le docteur. Le docteur. » Mais Woodward ne semblait pas s'en rendre compte. Il allait de l'avant, courant avec une sorte d'anxiété que Field n'avait jamais vue chez son ami, toujours si réservé. Il leur fallut dix minutes pour rejoindre la chaîne des hommes qui se passaient des seaux de main en main jusqu'à la lisière du feu. Devant eux, un immense rideau de flammes dévorait une quarantaine de maisons et, sur la place centrale, fumaient les restes de la clinique de Woodward presque entièrement consumée. Les deux hommes s'arrêtèrent.

« Je suis navré, dit Field.

– Ça ne fait rien, répliqua Woodward. Je peux travailler n'importe où. Mais ce sont les logements...

– Non », insista Field, et il ne se comprit qu'à mesure qu'il parlait. « Non. Je suis désolé. C'est ma faute. »

Woodward regardait autour de lui, soudain désorienté. « Tu crois ? Oui, oui, peut-être. » Puis il considéra à nouveau l'incendie et saisit à l'épaule un homme qui passait un seau à son voisin.

« Où le feu a-t-il pris ? demanda-t-il.

– À votre clinique, docteur.

– Mais comment ? » L'homme était trop embarrassé pour répondre. « Allons, dis-moi, insista Woodward. Comment ?

– Quelqu'un, je crois... Il y a eu une explosion. »

Woodward laissa l'homme reprendre sa tâche et resta sur place, immobile, l'air accablé.

« Je suis vraiment désolé, répéta Field.

– John, moi je suis très innocent. Je ne comprends pas le mécanisme des choses.

– Peut-être, Michael, mais ils peuvent reconstruire le bâtiment.

– Avec de l'argent. Personne ne leur en donnera. J'ai travaillé ici pendant onze ans pour les aider et maintenant leurs maisons sont brûlées à cause de moi. »

Field avait cessé de l'écouter. L'idée lui vint brusquement que si le feu était une forme de vengeance, c'était aussi un moyen de l'attirer au milieu de la foule. Il regarda autour de lui. L'incendie gagnait de façon inégale, ravageant les façades détrempées des constructions avant de trouver une brèche et de s'y engouffrer, puis d'envahir une autre maison à l'intérieur de laquelle tout était sec. Parmi la file des hommes faisant la chaîne avec les seaux d'eau se trouvait un adolescent mongolien, torse nu, qui se précipitait droit dans les maisons en feu avec une sorte de frénésie. Il ramassait de pleines brassées d'objets qu'il allait déverser dans les mains des femmes qui, en retrait, regardaient leurs foyers se réduire en cendres. Ensuite, il se ruait de nouveau en avant, bien que tout le monde lui criât de s'arrêter. Plus on s'époumonait pour lui dire que c'était sans importance, plus il se jetait au cœur des flammes pour sauver des éléments de literies, des photographies ou des casseroles, tout ce qui lui tombait sous la main.

Field regardait, hypnotisé par les flammes et par le jeune garçon inlassable, aux traits lourds et crispés par l'effort. Je pourrais en faire autant, songea Field, oui, je pourrais en faire autant. Mais il resta immobile à contempler la scène jusqu'à ce que son attention fût attirée par un autre visage à quelques mètres seulement de lui. C'était le tueur survivant qui s'était enfui de l'abattoir avec le grossiste quand son camarade s'était fait égorger. Il essayait de s'approcher de Field et sa main glissée sous sa chemise tenait quelque chose au niveau de sa ceinture. Field le dévisagea ; l'homme, comme hypnotisé, ne pouvait détacher de lui son regard et dans ses yeux étrécis se lisait la peur. Un mot, ils le savaient tous deux, un seul mot suffirait à déchaîner la foule entière des habitants sinistrés contre l'ennemi. Ils le tueraient. Sur place. Sous les yeux de Field. Ils le tueraient. Et ce serait la deuxième exécution de la nuit. Field, du regard, fit signe à l'homme d'écarter la main de sa ceinture. L'homme hésita, puis montra sa main vide. Field alla se placer tout contre lui et le poussa sur la main courante de la passerelle.

« Parle. Allez. Parle. »

L'homme le regardait fixement, trop terrifié pour dire un mot.

Field se pencha sur lui : « Dis-moi qui. Vite. Tu veux mourir ? »

L'homme secoua la tête : « Ils l'ont tué à l'abattoir.

– Pas le frère de Somchaï. Qui d'autre ? J'attends.

– Je ne connais personne d'autre.

– Je ne te crois pas. » Field détourna la tête, comme pour appeler la foule à la rescousse.

« Non ! Non ! Je ne sais pas. »

Field considéra l'homme une fois de plus. Son expression était celle d'un vaincu, d'un homme exploité par les autres. Field leva les mains et, d'une brusque poussée, le fit basculer par-dessus la main courante dans l'eau profonde. Ni l'un ni l'autre n'avaient émis un son. Field fit volte-face et vit Woodward qui s'activait à lutter contre l'incendie. Le garçon mongolien continuait ses incursions éclairs dans les maisons en feu. Je pourrais en faire autant, pensa encore une fois Field, puis il se tourna vers le rivage et commença à se frayer un passage parmi la multitude des femmes qui marchaient dans la même direction, mais pas assez vite pour lui, envahi qu'il était par un désir obsédant de survivre.

Au-delà de la foule, il trouva un *tuc-tuc* qui le ramena à l'abattoir. Les bouchers avaient achevé leur travail et, assis autour des comptoirs au-dehors, ils jouaient et buvaient. Il alla chercher Ao, la prit dans ses bras à demi endormie et il la ramena avec le *tuc-tuc* jusque chez lui. Réflexion faite, la présence de gardes du corps lui semblait périmée. En cas de besoin, il se barricaderait chez lui jusqu'à la sortie de l'article d'Espoir. Ao s'était rendormie sur ses genoux. L'itinéraire qu'ils suivaient était presque sec. De loin en loin, dans une dépression de terrain, subsistaient des mares d'une cinquantaine de centimètres de profondeur. Sur Sukhumwit, un feu rouge les arrêta à hauteur d'un petit vendeur de journaux. Field acheta le *Post*. La photo en première page montrait l'inondation à son stade maximal, près de la maison d'Amara. Aux premières lueurs du jour, Field parcourut le journal. C'était étrange. Tous les articles lui semblaient si anodins, si abstraits. Même l'envahissement des eaux avait une qualité douce et soyeuse sur la page imprimée. Une photo dans la rubrique des sports attira son regard. Il reconnut

Paga et replia le journal. C'était une photo d'elle tenant un club de golf prêt à frapper.

« Miss Paga Kampison, bien connue des résidents de Bangkok, disait la légende, inaugure son nouveau golf, le Pattaya Country Club. Dix-huit trous. Un cadre sportif et confortable près de la route menant à nos plus belles plages. À l'arrière-plan, ses invités d'honneur, le général Krit Sirikaya, commandant la première division, l'ambassadeur des États-Unis, James Gunther Dean, et le ministre des Sports et du Tourisme... »

« Ao, réveille-toi ! Réveille-toi ! » Field la soulevait de ses genoux en se penchant vers le conducteur. « Ici, ça va. Arrête. » Il sauta au-dehors alors qu'ils roulaient encore et fit signe de la main à un taxi.

« Allez, Ao, viens vite. » À moitié endormie, elle descendit du *tuc-tuc* en titubant.

À cette heure matinale, l'autoroute quittant la ville en direction de Pattaya aurait dû être vide, mais elle traversait la grande plaine où coulait le fleuve en majeure partie au-dessous du niveau de la mer et son revêtement de goudron était si perméable qu'elle ne cessait de s'enfoncer depuis sa construction. Après des années de travail les voies menant hors de la ville avaient été surélevées de deux mètres, mais celles qui y donnaient accès étaient encore au niveau des rizières, autrement dit sous un bon mètre d'eau. Cette situation se compliquait du fait que les camions n'étaient pas autorisés à pénétrer dans l'agglomération avant dix heures du matin et formaient donc une file d'attente d'une trentaine de kilomètres sur les voies de sortie à sec, ne laissant guère d'espace aux véhicules circulant dans les deux sens.

Le trajet évoquait un circuit sans fin d'autos tamponneuses avec des chauffeurs louvoyant d'un bord à l'autre de l'autoroute autour des poids lourds à l'arrêt et des voitures au moteur noyé çà et là, esquivant celles qui roulaient en sens inverse ; klaxonnant tous à qui mieux mieux. Ce capharnaüm se limitait à la longueur et à la largeur de la route, tandis que, de part et d'autre, les champs inondés s'étendaient à perte de vue, baignés d'une paix totale. Field se sentait trop épuisé pour être troublé par une épreuve aussi banale. Son seul but était de garder les yeux ouverts pour ne pas manquer la sortie menant au Country Club de Paga.

Il leur fallut sept heures sur un trajet qui n'aurait dû leur en prendre que deux pour parvenir en vue de l'enseigne peinte dressée hors de l'eau, sur leur gauche. Tout ce qui était en vue était inondé, à l'exception d'une nouvelle route étroite construite en surélévation et menant, à quelques kilomètres de là, à une île de vastes dimensions. Paga avait choisi des rizières parfaitement ordinaires et creusé un réseau de petits lacs profonds pour mettre à sec les zones émergées qui étaient devenues son nouveau fairway. Elle avait utilisé le surplus de la terre de fouille pour édifier de hautes digues autour de ses dix-huit trous. Des pompes avaient été placées à cinquante mètres d'intervalle, destinées à déverser toutes les eaux indésirables dans les rizières voisines. À l'abri de ces digues, son golf restait au sec. Il n'y avait pas un arbre sur des kilomètres, si bien que toute la végétation était jeune et fraîchement plantée, à l'exception d'un bouquet de grands eucalyptus qui se dressaient sur une butte à l'extrémité du nouveau chemin de terre. Sous ces arbres se situaient le club-house de Paga : un *sala* en ciment de style vaguement thaï, et peint de couleurs vives. Le bâtiment était ouvert de tous côtés et, à l'instant où Field descendit de voiture, il entendit la voix de Paga s'élevant de l'unique table occupée.

C'était une voix de personne repue. « Eh bien, vous avez vraiment vu le monde, colonel.

– Oui, madame, j'en ai fait le tour deux fois par plaisir, sans compter les déplacements guerriers.

– Mais vous n'avez jamais vu le monde avec Paga. »

L'Américain hésita, à court de mots : « Ma foi, non, madame.

– Je porte un toast aux États-Unis, dit Paga pour lui venir en aide. Sans vous, je serais encore une pauvre femme. »

La fin de sa phrase se perdit dans le vague, tandis qu'elle voyait entrer Field et Ao. Le petit groupe d'officiers américains en vêtements de golf infroissables de polyester suivit son regard et tous les cinq dévisagèrent les nouveaux arrivants avec insistance, jusqu'au moment où Paga se leva d'un bond et s'avança vers eux.

« J'ai besoin de dormir », dit Field.

Elle les conduisit derrière le club-house dans un vestiaire où Field découvrit qu'il était couvert de taches de graisse et souillé de traînées noires de suie. Sous les déchets d'abats et la boue, son pantalon n'avait plus de couleur. Paga le laissa pénétrer dans les douches. Lorsqu'il en ressortit, ses affaires avaient été remplacées par un sarong et Ao avait reçu des instructions pour le conduire au-delà du bouquet d'eucalyptus où des cellules de moines neuves avaient été bâties sur des pilotis d'un mètre de haut. Elle guida Field dans l'une de ces cellules qui se composait d'une petite pièce aux quatre cloisons à claire-voie. Il s'allongea sur une paillasse à même le sol et, durant un bref instant, il se demanda ce que pouvaient bien faire sur un golf des cellules de moines, puis il perçut le chant des oiseaux, sentit la brise lui effleurer le visage et sombra dans le sommeil.

Il se réveilla une fois dans la nuit au bruit de la pluie, se tourna de côté et reprit conscience de nouveau le lendemain au début de la matinée.

Ao dormait à côté de lui sur la paillasse. À travers l'écran, il vit une petite cuisine de plein air, sous les arbres. Paga s'y affairait avec une femme en blanc au crâne rasé. Celle-ci appartenait à un ordre dont la règle apparentait ses adeptes féminines à des moines. Field jeta un coup d'œil par les autres fenêtres. Sur le porche de la cellule voisine était assis un vieux moine. Au bout d'un moment, la femme en blanc lui apporta de la nourriture. Elle se déplaçait avec une extrême lenteur. Toute cette scène de paix et d'harmonie avait quelque chose d'incongru. Field renoua son sarong et gagna la cuisine où Paga buvait de la soupe au riz. Elle le gratifia d'un large sourire. Un ruisseau courait sous le plancher de bois et des mouches tournoyaient autour des aliments. Paga prit dans son bol un morceau de viande qu'elle lança à un chien efflanqué.

« Tu dors bien chez moi ?

– On dirait. Qu'y a-t-il ici ?

– Un centre de contemplation des moines. Le golf m'a coûté quatre millions de dollars. Je fais pour moi un beau cadeau pour pouvoir me retirer à la campagne. Alors, je gagne des mérites moi aussi. Je donne aux moines un endroit à côté. Vingt hectares pour eux. Je pourrais faire un *wat* mais il faudrait plus de moines. Nous avons seulement trois.

– Qui est le vieux ?

– Mon père. »

Field hocha la tête : « Tu possèdes le seul endroit sec de la Thaïlande.

– Et comment. Je suis une paysanne. Tu vois mes digues ? » Elle les désigna d'un mouvement du menton. « Je connais l'eau. Deux cent cinquante mille dollars pour remuer toute cette terre. Je peux payer. Tu veux de la soupe ? »

Field considéra les mouches et les chiens qui rôdaient autour du porche : « Pourquoi pas ? Tu permets que je reste quelques jours ?

– Tu as encore des problèmes ? »

Il acquiesça : « Je te cherchais, Paga.

– Et alors ?

– Je voulais en savoir plus sur Somchaï.

– Il sait que tu viens ici ?

– Non. Comment pourrait-il... ? Enfin, je ne sais pas. Je ne sais pas qui sont ses amis si bien que j'ignore ce qu'ils savent, eux. C'est ce que je voulais te demander.

– Moi, pourquoi tu crois je les connais encore ? dit-elle d'un ton buté.

– Ça n'a plus d'importance. Je n'ai plus envie de rencontrer ses amis.

– Pourquoi, John ?

– Je ne veux plus qu'ils me pardonnent. Je vais les pulvériser. Boum. Tu comprends, Paga ? Boum ! Un obus de gros calibre. Et si je saute avec eux, tant pis.

– Comment tu fais ça, John ? » Elle avait posé la question entre deux longues gorgées de soupe mais ne paraissait que médiocrement intéressée.

« Secret, Paga. Mon secret. J'ai découvert une chose. Un de ses amis est une dame.

– Pas moi, John. Je suis une femme.

– Peu importe... Alors, je peux rester ?

– Tu es mon ami. Tu restes. Maintenant, je dois partir. J'ai un cours avec les moines... » Elle se leva et sa robuste silhouette s'éloigna sous les arbres vers un pavillon à la façade décorée.

Field alla faire quelques pas le long des barrages de terre, contempla le paysage inondé, puis revint et fit la sieste une grande partie de l'après-midi. À son réveil, Ao était près de lui. Il lui sembla qu'il n'avait jamais quitté ce pavillon, avec les odeurs de cuisine portées par la brise et le chant des oiseaux. Et Ao de même avait toujours été à son côté. Rien de plus. Elle était là avec lui, élément essentiel de sa vie s'il avait souhaité en élaborer une image complète.

Vers la fin de l'après-midi Paga réapparut, coiffée d'une casquette de golf, et Field alla la rejoindre tandis qu'elle expliquait à des petites filles ce qu'elle voulait pour son dîner. Il y avait de plus en plus de mouches.

« Alors pourquoi ton père s'est-il fait moine ?

– Ma mère est morte, il y a quinze ans. Lui tout seul. Il y a dix ans, lui devenu moine.

– Parce qu'il était seul ?

– Être seul le fait penser. Les gens ensemble ne font pas ça. Pas le temps. Il pense : Les hommes naître, les hommes mourir. Les mêmes personnes reviennent. Naître, mal faire, mourir. Naître, mourir, mais le problème commence avec naître. Alors, il décide tout quitter. Il décide essayer de mourir dernière fois. Pour se sauver.

– Comment s'en tire-t-il ? » La question paraissait mal posée, même à Field. « Je veux dire, crois-tu qu'il va y arriver ?

– Il essaie très fort. Moi aussi, j'essaie. Maintenant, je viens ici beaucoup. Je marche seule toute la journée. Pas de bars à diriger. Ma famille fait tout ça pour moi. Maintenant, je vais voir les moines chaque jour deux heures pour apprendre. Une chose j'apprends vite. Facile de parler mais difficile de tout quitter. Les conneries, c'est facile.

– Et tes bars ? Tu ne les diriges pas mais ils sont toujours à toi.

– Je ne pense pas à eux.

– Mais tu reçois l'argent, Paga. Ça ne peut pas te valoir beaucoup de mérites.

– Pourquoi pas, John ? Je fais le bien, chez moi. Tu vois ces chiens ? Quand je trouve un chien affamé, j'amène ici. Tout le temps que je construis cet endroit, j'amène les chiens. Une fois, j'arrête dans restaurant près la route et un chien vient vers moi, très faim. J'ai une côtelette. Je lui donne. Après, je demande garçon deux autres côtelettes. Je dis pas côtelette pour chien ou il cuit mal. Je vois femme thaïe avec des enfants. Mari parti. Elle besoin argent. Pas de travail. Je dis : "Pourquoi être malheureuse ? Massage bonne chance pour toi. Tu gagnes mille, deux mille, trois mille baht par jour. Peut-être trouver autre mari au massage." Mon Bouddha très intelligent. Il comprend le corps ne compte pas. Corps est comme tout : de l'eau, de la boue et du feu, nous dire. Ça veut dire : sang, chair, énergie.

– Tu as appris ça aujourd'hui ?

– Hier. Le corps est rien. Bouddha comprend esprit plus important. Il faut apprendre à contrôler esprit. Pas assez arrêter baiser. Il faut arrêter envie de baiser.

– J'ai fait les deux, dit Field. Et sans leçons.

– Alors pourquoi acheter cette fille ?

– Parce que tu ne le ferais pas, Paga. »

Elle se mit à rire : « Bonne chose, tu n'es pas dans massage, mauvais homme d'affaires. *Farang* tous pareils. Ils aiment filles thaïes parce que si petites. Fait croire l'homme sa queue plus grosse. Penser lui faire grande impression.

– C'est ton moine qui t'a appris ça ? Non ? Enfin, ça ne me concerne pas car j'ai déjà renoncé à tout ça.

– C'est pourquoi tu as acheté fille malade ?

– Peut-être.

– Alors pourquoi être malheureux ? N'est pas bon. Il faut penser être heureux un jour en ce monde. Tu dois renoncer à ça.

– Bon, si je renonce à être malheureux, qu'est-ce qui me reste ?

– Arrête de désirer, John. C'est tout. Arrête désirer bonheur comme arrête désirer fille. Arrête rêver. Tu es un grand romantique, John. Pas de compromis. Grand rêveur, oui. Quel genre de fille tu veux, hein ? Pas cette petite fille. »

Field haussa les épaules : « Pourquoi pas ?

– Tu crois à fille de rêve, c'est ça ?

– Non. Elle est très particulière.

– Alors, où elle est ?

– Je ne l'ai jamais eue. Je l'ai vue. J'ai même couché avec. Mais jamais je ne l'ai eue comme je le rêvais, simple et parfaite, alors comment pourrais-je penser que ça s'arrangera plus tard ? Je veux dire, si ce n'est pas arrivé quand j'étais tout en haut de la courbe, jeune, tu comprends, à l'âge où on ne pense pas trop quand je me contentais de partager des sensations avec une fille que j'aimais avec passion, si bien que quand je la pénétrais c'était inséparable de la même passion, alors pourquoi voudrais-tu que le miracle arrive maintenant ? » Des mouches s'étaient posées çà et là sur lui et il s'interrompit pour les chasser.

« Qu'est-ce qui a pas marché avec cette fille de rêve ? » Paga était indifférente aux mouches qui la harcelaient.

« Ça ne l'intéressait pas. Les hommes sont curieux sur ce point. Ils croient tous qu'il suffit de convaincre l'autre. Je vais te dire, Paga. Il n'y a pas de mythologie en religion comparée au sexe. Regarde les romantiques. Selon eux si tu aimes, les détails physiques ne comptent pas. Eh bien, si les détails physiques ne comptent pas, nous sommes comme tes chiens, Paga. Nous coucherons n'importe quand, n'importe comment avec n'importe qui. C'est moi, n'est-ce pas ? Un chien à deux pattes, simplement.

Et pour les superathlètes, quand les lumières sont éteintes, tous les cons se valent. Ces types doivent avoir un épiderme d'amiante. Ce qu'il y a de drôle, c'est qu'ils disent la même chose que les romantiques. Ni les uns, ni les autres ne veulent parler de la possibilité d'atteindre la perfection. Ils sont terrifiés par le corps ou par l'âme. Et la peur ressemble toujours à la haine. Il faut haïr les femmes pour dire que leurs corps ne comptent pas ou que leurs cons sont tous pareils. Moi, j'ai cherché les deux. Comment pourrais-je en avoir encore envie ? Tout ce que j'ai à offrir, c'est une certaine sagesse. » À ce dernier mot, Paga se mit à rire. « Très bien, appelons ça l'expérience, quelle importance ? Je veux dire, l'expérience est la récompense du perdant. L'expérience est une forme de mesure. La passion, elle, est impossible à mesurer, non parce qu'elle est trop forte ou Dieu sait quoi, mais simplement parce qu'il n'y a rien à mesurer. Cette fille, Paga...

– Ta fille de rêve, c'est ça ?

– Je savais exactement ce qui se passerait avec elle avant même de la toucher. Exactement. Il n'y avait pas de différence entre mon imagination et la réalité. Ses seins seraient comme des demi-lunes, épouseraient la forme de mes paumes, pleins et doux. Et ses hanches aussi seraient douces et pleines. Et sa peau de velours. Et quand je serais en elle, elle éprouverait certaine sensation particulière que je ne peux expliquer. Je le savais exactement, oui, comme un secret du ciel. Je l'ai eue trois fois. Trois. Chaque fois j'ai dû la persuader. J'ai dû me donner un mal fou. Et chaque fois, j'ai accompli ce grand acte de passion qui me semblait suffisant pour la convaincre à jamais. Mais je me trompais. Et j'ai dû repartir à zéro pour m'évertuer à la convaincre de nouveau. Non. Tout a raté. C'était horrible. Une vraie torture de trouver celle que vous désirez et de découvrir que vous pouvez la retenir par un foutu effort intellectuel de chaque instant alors que votre passion l'éloigne de vous. En tout cas, je savais qu'elle existait, même si elle ne voulait pas de moi. Et j'ai compris qu'il était impossible de séduire ce genre de fille ou de l'acheter. Il fallait qu'elle vous désire.

– Qu'est-ce qui lui est arrivé ?

– Elle est morte, simplement. Quelqu'un l'a tuée.

– Voilà ce qui ne va pas chez toi.

– Chez moi, rien ne va. Je passe la moitié de mon temps avec des filles que j'aime plus ou moins mais dont rien ne me plaît. Ni les odeurs, ni le contact. Une bouche dure. Comment peut-on embrasser une bouche dure toute sa vie ? Ou en dedans elles sont comme des cavernes. Je ne sais pas. Et puis l'autre moitié de mon temps, j'en dispose pour tes jolies filles ; les créatures au physique parfait. Du moins, je peux payer pour l'obtenir. Je veux dire dans ces conditions, on peut vraiment satisfaire ses goûts. N'importe qui le peut. Alors, on se ment à soi-même. On limite ses exigences. On recherche les qualités physiques et on s'agite à l'intérieur d'un corps parfait pendant que votre partenaire – oh ! pleine de bonne volonté, de sincérité – joue son rôle pour vous faire croire que vous la transportez au septième ciel. Tout ça n'a guère de rapport avec ce que je recherchais à l'origine. Une simple passion, d'accord ? Pas de besoins, pas de promesses, pas de rendez-vous. Une simple fusion des corps. Et pas trop longue. Un petit moment, pas plus. Un an, quelques mois. Une semaine aurait suffi pour qu'on atteigne la perfection tant que ça dure. Dans ce cas, le temps est négligeable. Le temps n'importe que si l'on obtient ce qu'on veut. C'est une qualité surfaite, de toute façon. Et je possède tout, sauf ce que je voulais.

– Peut-être tu ne veux pas assez fort. »

Field prit conscience du peu de clarté de ses propos, du moins pour Paga.

« Ça n'a rien à voir avec la volonté. Tout est là.

– C'est pour ça que tu achètes la fille ?

– Ce n'est pas exactement ce que j'ai fait.

– Non. Qu'est-ce que tu as fait ?

– Je ne sais pas, Paga. Écoute, j'ai toujours cet animal sur le dos, Somchaï ce salopard, ton ex-ami. Je ne suis pas allé le chercher. Je veux simplement qu'il me lâche, qu'il me laisse tranquille. Tu comprends ? Je veux qu'il me foute la paix. Je veux retrouver ma petite existence anodine où je piétine tranquillement sans obtenir ce que je veux. C'est tout. Je n'ai rien d'autre en tête.

– Bien sûr, John. Je comprends. Somchaï a toujours été une crapule. Nous allons manger dans le club-house, d'accord ? »

Ils passèrent toute la soirée sous le haut toit pointu de ciment, entourés tous les trois d'une mer de tables vides. Field et Ao mangèrent en silence pendant que Paga décrivait en détail la construction de son country club et que la radio jouait du rock thaï, en fond sonore. *Made in Thailand* passait pour la troisième fois depuis une heure lorsque la radio s'arrêta. Peu après retentit l'hymne national avec quelques décibels supplémentaires, puis un speaker annonça le général Krit Sirikaya, commandant de la première division.

« Une vaste coalition d'officiers supérieurs au service de Sa Majesté est, ce soir, passée à l'action pour rétablir l'intégrité et l'efficacité dans les affaires de notre nation.

– Bon Dieu, dit Field, le loup est dans la bergerie.

– En tant que chef de la force armée responsable de la sécurité à Bangkok, j'ai déployé mes troupes pour assurer la protection de tous les édifices publics, des centres de transport et de communications. Je rencontrerai, dans les heures qui suivent, le corps complet des officiers dont je ne suis que le porte-parole pour procéder à la répartition des responsabilités spécifiques de chacun en vue d'assurer le plein succès d'une entreprise visant à établir dans le pays un régime libre et démocratique.

« Puis-je simplement préciser que notre action, si longtemps retardée, a été provoquée par l'inhumanité des mesures prises concernant l'inondation de la capitale ? Aucun gouvernement ne peut prétendre à tenir son autorité légitime du peuple quand il méprise le bien-être et la sécurité de ce peuple. L'incendie qui a ravagé hier le malheureux quartier de Klong Toey fournit un argument de plus à la nécessité du changement. La première initiative de renouveau national sera de fournir des logements provisoires aux quarante-sept familles qui viennent de se retrouver sans foyer. Nous prouverons ainsi de façon concrète notre volonté d'œuvrer pour le bien de ceux qui, parmi nous, sont encore des déshérités. Par mesure temporaire de sécurité a été instauré sur-le-champ un couvre-feu absolu. Vous pouvez donc tous vous endormir en pensant que le destin national est à nouveau dans des mains fermes. Vive le roi ! » L'hymne national s'éleva à nouveau et fut suivi d'un programme de musique classique thaïe.

« Le loup est dans la bergerie, répéta Field calmement.

– Tu ne l'aimes pas ? dit Paga. Il est comme tous les autres. Je crois il a eu peur d'être chassé à cause de l'inondation, alors il les chasse d'abord.

– Tout comme au bon vieux temps, hein ? » Field fut pris d'un rire soudain. « Comme au bon vieux temps.

– Les coups d'État sont mauvais pour les affaires, John. Couvre-feu veut dire bars fermer tôt. Je perds l'argent. »

Field gagna l'entrée du *sala* et considéra le ciel. On

entendait au loin les cris d'un gecko. Field se mit à compter. Un nombre impair et important d'appels portait chance ; sept était une bonne moyenne. À neuf, l'animal émit un « tou-kee » comme s'il en avait assez, puis lança deux appels de plus.

« Doit être gros, dit Paga.

– Un alligator, murmura Field. Il a mangé des balles de golf.

– À chaque coup d'État, je perds l'argent. Les hommes passent tout le temps à faire coups d'État, mais aiment pas se battre. Dans un coup d'État, personne meurt. Vietnamiens sont différents. Eux faire la guerre tout le temps. Si les Vietnamiens viennent ici, ils écrasent l'armée thaïe mais après ils peuvent pas écraser peuple thaï.

– Ils fermeront ton golf, naturellement.

– Ça m'est égal. Je suis née pauvre. Je meurs pauvre. Mais le Vietnamien se bat comme un lion, alors il a besoin d'une fille thaïe. »

Ils restèrent près de la radio à attendre les nouvelles pendant que la musique continuait à nasiller. Enfin, Field déclara : « Il a un problème », et se mit à tourner le bouton du poste. Les ondes étaient silencieuses, puis, brusquement, il capta une autre voix parlant au nom de la division stationnée en face de Bangkok, de l'autre côté du fleuve à Thonburi. Cette unité, elle aussi, était passée à l'action et ses officiers avaient aussi organisé des réunions pour savoir par quels moyens la liberté et la démocratie seraient le mieux servies. Il n'en était pas fait état mais Field savait que le général commandant cette unité était de la classe V. Tandis que la nuit s'avançait, les stations radiophoniques émettant tout autour de Bangkok donnaient de la situation un tableau de plus en plus confus. Certaines étaient contrôlées par les militaires. D'autres diffusaient illégalement toute sorte de racontars. Il était clair que toute l'armée avait fait mouvement pour investir le pays, mais ils avaient opéré division par division et maintenant, partout, s'étaient institués des palabres. Entre qui et qui, personne ne le précisait. C'était Krit qui tenait l'atout maître, Bangkok, mais il était encerclé par des divisions sous les ordres de généraux des classes V et VII et chacune de leurs radios attaquait non seulement le gouvernement mais, par la bande, leurs rivaux des autres classes. Seul Krit était mentionné par toutes comme un partisan de la liberté et de la démocratie. Curieusement, aucune allusion précise n'était faite au Premier ministre, Pa Prem, un général en retraite, paisible, honnête et accommodant. Ni au roi. Chaque général avait annoncé qu'il agissait pour le roi et contre le Premier ministre, mais les deux hommes avaient disparu.

Vendredi, le jour suivant, personne ne vint jouer au golf et ce fut seulement en fin d'après-midi qu'une radio émettant de Chiang Maï, au nord, commença à diffuser des nouvelles retransmises dans tout le pays par des relais. Apparemment, le Premier ministre avait fui jusqu'à la capitale du Nord, accompagné de la famille royale, et ils avaient rejoint les divisions postées dans ce secteur. Pa Prem exhortait maintenant toutes les unités à réintégrer leurs casernes. En revanche, les stations radio des classes V et VII répliquaient avec violence que « l'ancien Premier ministre a enlevé le monarque, bien-aimé de la nation ». C'était la fureur des vaincus. Krit, à Bangkok, restait silencieux. Son émetteur épuisa tout son stock de musique classique, interrompue seulement par une annonce ambiguë selon laquelle des agitateurs communistes, dans les taudis de Klong Toey, s'efforçaient d'empêcher le relogement des sinistrés de l'incendie. Il tentait, semblait-il, d'adopter une nouvelle attitude faisant de lui un défenseur de la stabilité plutôt qu'un révolutionnaire.

Field resta sur place toute la journée du samedi, d'abord au-dehors puis, une fois les averses de l'après-midi commencées, dans sa cellule de moine rafraîchie par la brise avec le crépitement de la pluie sur le toit. Tôt le dimanche, la musique s'interrompit pour annoncer que le général Krit parlerait à nouveau dans une heure. Puis encore une fois à midi. En fait, ce fut seulement en début d'après-midi que le général prit le micro, pour parler d'une voix laissant à peine entrevoir le guêpier dans lequel il s'était laissé enfermer et dont il essayait de s'extirper.

« Ma position en tant qu'officier responsable de la sécurité de la capitale de notre pays m'a contraint d'agir en vue de m'assurer que les dissensions survenues entre certains éléments de nos forces armées ne puissent entraîner le déclenchement de violences et de destructions dans les rues de Bangkok. C'est par conséquent avec humilité que j'ai sauvegardé la paix de la cité pour le retour de Sa Majesté selon son bon vouloir. Si les forces armées de la nation diffèrent quant aux meilleurs moyens à mettre en œuvre pour servir nos populations, ces divergences sont mineures et temporaires. Plus dangereux sont, au sein de notre société, les éléments prêts à exploiter ces divisions passagères pour tenter de s'emparer du pouvoir par la violence. Nous avons découvert, au cours des dernières vingt-quatre heures, une organisation secrète dont s'est pour la première fois manifestée l'intervention dans les quartiers depuis si longtemps éprouvés de Klong Toey. Pis encore, ceux qui manipulent cette organisation ont tiré parti de la confusion régnant dans le pays pour justifier une attaque sur nos institutions les plus respectées dans la presse étrangère. En conséquence, j'ai ordonné que certaines charges de lèse-majesté soient immédiatement portées. »

Le lundi matin, dès la première heure, Paga envoya en ville son fils pour voir ce qui se passait. Field lui demanda de s'arrêter au Centre hospitalier, escomptant que l'article d'Espoir serait paru. Le jeune homme resta absent toute la journée et revint avec une pile de nouvelles feuilles thaïes illégales qui avaient proliféré au cours des heures d'incertitude et une collection de journaux anglais. Il avait essayé de se rendre au Centre hospitalier mais l'avait trouvé encerclé par les soldats ; il était donc entré dans un grand hôtel où il avait acheté toute la presse étrangère disponible.

Field étala les journaux sur une table dans le *sala* et se mit à les éplucher. Dans le *London Times* du samedi, il trouva, en première page, un article sur la tentative de coup de force. C'était un reportage spécial signé George Espoir, « le romancier britannique bien connu qui a longtemps séjourné en Thaïlande pour y enquêter sur les ambiguïtés et les divisions de son système politique ». Field parcourut les premiers paragraphes. Il n'y avait rien sur Somchaï. Rien sur la drogue. Il reporta vivement son regard vers le début. Il n'y avait rien. Rien. Seulement quelques extraits de « Mes récentes conversations avec l'énigmatique général Krit Sirikaya qui détient maintenant la clef d'un pouvoir stable dans ce royaume d'Asie ». L'article continuait en page deux. Il tourna nerveusement la page et son regard fut arrêté par un nom : « Le docteur Meechaï Wuthiwat, bien connu sous le nom de "roi du préservatif" pour sa campagne pittoresque en faveur du contrôle des naissances et dévoué à la cause des indigents, et que son excentricité a conduit à adopter la tenue des paysans en dépit de sa haute naissance, a choisi ce moment de crise pour attaquer un certain nombre des institutions les plus sacrées de son pays. Il est venu me chercher à mon hôtel, tard hier soir, à la veille de la révolution, et a insisté pour que je me rende avec lui dans un abattoir au cœur du quartier le plus sordide de Bangkok. Là, au milieu d'un cadre évocateur de tout ce que Karl Marx déplorait dans la société européenne du XIXe siècle, il m'a parlé de l'humanité du communisme et de la corruption des politiciens et des bureaucrates thaïs. Comme je l'interrogeais sur son sentiment sur les dangers de l'expérimentation des doctrines politiques, étant donné les tragédies dont nous avons déjà été témoins au Cambodge et au Viêt Nam, il m'a répondu qu'on ne pouvait pas "accorder des bons points à tel ou tel système dans le tiers-monde" et que les sentiments personnels n'entraient pas en ligne de compte dans ces problèmes. Il s'en est pris, en particulier, à "la corruption des esprits de nos leaders" et à leur utilisation du roi révéré de Thaïlande comme un "instrument". "La solution ne consiste pas à mettre un terme à la corruption, a-t-il déclaré, mais à changer les dirigeants." Cet appel à la révolution à la veille des événements actuels était peut-être particulièrement bien synchronisé et le Dr Meechaï pourrait donner l'impression qu'il se prépare à passer de la position de roi du préservatif à celle d'un leader politique. »

« Nom de Dieu ! murmura Field. Quel con ! Quel sombre idiot ! » Il leva les yeux et vit Paga debout derrière lui. Elle laissa tomber sur la table une feuille à scandale thaïe où se voyait une grande photo de Michael Woodward, mains et pieds enchaînés, pénétrant au bureau central de la police. Field ne pouvait pas lire le sanscrit. Il réprima une envie de vomir et demanda : « Qu'est-ce que ça raconte ? »

Paga parcourut du doigt le grand titre : « LE ROI DU PRÉSERVATIF ARRÊTÉ POUR AGRESSION CONTRE SA MAJESTÉ. » Et, en intertitre : « LE GÉNÉRAL KRIT INTERVIENT POUR PROTÉGER LA MONARCHIE. »

Woodward avait été arrêté à Klong Toey où il assistait les victimes de l'incendie dans leurs efforts pour rebâtir leurs maisons. Des soldats avaient essayé de l'en empêcher, disant que si les gens voulaient reconstruire ils devraient le faire plus loin dans les marécages où l'eau atteignait deux mètres de profondeur ; les autorités portuaires avaient décidé de récupérer la zone ravagée par le feu et d'utiliser la surface libérée pour construire de nouveaux entrepôts. Il y avait de nombreuses allusions aux « attaques infamantes de Meechaï contre le roi dans la presse étrangère » et à « une condamnation probable à quinze ans de détention ». Il y avait également un écho dans la colonne des potins sur la fête d'anniversaire de l'amiral Wuthiwat qui devait avoir lieu le lendemain et pourrait être considéré comme l'événement mondain de l'année. « Les chrétiens disent que les péchés des pères rejaillissent sur leurs fils. Que dire des péchés des fils vis-à-vis de leurs pères ? Qui se rendra à la fête de l'amiral et risquera d'enfreindre le couvre-feu ? Qui vivra verra. »

Chapitre 12

Le mardi matin, à la première heure, le Premier ministre s'envola pour Bangkok avec le roi. Ils se posèrent dans le domaine du palais royal où le général Krit les attendait au pied des marches de l'appareil. Le Premier ministre leva immédiatement le couvre-feu. « Nous allons procéder, déclara-t-il, comme si rien ne s'était passé. » Durant la nuit, les diverses divisions disséminées dans le pays avaient réintégré leurs casernements et leurs généraux avaient cessé d'émettre.

Field passa la matinée à arpenter les digues du golf, s'interrogeant sur ce qu'il allait faire. Il tenta de se remonter le moral en flétrissant l'attitude d'Espoir, mais sans résultat. Comment pouvait-on s'en prendre à un individu qu'on méprisait déjà et aux mains duquel on confiait sa vie ? Dans tous les cas, il se retrouvait à la case départ. À peine aurait-il quitté la petite forteresse entourée d'eau que les amis de Somchaï lui retomberaient sur le dos. Et maintenant, il n'y avait plus d'article de journal à espérer, aucune raison d'attendre quoi que ce soit. Tout ce qu'il avait réussi à faire, c'était d'envoyer Woodward en prison. Il marcha, marcha sous le soleil jusqu'à ce que sa peau rissolât de déshydratation et que, les nuages de l'après-midi étant apparus, s'abattent les pluies de la mousson. Field jeta au ciel un coup d'œil hostile et revint sur ses pas, courant sous les trombes d'eau pour se réfugier au club-house où il demanda à Paga si elle pouvait lui prêter sa voiture.

« Qu'est-ce que tu comptes faire, John ? » Cette curiosité de mère supérieure, détachée et inquiète à la fois, qu'elle manifestait parfois était toujours inattendue.

« Je ne sais pas. » Il considéra le visage expressif, impatient de Paga, songeant que ses problèmes ne la regardaient pas, puis reprit soudain : « Si. Je vais aller au dîner de l'ancêtre. Voilà ce que je vais faire. Je ne veux pas rester ici. Garde Ao ici. Empêche-la de sortir. »

En roulant vers la ville, Field fit deux arrêts : l'un pour acheter des cartouches destinées au pistolet qu'il avait conservé, et l'autre chez lui pour se changer. La route menant à l'Oriental Hotel, sur le fleuve, était totalement inondée. L'hôtel même se dressait sur un îlot provisoire avec les eaux du Chao Phraya léchant le bas des portes du rez-de-chaussée. À l'intérieur du hall était accrochée une large pancarte déclarant :

« NOUS ESPÉRONS QUE VOUS N'AVEZ PAS ÉTÉ IMPORTUNÉ PAR NOTRE COUP D'ÉTAT ET NOUS VOUS SOUHAITONS UN EXCELLENT SÉJOUR À BANGKOK. »

Le temps que Field arrivât et montât dans la grande salle de bal au premier, la plupart des invités se trouvaient déjà sur place. Il n'y avait, au rez-de-chaussée, pas un soldat en faction, armé ou pas. Il en était de même à l'étage. Field se posta à l'entrée de la pièce et la parcourut du regard. À chacune des tables rondes étaient assises une douzaine de personnes. Il y avait plusieurs officiers supérieurs, tous en civil. Ils portaient, en fait, des chemises « Prem » de soie ouvertes avec de petits cols droits, dont le nom s'inspirait de celui du Premier ministre en exercice qui en avait fait des accessoires du style quasi officiel. La marine était représentée en force, de même que la vieille communauté étrangère, banquiers, hommes d'affaires et diplomates en grande majorité. Les places occupées par les invités relevaient d'un certain ordre de préséance. Chacune des huit filles de l'amiral présidait une table avec son mari. De leur côté, les maris avaient réuni autour d'eux les plus grands notables dans leurs catégories respectives. La plus importante des huit était la fille qui avait épousé le fils aîné du propriétaire de la Banque du Siam, un homme d'affaires thaï-chinois de la vieille école, assis à la même table que son fils, sa belle-fille et les directeurs des plus grandes banques, tous les sept également thaïs-chinois. Réunis, ils contrôlaient un mouvement financier assez puissant pour ruiner l'économie thaïe. La fille de l'amiral était séparée par une chaise vide du nouveau président de la Banque du Siam, Pong Hsi Kun, qui était également le financier du général Krit. Les dix hommes étaient vêtus de complets de soie bleue avec des chemises de soie crème et de grosses cravates de soie. À une table peu éloignée se trouvait Amara, en compagnie de personnages sans pouvoir mais appartenant à des familles illustres et connaissant tout le monde. D'autres tables « mineures » étaient disséminées dans la pièce, chacune à proximité de l'une des filles. Un retardataire se glissa derrière Field, toujours planté sur le seuil, bien en vue. Après tout, songea-t-il, ils étaient tous venus, donc avec un peu de chance quiconque s'acharnait contre lui devait être présent. Peut-être en s'offrant comme cible au niveau adéquat découvrirait-il quelque chose.

Pourquoi personne ne s'était abstenu ? La réponse était malaisée. Peut-être une macabre curiosité les avait-elle incités à venir voir le contrecoup, sur le vieillard, de l'arrestation de son fils ; ou bien avaient-ils été attirés comme certains le sont par la perspective d'une exécution, indolemment, dans l'insouciance de ce qui pouvait se passer. C'était également le premier événement, depuis l'échec du coup d'État, susceptible d'être distrayant. Le flot des invités une fois tari, il restait quatre sièges vides dans la salle : un près de Pong et trois autres à une table au centre de la pièce où le chef d'état-major de la marine était assis avec un très vieil homme, un ancien dirigeant de l'Amirauté un peu plus jeune que l'amiral Wuthiwat.

Field entendit chuchoter derrière lui et se retourna pour voir le général Krit qui montait l'escalier, escorté d'une douzaine de membres de son état-major. Ils étaient en uniforme, mais Krit arborait une simple chemise Prem, comme un gage de loyalisme. Le général hésita sur le seuil de la porte. Il avait le regard enfiévré, sans nul doute par tous les cognacs qu'il avait absorbés pour se donner le courage de venir. À son calme et à sa nonchalance habituels avaient fait place des gestes nerveux, saccadés. Trop agité pour remarquer la présence de Field, il donna l'ordre aux gens de sa suite de redescendre l'attendre en bas, fit une aspiration et, adoptant une attitude d'humilité, pénétra à pas feutrés dans la salle. À peine avait-il fait quelques mètres qu'un profond silence s'établit, tandis que tous les yeux se braquaient sur lui. Alors le fils du propriétaire de la Banque du Siam, le beau-fils de l'amiral Wuthiwat, bondit sur ses pieds en signe de respect, aussitôt imité par sa femme. Puis tous les invités en firent autant. Mais Krit feignit de ne pas s'en apercevoir. Il alla prendre place entre Pong et la fille de l'amiral à qui il présenta ses excuses pour son retard. Il n'expliqua pas ce qui l'avait retenu, mais laissa entendre qu'occupé à restaurer l'ordre dans la ville il n'avait pu se libérer plus tôt. On pouvait supposer qu'entre autres tâches il avait interrogé le frère de son hôtesse, Michael Woodward. Le propriétaire de la Banque du Siam, son fils et les sept autres banquiers se levèrent de table pour aller lui présenter leurs respects, tandis que Pong gardait la tête baissée, comme s'il était trop modeste pour reconnaître que la victoire de Krit était un peu la sienne. Ne fût-ce que pour assister à cette consécration de l'argent et du pouvoir, la foule des invités avait bien fait de se déplacer. Krit avait donc bien manœuvré en montant une opération dont il se sortait tout à son avantage. Un instant après on l'entendit déclarer, d'une voix juste assez forte pour être entendue à la ronde, que les enfants tels que lui avaient la plus grande vénération pour les hommes comme l'amiral Wuthiwat qui avait toujours servi sans faillir. Cette réflexion fut répétée tout autour de la pièce. Bref, il avait exécuté un numéro parfait.

Peu après, Field entendit derrière lui une voix polie et se retourna : c'était le directeur de l'hôtel escortant l'amiral qui gravissait les marches avec lenteur. Mis à part la femme de Michael Woodward et son premier boy qui l'encadraient, il était seul. Parvenu au sommet des marches, il se débarrassa de l'un et de l'autre et dit au directeur qui lui barrait le passage : « Du vent ! »

L'amiral Wuthiwat semblait très fragile. Beaucoup plus fragile qu'il ne l'avait paru au déjeuner du British Club. Il avait revêtu un antique uniforme blanc rehaussé d'une surabondance de broderies et de galons que ne lui valait pas seulement son titre d'officier supérieur de la marine. Il avait été également anobli, avec le titre de Phya, par le roi Rama VII en 1930, deux ans avant que le premier putsch mît fin à la monarchie absolue. Ce n'était pas le genre de tenue que l'on arborait à une fête d'anniversaire, surtout s'il s'agissait du vôtre. Durant deux ans, l'amiral s'était baptisé lui-même « Seigneur de la tactique de transparence », puis la révolution avait aboli les titres. Le col était un peu trop grand, son cou s'étant sans doute amenuisé, mais il tenait avec énergie le fourreau de son sabre et il marchait d'un pas assuré, suivi de près par sa belle-fille. L'assistance au complet se mit debout. Il regarda droit devant lui jusqu'à ce qu'il eût atteint sa place. Avec lenteur, il s'assit à côté du chef de l'état-major de la marine. Celui-ci tenta de lui dire quelque chose, mais il parut ne rien entendre. La femme de Michael Woodward se glissa à son tour sur une chaise, laissant libre la dernière place entre elle et l'amiral. Wuthiwat, le regard rivé sur l'assiette posée devant lui, se mit à trembler. Des murmures de curiosité parcouraient la salle ; les invités se félicitaient visiblement d'être venus car ils sentaient qu'il allait se passer quelque chose. Cinq minutes plus tard, les serveurs apparaissaient avec les premiers plats. Ils avaient presque atteint les tables quand l'amiral se leva et aboya dans la langue thaïe la plus commune, comme s'il donnait un ordre à des soldats : « Pas de mangeaille. Remportez tout ça. » Les serveurs, embarrassés, battirent en retraite tandis que le vieil homme examinait la salle. Son regard s'attarda un instant sur chacune de ses filles, en particulier sur celle qui était assise à côté du général Krit. Puis, dans un grand raclement métallique, il dégaina son sabre d'un seul mouvement et le posa sur la table devant lui. Deux verres tombèrent. « Je suis l'homme lige du roi ! » s'exclama-t-il d'une voix forte, passant de l'accent populaire des rues au ton presque désuet de la cour royale thaïe, adoptant en outre l'accent le plus élégant. « J'ai toujours été l'homme lige du roi. Je suis arrivé dans ce pays à peine plus grand qu'un enfant et j'ai servi le roi. En 1912, quand bien peu d'entre vous étaient nés, j'ai commencé à servir. Je l'ai servi et j'ai combattu pour lui. Je m'appelais Wuthiwat. Le roi m'a récompensé de ma loyauté en m'accordant un titre : Phya Prichacholyuth. En 1932, le coup d'État a ébranlé le trône du roi mais je gardais sa marine en état d'alerte. Il savait que j'étais prêt à me battre pour lui rendre son pouvoir absolu. Il m'a dit de n'en rien faire. Je suis un homme loyal, non aveuglé d'orgueil. Je lui ai obéi. Je me suis donné au roi pour qu'il se serve de moi. Je n'ai pas tenté de me servir de lui. » Il s'interrompit et son regard songeur se perdit un instant dans le vague ; puis il reporta son attention sur les assistants. « Tout ce que j'ai dit est vrai. »

L'autre vieil amiral assis à sa table hocha la tête en signe d'assentiment.

« En décembre 1941, les Japonais ont débarqué ici. Nous avons dû faire appel à toute notre ingéniosité pour protéger le pays. Pour éviter un massacre. Le 20 décembre, une de mes filles est tombée gravement malade. » Il montra du doigt la femme du banquier, assise près de Krit. « Celle-ci. » Son index ne tremblait plus. « Une opération immédiate était nécessaire. Sinon, c'était la mort en quelques heures. Il y avait plusieurs excellents docteurs thaïs mais, en mon absence, elle avait été transportée au Centre hospitalier où le seul docteur encore là était un Allemand, le docteur Steuben. » Wuthiwat désigna vers le fond de la salle un vieil homme. Steuben inclina la tête. « Le docteur Steuben était nazi. À l'époque, il roulait dans Bangkok arborant la croix gammée sur son capot, et quand il a vu ma fille sur la table d'opération, il a refusé d'intervenir. Pourquoi ? Parce qu'elle avait du sang juif. Par principe, il préférait la voir morte. Je me suis rendu à l'hôpital avec un pistolet. Je lui ai posé le canon sur la tempe et je lui ai dit : "Ou vous l'opérez, ou je vous tue. Si elle meurt, je vous tue également." J'aimais ma fille comme j'aimais mon roi, mais ce jour-là j'ai fait le vœu d'avoir un fils en plus de mes huit filles, un fils qui servirait le roi. Pas comme marin, mais comme docteur. Ce siège vide – il désigna la chaise à côté de lui – est celui de mon fils. Il est en prison ce soir. C'est cet homme-là – il tendit lentement la main vers Krit, à quelques mètres de distance – qui l'y a mis.

« Mon fils est un homme du roi comme je le suis moi-même. Qui refuserait de le croire ? Qui ? » Il saisit son sabre sur la table avec difficulté et l'agita au-dessus de sa tête. « Prenez cette lame et frappez-moi, n'importe lequel d'entre vous, si vous refusez de le croire. » Il promena sur l'assistance un regard flamboyant. Personne ne bougea. Il pointa alors son sabre sur Krit. « Voici un homme ambitieux, reprit-il, un général qui achète et qui vend. Un usurpateur du pouvoir qui a fait de mon fils un bouc émissaire pour masquer sa déloyauté. Quelqu'un est-il prêt à le nier ? » Son sabre toujours braqué sur Krit, il regarda à nouveau les invités. « N'importe lequel d'entre vous ? » Krit ne quittait pas le sabre des yeux. Wuthiwat, comme pétrifié, guetta dans l'assistance le moindre signe de protestation. Personne n'esquissant le moindre geste, il reporta son regard sur le général. « Demain matin, si mon fils n'est pas libre, je tuerai cet homme. Je suis vieux, mais je le tuerai. Et je le tuerai au nom du roi. » Essoufflé, il se cramponna à la table pour garder son équilibre et tenta de rengainer son sabre. Il n'y parvint qu'aidé par la femme de Meechaï.

Repoussant sa belle-fille d'un geste brusque, il se mit à marcher, du mieux qu'il pouvait, vers la porte, suivi de la jeune femme. Comme il passait à sa hauteur, Field s'inclina devant lui, mais le vieillard ne vit rien. Il agrippa la rampe de l'escalier et descendit les marches, aidé de son boy qui l'avait attendu.

Personne d'autre n'avait bougé. Une minute s'écoula. L'une des filles de l'amiral, celle qui était mariée à un haut fonctionnaire des Finances, se leva et se dirigea vers la porte, précédant son mari qui, visiblement nerveux, lui avait emboîté le pas. L'une après l'autre, les filles suivirent le mouvement sur un rythme crescendo, leurs maris derrière elles. Il ne restait plus que celle qui était assise entre le général Krit et l'homme de la Banque du Siam. Elle esquissa un mouvement pour s'écarter du général et voulut consulter son mari du regard, mais celui-ci ne quittait pas des yeux son propre père, le propriétaire de la banque. Tous les autres invités jetaient autour d'eux des regards inquiets, se demandant s'il fallait rester ou partir. Ils étaient venus en voyeurs, l'amiral en avait fait des protagonistes malgré eux. Amara bondit sur ses pieds et exhorta ceux de sa table. « Allons, debout, dit-elle. Vous n'allez pas rester ici ? Ahha ! Vous n'êtes pas tellement ambitieux, tous tant que vous êtes. » Elle saisit Tanun par le bras et se dirigea d'une démarche assurée vers la porte, suivie de ses compagnons de table. Il restait encore bon nombre de Thaïs de haute naissance, mais sans pouvoir, disséminés aux autres tables et, abandonnant çà et là leurs places, ils quittèrent la salle les uns après les autres.

Amara, voyant Field sur le seuil, s'arrêta :

« Bonjour, mon Johnny, dit-elle.

– Je croyais que Krit était un de vos généraux favoris ?

– Ahha. Oui, bien sûr... Mais les amis d'abord. Il y en a des tas comme lui. Nous les achetons pas cher. Pas de soucis. Ta petite fille va bien, au cas où ça t'intéresse. »

Il lui donna un baiser : « Pas de problèmes ?

– Oh, si, mais je leur ai lâché mes chiens dessus. Ne t'inquiète pas, mon Johnny. Je m'occupe très bien de mes hôtes. » Et elle s'éloigna d'un pas léger pour rejoindre un ami.

Field se retourna et laissa errer son regard sur la salle,

croisant celui de nombreux assistants, mais nul ne paraissait s'intéresser à lui. Les invités encore présents étaient restés assis. Les soldats ne voulaient pas se mettre Krit à dos. Les hommes d'affaires avaient besoin des soldats. Et les étrangers feraient faillite sans le concours du gouvernement. Krit les dévisageait tour à tour, les clouant à leurs places.

Puis le vieil amiral en retraite, à la table principale, se leva et murmura assez fort pour être entendu de ses voisins : « Wuthiwat est l'homme du roi » et, à pas lents, il se dirigea en boitant vers la porte. Quelques secondes plus tard, le chef d'état-major de la marine le rattrapait et lui prenait le bras. Aussitôt, tous les autres marins se mirent sur pied et sortirent en troupe. Il y eut alors une pause qu'interrompit un soudain remue-ménage dans un coin éloigné : le docteur Steuben, l'ex-nazi, repoussait sa chaise derrière lui. Une fois debout, il vint jusqu'à la table de Krit, s'inclina devant la fille de Wuthiwat et lui offrit son bras. Elle se leva d'un bond pour le saisir, laissant son mari en arrière. Quelques instants plus tard, les *farang* restants se pressaient pour quitter la salle, horrifiés à la pensée qu'un ancien nazi les avait devancés dans la solution d'un dilemme moral.

La pièce était maintenant plus qu'à demi vide et le vieux propriétaire de la Banque du Siam promena un regard attentif sur la salle pour évaluer le degré d'importance de ceux qui étaient partis et de ceux qui étaient restés. En tant que Chinois à Bangkok, il était très important pour lui de ne pas compromettre inconsidérément sa position. Surtout s'il optait pour le mauvais parti. Il chuchota quelques mots à l'oreille de son fils qui, figé sur place, regardait fixement sa femme sur le point de disparaître. Les deux hommes se levèrent avec calme, évitant de se tourner vers Krit, et les sept autres banquiers leur emboîtèrent le pas. Krit se retrouva seul à sa table avec Pong Hsi Kun qui, le dos tourné au général, regardait s'éloigner sa propre respectabilité en la personne du patron de la Banque du Siam. Avec un bref claquement de langue, il se leva à son tour et suivit les autres, les yeux rivés sur ses pieds pour éviter de croiser le regard de Krit. Comme il atteignait la porte, il s'aperçut que le passage était barré et releva la tête à la dernière seconde pour voir Field planté devant lui et, subitement, il parut perdre toute maîtrise de lui-même. À croire qu'il allait s'évanouir. Sa défaillance ne dura qu'un instant. S'étant ressaisi, il fit un pas de côté et se mit à descendre les marches.

« Comme c'est simple, murmura Field pour lui-même. Et pourquoi ne serait-ce pas simple ? Pourquoi ne serait-ce pas la personne la plus évidente ? » Il regarda Pong disparaître à petits pas pressés. « Pourquoi pas ? » Il se retourna vers la salle où ne restaient plus qu'une cinquantaine d'hommes, tous officiers de l'armée royale. Le général Krit, assis devant sa table, sirotait son cognac sans paraître les voir.

Field passa la nuit au Dusit Thani où son ami, au bureau de réception, lui donna une chambre sans remplir de fiche de crainte qu'on ne retrouvât sa trace. Tôt le lendemain matin, il prit un taxi pour se rendre à la propriété de Pong, dans une allée débouchant sur Sukhumwit, non loin de chez lui. Il attendit là, au fond de la petite Toyota, une bonne partie de la matinée avant que Pong sortît dans sa Mercedes. C'était une limousine extralongue et que son allure relativement lente au milieu d'une circulation encombrée rendait facile à suivre. Arrivé devant la gare, Pong descendit et gagna son vieux bureau dans un bâtiment évoquant la forme d'un tigre accroupi conçu comme pour affronter une myriade d'artères et de voies ferrées convergentes. À nouveau Field attendit dans la voiture. Et il songea que s'il valait mieux suivre qu'être suivi, il lui faudrait bien, à un moment ou à un autre, prendre l'initiative. Pong resurgit avant l'heure du déjeuner et se fit reconduire le long de l'université et du parc Lumphini jusqu'à Wireless Road où la Mercedes obliqua dans une allée latérale et pénétra au Polo Club. Field conserva son taxi mais le fit arrêter à hauteur d'un large renfoncement dans le mur, près de l'entrée du club où était aménagé un restaurant. On y servait de l'ail et du poulet frit, du riz gluant et de la salade à la papaye verte. Le poulet était grillé dans la rue. Sur les tables étaient disposés des rouleaux de papier hygiénique en guise de serviettes.

Il en était à son second plat lorsque la Mercedes ressortit. Quelqu'un occupait la banquette arrière à côté de Pong. Une femme. Field se leva pour mieux la voir. C'était Amara, les cheveux empilés avec soin sur le sommet de la tête ainsi qu'elle se coiffait dans la journée, avec son rire perpétuel. Puis la voiture s'éloigna. Il était certain d'avoir reconnu Amara et pourtant, non, cela ne tenait pas debout. Non. Elle n'était pas le genre de femme à jouer un rôle central dans une opération comme... Et il lui avait précisément confié sa propre fille. Il revint s'asseoir et demanda une bière. Puis il en but une seconde et se rendit à la cabine téléphonique au bout de l'allée d'où il appela la maison d'Amara. Songlin lui répondit d'un ton excédé. Elle était coincée là-bas, lui dit-elle, cernée par les eaux, aucun drainage n'ayant été tenté dans le quartier, et elle manquait tous ses cours à l'université. Rien ne s'était produit depuis le soir où l'avait emmenée le chauffeur d'Amara. Elle n'avait vu personne. Field lui demanda si Amara avait effectivement lâché ses chiens sur des intrus. Songlin ignorait tout de cet incident.

Au milieu de Wireless Road, parmi les voitures embouteillées, un jeune garçon vendait les journaux. Il criait le nom de Krit. Field se fraya un passage jusqu'à lui, lui acheta un journal et revint prendre sa place au restaurant. Les activités du général occupaient presque en totalité la première page. Il y avait une photo de lui à la prison centrale prise en début de matinée. Il s'y était rendu personnellement pour faire libérer le docteur Meechaï Wuthiwat et pour lui présenter ses excuses à propos du malentendu qui avait entraîné son arrestation. Il avait également remis à Woodward un million de baht en liquide à titre de don personnel pour les victimes de l'incendie de Klong Toey, de façon qu'ils puissent reconstruire leurs foyers. Il avait ensuite accompagné Woodward au quartier des taudis, où il avait donné aux soldats qui gardaient la zone sinistrée pour les autorités portuaires l'ordre de laisser les habitants bâtir des maisons nouvelles sur leurs anciennes terres.

Toutes ces démarches avaient eu pour témoins des hordes de journalistes qui avaient suivi le général jusqu'au grand quartier général où il avait remis sa démission de général commandant la première division et demandé à être rayé des cadres. Une heure de délai avait été nécessaire pour cette requête qui nécessitait l'approbation royale et, celle-ci une fois obtenue, il avait été emmené dans une petite voiture appartenant à la famille – une vieille Fiat sans doute destinée aux courses en temps normal – pour faire ses adieux à ses proches. Il y avait eu des témoins oculaires de cette scène particulière, mais aucun photographe n'avait été autorisé à y assister et on ne disposait donc d'aucun document attestant que la femme du général Krit eût versé des larmes. Un photographe, toutefois, juché au sommet d'un mur du jardin, avait réussi à prendre au téléobjectif un cliché du général quittant sa maison en vêtements civils. À l'arrière-plan, deux serviteurs tenaient pour lui les portes ouvertes. Derrière eux, l'on distinguait un vaste hall et les silhouettes de deux grands bouddhas. Field crut bien les reconnaître. Les journalistes suivirent Krit en cavalcade jusqu'au fleuve, près du Grand Palais où il monta dans une simple vedette privée qui partit à contre-courant. Des policiers avaient été postés pour empêcher quiconque de louer une embarcation avec l'intention de le suivre jusqu'à ce que la vedette fût hors de vue. Un bref communiqué de presse fut diffusé sur l'appontement, expliquant que le général se rendait à un monastère inaccessible par voie de terre où il allait se faire moine pour y expier toute sa vie passée.

« Foutre ! s'exclama Field à haute voix, cette histoire tourne au numéro de cirque. »

Puis il se souvint que c'était Pong qui comptait, et maintenant Amara, et il remonta dans son taxi. Ils commencèrent à rouler vers les bureaux de la Banque du Siam sur Sathorn Avenue, qui se trouvaient à près d'un kilomètre au-delà de la East-West Trading Company de Mme Laker. La pluie se mit à tomber quelques instants après et, comme ils achevaient leur trajet, le canal d'eau stagnante coulant au milieu de l'avenue avait débordé. La Banque du Siam avait édifié une nouvelle tour de marbre haute de trente-cinq étages reposant sur des pilotis de béton profondément ancrés dans le sol. Tout autour, la terre s'était enfoncée au-dessous du niveau normal des rues. Aux approches de l'immeuble, et devant la montée de l'eau, le taxi ralentit et Field le fit arrêter sur le bas-côté pour attendre la fin de l'averse. De là, il aperçut sous la masse du bâtiment la Mercedes déjà garée devant l'alignement des portes principales. Pong était certainement arrivé juste avant que le canal déborde. Il était typique de la part des nantis de Bangkok de s'assurer que leurs constructions fussent à l'abri des inondations, mais sans se soucier d'aménager les voies environnantes qui leur donnaient accès.

Une demi-heure plus tard, la pluie s'arrêta et Field fit redémarrer le chauffeur vers l'immeuble. Il leur restait une cinquantaine de mètres à franchir quand le moteur se mit à crachoter. Field sauta du véhicule et s'avança dans l'eau qui lui montait aux genoux ; quand il en eut jusqu'à mi-cuisse, il s'arrêta et songea aux maladies variées qu'il pouvait attraper en laissant ce liquide fangeux pénétrer en lui par tel ou tel orifice. Il existait diverses espèces de vers dont certains pouvaient vous attaquer le foie ; et, bien entendu, il y avait l'hépatite. Puis Field décida que c'était sans importance ; il était déjà contaminé. La douleur qu'il ressentait était devenue si constante qu'il en perdait presque conscience. À quelques mètres de lui, une bête s'agitait dans l'eau. Il regarda de plus près et vit que c'était un rat, un rat énorme qui s'éloignait de la banque à la nage, la gueule ouverte sur ses dents grises. Field frappa dans l'eau pour le faire changer de direction, puis se remit à patauger. Après quelques mètres, il sentit sous ses pieds le sol de ciment remonter rapidement vers les assises de la tour. D'un pas ferme, il avança à travers le hall de marbre blanc, laissant derrière lui une traînée d'eau sale. Le bruit mou de ses chaussettes dans ses souliers l'incita à s'interroger sur ce qu'il convenait de faire. S'il attendait là, il verrait tôt ou tard Amara descendre des étages et ce serait entre eux la confrontation. Il regarda autour de lui. Les gardes, sur le seuil des portes, l'observaient déjà avec insistance. Il laissa son regard errer vers le plafond haut comme une voûte de cathédrale. Le bâtiment ressemblait à n'importe quelle tour de banque à travers le monde. Il appuya sur le bouton de l'ascenseur et, une fois dans la cabine, pressa le carré du trente-cinquième étage. C'était le dernier.

Tout en haut, les gardes lui demandèrent son nom et, à son tour, il déclara qu'il voulait voir Pong Hsi Kun. Ce n'était pas une méthode orthodoxe pour rendre visite au président de la Banque du Siam, mais dans l'instant elle parut adéquate à Field. On le fit attendre sur le tapis de laine quatre minutes au plus avant de le conduire le long de couloirs garnis de boiseries jusque dans une antichambre suivie d'un bureau plus grand que la totalité du rez-de-chaussée de sa propre maison. Au loin, à l'autre bout de la pièce, Pong était assis derrière sa table, mains jointes, les avant-bras à plat sur son buvard. Ses doigts étaient surchargés d'anneaux d'or. Pong esquissa un sourire et ses dents brillèrent dans la lumière. Marquant derrière lui le tapis d'un sillage humide, Field avança en louvoyant parmi le prétentieux mobilier pseudo-français, chaque pièce chargée de dorures s'inspirait d'un salmigondis de tous les styles « Louis » connus. Parvenu près du bureau, il considéra longuement son occupant. Pong arborait un complet de soie grise avec une chemise de soie crème et une lourde cravate de soie noire ; le genre de vêtements que l'on ne pouvait porter à Bangkok que si l'on baignait en permanence dans l'air conditionné. Sans hâte, Field pivota pour regarder autour de lui ; l'un des murs était réservé à de vastes baies vitrées donnant sur le large cours d'eau qu'était devenue Sathorn Avenue. Dans celui d'en face étaient aménagées une série de portes.

« Alors Amara est partie. »

Pong eut un clignement d'yeux derrière ses lunettes.

« M. Field aime les surprises. Non, elle n'est pas partie. Elle n'est pas venue ici.

– Vous avez quitté le Polo ensemble. »

Pong acquiesça : « Oui, et je l'ai déposée en revenant. Aviez-vous rendez-vous avec elle dans mon bureau ? »

Field ne savait pas trop quelle attitude prendre. Il se laissa tomber au fond de l'un des grands fauteuils de cuir devant le bureau et sentit l'eau qui coulait le long de ses jambes de pantalon. Avec la climatisation, un froid poisseux lui envahissait le bas du corps.

« Une femme charmante, déclara Pong. Je n'aurais pas cru qu'elle me plairait. Je n'apprécie pas ces femmes mondaines. Non, je les préfère plus simples.

– C'était votre première rencontre ?

– Mais oui. Elle m'a appelé ce matin. Il y a, dans l'armée, un jeune brigadier que j'admire. Je crois que je pourrais faciliter son avancement maintenant que mon ami Krit a pris sa retraite. Et votre amie Amara est sa cousine. Nous allons donc tous déjeuner ensemble.

– Et Amara, qu'est-ce qu'elle y gagne ?

– Vous êtes bien curieux, monsieur Field. Pourquoi ne le lui demandez-vous pas ?

– Je vais le faire, comptez-y. Je suis venu à propos de Somchaï.

– Somchaï ?

– Somchaï, oui. Un Thaï. De Vientiane. Pour une affaire de drogue, je crois. Et le meurtre d'un couple de Canadiens.

– Ah, ces deux-là ! Oui, j'en ai entendu parler, mais du reste, non.

– Peu importe, Pong. Écoutez-moi bien. Je n'ai pas l'intention de passer à l'action. Je ne veux ni parler à qui que ce soit, ni publier quoi que ce soit. Je n'ai rien vu. Je ne sais rien. Alors, rappelez vos molosses. Et laissez-moi tranquille. D'accord ? Moi, je vous laisserai tranquille aussi. Faites-en autant pour moi. Ce que vous magouillez ou pas, je m'en moque. Simplement, fichez-moi la paix. Ça vous paraît juste ?

– Je vous fiche la paix, monsieur Field. C'est vous qui êtes venu ici. Je me rends compte que si vous considériez la réputation du pauvre Krit, et même la mienne à mes débuts, vous pourriez en tirer certaines conclusions, lesquelles exactement, je ne sais pas. Mais ce n'étaient que des jeux d'enfants, des bagatelles. Regardez cet endroit. » Il montra la pièce de ses bras potelés. « Je ne m'intéresse pas aux petites combines minables.

– Six tonnes d'héroïne par an n'ont rien de minable. Elles tiendraient à peine dans votre bureau. Je n'ai pas vu les caves de ce palais, mais je dirai que les revenus fournis par ce tonnage de drogue les rempliraient agréablement. » Field s'efforça de se refréner. Il n'avait pas voulu tenir ces propos. « De toute façon, je m'en fous, conclut-il.

– Moi aussi, monsieur Field. Je crois qu'en venant ici, vous vous êtes trompé d'adresse. »

Field eut un hochement de tête impatient : « C'est pourquoi, avec tout ceci pour vous occuper (il désigna le bureau autour de lui avec le même geste que Pong), vous m'avez reçu si vite. Eh bien, rassurez-vous. Je ne suis pas venu vous menacer. Je vous demande seulement de m'oublier. »

Pong pressa un bouton et un secrétaire ouvrit une porte au fond de la pièce.

« Très volontiers. Au revoir. » Il ne se leva pas.

Field constata qu'il avait laissé une large tache sombre sur le fauteuil de cuir où il s'était assis. « Ça lui fera les pieds », pensa-t-il, et il s'en alla, écoutant le chuintement de ses chaussettes détrempées dans ses souliers.

Il pataugea sur la route inondée où l'eau avait continué à monter à tel point que les taxis ne pouvaient plus rouler dans cette partie de la ville. Enfin, il réussit à trouver un autobus bondé qui le conduisit, debout, nuque baissée sous le plafond, à mi-chemin de sa maison. Sur Rama IV, il arrêta un taxi et arriva chez lui à la nuit tombée, dans trente centimètres d'eau. Apparemment, il n'y avait personne pour l'attendre, ce qui l'étonna. Peut-être avait-il réussi à décourager ses poursuivants. Il fit au petit-fils de la cuisinière un cours détaillé sur la sécurité, boucla toutes les portes lui-même, mangea des œufs brouillés et monta se coucher ; il ferma à clef la porte de sa chambre et posa à côté de lui son pistolet. Tout d'abord incapable de trouver le sommeil, il conclut que c'était l'absence d'Ao qui le perturbait. Cette prise de conscience l'apaisa vaguement et il finit par s'assoupir.

À trois heures du matin, projeté hors de son lit, il se retrouva sur le sol avec ses couvertures. Il resta un moment hébété, tandis que se recomposait dans son esprit le souvenir de l'explosion qui venait de l'arracher au néant. Il saisit son arme – tombée elle aussi sur le sol – et alla ouvrir la porte. Une odeur terrible lui parvint aux narines.

« Yaï ! Yaï ! »

Il continua à appeler jusqu'à ce que le gardien et la cuisinière apparussent au pied des marches.

« Oui, monsieur ?

– Comment ça : oui, monsieur ? Vous ne sentez rien ou quoi ? Oh, merde ! » Il dévala l'escalier et alluma les lumières. La puanteur mise à part, tout paraissait normal. Il y avait des waters, sous l'escalier, presque à l'aplomb de sa chambre. Comme il s'approchait de la porte, il fut à moitié suffoqué. « Viens ici, lança-t-il au gardien. Ouvre cette porte. » Le jeune garçon refusait de bouger. « Viens, bon sang, c'est pour ça qu'on te paie. » Field lui fit signe d'avancer et battit en retraite. « Allez, nom de

Dieu, vas-y. » Avec répugnance, le jeune garçon tourna la poignée et poussa. Des effluves putrides les submergèrent et une boue noirâtre se mit à couler par l'ouverture. À l'intérieur apparaissaient dans un magma immonde des fragments de porcelaine. La fosse septique avait explosé sous la pression de l'inondation.

« Referme ! cria Field. Referme ! » Il remonta vivement l'escalier et, parvenu au palier, lança ses instructions à la cuisinière. « Dis à ton petit-fils de nettoyer tout ça. Immédiatement. » Puis il regagna sa chambre, s'y enferma, mit le ventilateur au maximum de sa vitesse et se rendormit.

Au matin, la maison entière était saturée par l'odeur mais Field se réveilla le cœur léger. Il avait l'impression que la pluie allait s'arrêter, l'inondation se résorber et Pong s'évanouir avec sa drogue et ses associés. Il baissa les yeux sur son caleçon, l'ôta et examina son organe malade. Même ce cauchemar disparaîtrait. Et le soleil se remettrait à briller.

Il rêvassait encore lorsque la cuisinière vint à sa porte pour lui annoncer qu'un policier, accompagné d'un autre homme, le demandait en bas. Il pensa aussitôt à Songlin. Se vêtant à la hâte, il descendit. L'« autre homme » était un fonctionnaire du service d'immigration portant une chemise Prem de polyester et des souliers éculés. Ce dernier lui tendit une lettre – plus précisément un ordre d'expulsion – qui prenait effet une semaine plus tard. Field lut le papier deux fois.

« J'ai un visa de six mois, dit-il sans conviction.

– Votre trente-huitième visa de six mois, je crois, monsieur Field, remarqua le fonctionnaire, il a été invalidé.

– Invalidé ? En quel honneur ? »

Le bureaucrate désigna le policier : « Je suis ici mandaté par les services de renseignements. »

Il considéra le policier avec plus d'attention. Il avait quelque chose de flasque ; son uniforme de tissu synthétique et rigide était distendu par sa corpulence et son arrière-train était boudiné à l'excès. Il émanait de lui comme un relent de faveurs accordées et de faveurs reçues. « Vous êtes du S.R. ? » Il n'obtint pas de réponse. « Je suis censé mettre en danger la sûreté du pays ? Allons donc, quel danger ? »

Le policier resta silencieux et le fonctionnaire eut un sourire mielleux. « Je crois qu'il faudrait vous adresser à un échelon supérieur pour obtenir des explications valables. »

Field relut l'ordre d'expulsion et dévisagea tour à tour les deux hommes. « Oh, merde ! » Il jeta dans le vide un regard circulaire et déclara à voix haute : « Je ne veux pas partir. Je veux rester ici.

– Je suppose, monsieur Field, dit le fonctionnaire, que vous pourrez revenir avec un statut de touriste, qui vous permettra de faire, sans visa, autant de séjours que vous voudrez pourvu qu'ils n'excèdent pas quinze jours. Auquel cas, il vous suffira d'arriver à l'aérodrome venant de l'étranger.

– Vous voulez dire, venir et repartir par avion tous les dix jours ?

– Vous pourriez toujours essayer. » Il avait pris un ton conciliant.

« Et mon nom ne sera pas mis sur une liste noire au comptoir du service d'immigration ? demanda vivement Field.

– Je ne pourrais pas vous dire. Ce n'est pas de mon ressort. Il y a une section spéciale qui traite de ces questions. » Son regard évita celui de Field.

« Alors, mon nom est inscrit sur votre grand livre ?

– Encore une fois, je ne sais pas. » Il y eut un silence pendant lequel le fonctionnaire jeta à Field plusieurs coups d'œil à la dérobée. « Peut-être. C'est concevable.

– Alors, à quoi bon faire cet essai ? »

Le fonctionnaire ne fit aucun commentaire et se dirigea vers la porte d'une démarche embarrassée, suivi par le policier. Field s'éloigna d'eux pour aller contempler, de sa galerie, l'herbe noyée de boue par l'inondation quotidienne et le *klong* débordant sur le terrain environnant. « Je ne m'en irai pas. » Il se retourna, les hommes étaient partis. « Non, je ne m'en irai pas. »

Il appela au téléphone Henry Crappe chez lui et dit à sa femme de le réveiller.

Crappe vint à l'appareil en protestant : « Si vous interrompez ma sieste, la qualité de mon écriture...

– Une question. Où Krit est-il allé ?

– Vous êtes à la recherche de renseignements précieux.

– Je suis pressé, Henry. Où est-il allé ? »

Crappe exhala un soupir : « Si je comprends bien, notre général a choisi de remonter le courant. Je veux dire, celui du fleuve. Wat Chalerm, au-delà de Nonthaburi.

– Merci. » Field allait reposer le récepteur.

« John. Écoutez. Vous n'avez pas l'intention d'acheter du sucre, par hasard ?

– Quoi ?

– Du sucre. Le putsch a été si rapide que j'ai de gros stocks à écouler.

– Gardez-les pour le prochain, Henry.

– Bien sûr. Bien sûr. Mais j'ai beaucoup investi dans l'alimentaire. Beaucoup trop pour un homme avec mes faibles moyens.

– Nous en reparlerons, Henry. » Field raccrocha, se

changea, sortit et se mit en quête d'un taxi. Une petite Fiat attendait au portail de l'enceinte et, lorsqu'il eut franchi une cinquantaine de mètres le long de l'allée menant à Sukhumwit, la voiture se mit à le suivre en roulant au pas. Field s'arrêta pour regarder en arrière. Il pouvait s'agir de n'importe qui. Des agents des services spéciaux, par exemple, chargés de le surveiller et de l'empêcher de filer. D'un autre côté, c'était bien là ce qu'ils attendaient de lui, pourvu qu'il passât la frontière. C'étaient peut-être aussi des hommes à la solde de Pong. Il envisagea un instant de leur demander de le conduire, puis, se ravisant, il traversa du côté ensoleillé de la chaussée et continua à marcher vers Sukhumwit où il prit un taxi pour descendre jusqu'au fleuve. Comme Field sautait dans le véhicule, le chauffeur mit une cassette dans sa radio de bord. Une voix se mit à brailler au son des guitares : *Born in U.S.A. ! Born in U.S.A. !* Field tendit la main par-dessus la banquette avant et pressa le bouton éjecteur de la cassette. Sathorn Avenue était presque au sec mais la Banque du Siam était toujours entourée de sa nappe d'eau profonde. La Mercedes grise de Pong n'avait pas bougé du parking couvert, ainsi que deux autres voitures noires, une couleur distinctive qui indiquait le rang de leurs propriétaires. Un peu plus loin le long de la route, la propriété de Mme Laker se dressait comme une grande île carrée entourée de digues avec une courte passerelle surélevée donnant accès au monde extérieur.

Parvenu à l'extrémité de l'avenue, il quitta le taxi près de l'arrêt du ferry au bord du fleuve. En aval, le nouveau pont barrait le ciel d'une ombre noire. Field s'avança sur l'embarcadère du Chao Phraya Express. Un instant plus tard, la petite Fiat s'arrêta et un homme en descendit du côté opposé au volant. Difficile de le définir. Peut-être était-il policier. Peut-être un tueur d'une catégorie supérieure. En tout cas, sous sa chemise flottante, se distinguait nettement une légère bosse au niveau de l'aisselle. De minute en minute arrivaient d'autres passagers et ils furent bientôt une vingtaine à attendre dans l'ombre. Seul Field resta planté sur l'appontement en plein soleil.

Un quart d'heure s'écoula avant que le bateau apparût, forçant l'allure à contre-courant. Il filait, bas sur l'eau et peint en blanc avec un liston rouge. Sur une soixantaine de sièges à l'avant, la moitié environ étaient occupés ; quelques moines se tenaient debout derrière le moteur à l'arrière. Quelques secondes avant que l'étrave vînt heurter l'appontement, le gamin tenant l'amarre poussa un coup de sifflet aigu. Le pilote coupa le moteur, puis le lança en marche arrière et tourna la roue du gouvernail. Comme par miracle, la poupe de l'embarcation vint s'aligner d'une embardée à un mètre de l'embarcadère ; le gamin sauta du pont pour s'arc-bouter contre la coque et donner le temps aux voyageurs de s'avancer sur l'appontement de planches auquel ils imprimèrent de violents remous. Collés les uns aux autres, ils sautèrent par-dessus la faille qui les séparait de la plage arrière pour gagner les places libres. Solidement campé sur ses jambes, Field attendit tandis que les passagers se bousculaient, les yeux rivés sur l'homme descendu de la Fiat qui se tenait en retrait. Lorsqu'ils furent seuls sur l'appontement, distants l'un de l'autre d'à peine un mètre, le gamin lança un coup de sifflet impatient à leur adresse et s'avança pour sauter sur le bateau. Field sourit à l'homme de la Fiat et fit un signe de tête au gamin comme pour dire que lui et son ami avaient renoncé à faire le voyage. Le jeune garçon donna un nouveau coup de sifflet et, comme le pilote faisait gronder son moteur, il s'élança d'un bond sur l'arrière du bateau. Brusquement, Field sauta à sa suite, saisissant au vol le bastingage. L'homme avait prévu cette manœuvre et se précipitait à son tour mais Field, se penchant en avant comme pour l'aider à monter à bord, le rejeta en arrière d'une violente poussée. L'homme tomba dans l'eau. Le gamin prit un air étonné, mais Field se mit à rire et le gamin l'imita, concluant, semblait-il, à une bonne plaisanterie. Il y avait une place libre à la poupe, juste derrière le pilote, qui manipulait un transistor amarré à côté de lui. Ayant capté *Made in Thailand*, il poussa le volume au maximum. Field se laissa aller en arrière sur son siège et se pencha par-dessus bord, si bien que l'eau éclaboussa sa chemise et qu'il eut le visage aspergé d'une fine écume.

Ils remontèrent le fleuve en décrivant des crochets pour éviter soit des ferries venant en sens inverse ou des trains de péniches, tandis que les embarcations à moteur effilées les dépassaient en rugissant, surgies d'on ne savait où, et disparaissaient sur l'avant. L'express passa devant les sept vieilles églises échelonnées le long du fleuve, vestiges d'un rêve de missionnaires inachevé, devant le Grand Palais et Wat Mahathat où se rassemblaient les marchands de reliques. Quelque temps après, les immeubles modernes de béton s'estompaient à l'arrière, remplacés par les maisons de bois bâties au-dessus de l'eau avec leurs toits de tôle rouillés et leurs courts escaliers descendant au niveau du fleuve. Çà et là, des femmes étaient assises au bas des marches, immergées jusqu'aux épaules et en train de se laver. À chaque arrêt, un groupe de petits garçons en short se mettaient à piailler sur le roof de l'express et se jetaient dans les remous du sillage tandis que le bateau s'élançait en rugissant. Le trajet dura plus d'une heure, Field resta l'esprit vide, vacant, à l'exception d'un leitmotiv obsédant : « Je ne partirai pas. »

Le dernier arrêt était à Nonthaburi, non loin de la prison où il s'était rendu une semaine plus tôt. Il trouva amarré à l'autre bout de l'appontement un taxi d'eau, une de ces longues barques fuselées, et monta dans la frêle embarcation dont le plat-bord affleurait l'eau. À grande vitesse, Wat Chalerm n'était pas à plus de cinq minutes sur l'autre rive, vers l'amont du fleuve. Un jeune sourd-muet, assis sur l'embarcadère avec une petite cage à oiseaux, attendait de vendre son contenu à quiconque eût souhaité gagner des mérites. Il y avait trois élégants *sala* à quelques mètres de la rive derrière lesquels se dressait un mur dans le style chinois, au-delà duquel étaient groupés trois petits temples dont deux en ruine. Les maisons des moines se trouvaient plus loin, près du stupa, dans l'ombre épaisse des arbres. C'étaient de simples cabanes de bois sur pilotis en bordure d'un *klong* qui rappelait plutôt un ruisseau en pleine jungle. Les cabanes étaient entourées de petits jardins ornés de fleurs et de rochers selon les goûts de chacun de leurs occupants. Il n'y avait pas de légumes. Il eût été choquant de la part d'un moine de se soucier de sa survie.

Field déambula sous les arbres jusqu'à ce qu'il aperçût un homme, vêtu seulement du bas de sa robe, en train de laver du linge dans le *klong*. Au bruit de ses pas, l'homme se retourna et esquissa un sourire plein de douceur.

« Monsieur Field, bonjour », dit-il.

Il lui fallut un moment pour reconnaître le général Krit, les cheveux et les sourcils rasés, debout pieds nus dans un *klong*. Mais ce n'était pas tout. Son visage même avait changé. Le feu brûlant dans son regard s'était éteint. « Attendez là-dedans que j'aie fini. »

Field grimpa dans la cabane de moine. Elle se composait d'une pièce unique et nue, à l'exception d'une paillasse et d'un ensemble de robes pliées dans un coin. Les parois de bois sombre y entretenaient une atmosphère plus fraîche et à travers les fenêtres sans écran soufflait une brise légère. On entendait au-dehors un clapotis d'eau brassée et de rinçage.

Au bout d'un moment, Krit regagna sa cabane et, à gestes lents, se changea pour endosser une robe propre. Il avait le torse glabre et flasque comme celui d'un vieillard. Il s'assit en face de Field et le considéra avec une indifférence lointaine mais sans hostilité. Sa robe était d'un marron sombre, la couleur des ordres les plus stricts.

« Très convaincant », grommela Field.

Une expression d'indulgence apparut sur le visage de Krit : « Vous connaissez la phrase : "Rares sont ceux qui parviennent à l'autre rive. Les autres errent en courant de-çi, de-là sur les bords du fleuve."

– C'est un voyage à cinq baht. »

Krit se mit à rire : « Voilà pourquoi j'ai choisi une robe brune. Nous n'avons pas le droit de toucher même un baht.

– Vous pouvez vous offrir le luxe de jouer les convertis. Non. Écoutez, excusez-moi. Peu importe ce que je pense.

– Je peux en dire autant, dit Krit. C'est un essai que je fais ici. Hier, j'ai renoncé au pouvoir, à la famille, à l'argent, au cognac même, monsieur Field. C'était un bel exploit, qu'en pensez-vous ? Une performance. Ensuite, je suis venu ici où l'on m'a débarrassé de mes vêtements et de mes cheveux, après quoi je suis descendu dans le *klong* pour laisser le courant tout emporter. C'est ainsi que je le ressentais. Tout s'en allant au fil de l'eau. Une expérience très inattendue, croyez-moi. Maintenant, je vais donc voir ce qui va se passer. Mais je suis las de tout le reste. Je crois que c'est là la clef du problème. Non pas l'ennui, mais la lassitude. Je ne veux plus revenir en arrière.

– J'ai besoin de votre aide.

– Et je suis prêt à vous aider mais, en toute franchise, je n'ai plus aucun instrument à ma disposition. Rien. Pas même Pong.

– Vous êtes au courant de ce trafic de drogue avec le Laos ?

– Vaguement.

– Vaguement ? Qu'est-ce que ça veut dire ? Vous êtes au courant ou pas ?

– De loin. Je me souviens très bien de vos allusions dans la presse. Les généraux vivent du trafic de la drogue. C'est exact, en effet. Mais nos partenaires en affaires aussi. Et franchement, j'ai cessé de m'y intéresser depuis deux ans. Comme vous dites, je peux m'offrir le luxe de m'en détacher. Mais les hommes d'affaires, sûrement pas. J'étais parfaitement heureux avec mon pécule. Eux ne peuvent pas se passer de cash flow. C'est leur rêve, le cash flow perpétuel. Je ne suis qu'un soldat. Je ne demandais que la sécurité. Alors dans une affaire pareille, qui se sert de qui ? Je n'ai jamais compris ce dernier point.

– J'ai vu Pong hier. Il m'a servi le même couplet. Il est au-dessus de tout ça maintenant.

– Eh bien, c'est peut-être vrai, mais son ascension à la Banque du Siam est très récente, tandis que ce trafic avec le Laos ne l'est pas. Et puis, un fait ne contredit pas nécessairement l'autre, pas plus que la banque ne contredit l'héroïne.

– Si vous voulez ; n'empêche que j'ai leurs tueurs aux trousses.

– Encore une fois, ce n'est pas une contradiction. La Banque du Siam représente la respectabilité. Ce que vous pouvez savoir est une menace pour cette respectabilité.

– Et maintenant, mon visa a été annulé.

– Vraiment ? Vous êtes sûr ? » Krit sourit, incapable de cacher son admiration pour une mesure si simple. « Ma foi, je n'aurais pas pensé à ça. » Puis il recouvra sa dignité : « Partez, monsieur Field. Partez. Peut-être vous offrent-ils un départ sans risques.

– Mais je ne veux pas m'en aller. Je suis ici chez moi. Voilà pourquoi j'ai besoin de vous.

– Vous savez ce qu'est la vengeance, ici. Elle peut être soudaine ou à longue échéance. Elle peut être apparente ou cachée. Si vous partez et ne faites pas parler de vous, peut-être vous laisseront-ils en paix. Si vous restez, ils viendront sûrement vous régler votre compte un jour ou l'autre. Et vous ne saurez même pas d'où ils surgiront. Même aujourd'hui, votre expulsion peut n'être que l'amorce d'une autre manœuvre. Supposons que vous mouriez demain. Ils diront : Vous voyez, cet homme fréquentait la pègre de Bangkok. Nous l'avons expulsé faute de preuves irréfutables mais il a été éliminé par ses ennemis avant d'avoir échappé à leur emprise.

– Je ne veux pas partir.

– Très bien. C'est peut-être votre karma. Peut-être êtes-vous destiné à être tué. Votre mort vous appartient, c'est certain. Elle est à vous tant que vous êtes en vie. Alors, si vous avez envie de la solliciter, c'est votre affaire. Mais pourquoi ne pas prendre cette arme dans votre ceinture et vous la donner vous-même ? Bien sûr, ce n'est pas un bon conseil bouddhiste, ni chrétien, mais je crois que cela vaut mieux que de l'attendre d'une main inconnue. Voyons, qui a organisé votre expulsion ? Peut-être Pong, à moins que ce ne soit le Laos par un circuit que je ne connais pas. Le responsable n'est pas forcément le même que celui qui essaie de vous supprimer. Il serait peut-être horrifié d'apprendre que vous partez, au loin, sain et sauf. Le trafiquant, par exemple...

– Somchaï ?

– C'est son nom ? Ah oui, celui qui n'est pas allé en

prison. Je me souviens. Il n'a peut-être pas envie que vous partiez. Tenez, je me suis laissé dire qu'il y avait eu un meurtre à l'abattoir, il y a quelques nuits. Son frère. Cela pourrait créer un motif séparé de vengeance. Et l'Américaine ? Quel est son intérêt dans cette histoire ? » Krit, qui observait étroitement Field, dut remarquer la surprise dans son regard mais poursuivit comme s'il n'avait rien vu : « C'est un élément qui m'a toujours stupéfait. Pourquoi un négociant *farang* prospère irait-il se compromettre dans ce genre d'affaires ? Franchement, je préférais ne pas le savoir. » Les cloches du *wat* sonnèrent pour annoncer les prières de onze heures. Krit s'interrompit pour les écouter. Elles avaient un son paisible, rassurant. « Quand j'étais colonel, reprit-il, j'ai fait un stage de quelques mois aux États-Unis. À Fort Benning, en Géorgie, pour être précis. L'école de parachutisme. Ensuite, j'ai servi avec eux pendant l'affaire du Viêt Nam et, sincèrement, j'ai commencé à comprendre les Américains de moins en moins. Peut-être est-ce une question de dogme. Vous autres chrétiens, vous placez le dogme au centre de votre religion et, par association, au centre de tout le reste. Toute déclaration est pour vous vraie ou fausse. Toute action est bonne ou mauvaise. Votre salut dépend de l'acceptation de la foi. C'est bien ça, non ? La proclamation de la vérité. Résultat, vous perdez votre bienveillance envers ceux qui refusent votre vérité. Et, bien entendu, vous les tuez. Tout ça est très abstrait. Terriblement abstrait, les massacres mis à part. Notre violence est beaucoup plus personnelle. Nous ne croyons pas que toute déclaration positive puisse être vraie. Elles sont toutes fausses. Rien qu'en les formulant, nous les rendons mensongères.

« Donc, si nous devons tuer, nous tuons par passion ou par nécessité. Ces gens sont obligés de vous tuer.

Peut-être que si vous partez vite, vous effacerez cette obligation. Mais l'Américaine, elle, croit dur comme fer à la vérité. Je l'ai rencontrée, oh, vous savez, j'ai fait des affaires avec elle pendant des années, mais je ne la comprends pas du tout. Elle est toujours pour. Ou contre. Toujours certaine. La certitude est un terrible handicap pour l'esprit humain. La certitude obscurcit toujours la clarté. Et me voilà dans un lieu où il n'y a ni certitudes, ni handicaps, et je ne peux pas vous aider. Ni pour votre visa. Ni pour rien d'autre. Croyez-moi. » Il gratifia Field d'un sourire cordial. Un sourire un peu contraint mais tout à fait sincère. « Et maintenant, il faut que j'aille dire les prières. »

Field était si désorienté qu'il descendit docilement derrière lui les marches de bois et le suivit dans l'herbe pelée. Le jardin, devant la maison de Krit, avait été laissé quelque temps à l'abandon, à l'exception d'un coin où la terre avait dû être retournée le matin même avec une bêche encore sur place, appuyée contre un arbre. Quand il releva les yeux, Krit avait disparu derrière le mur du temple central. Il entendit les moines chanter tandis qu'il se dirigeait vers le fleuve où le jeune sourd-muet avec l'oiseau attendait toujours sur l'appontement. Field lui donna dix baht et prit la cage qu'il éleva à la hauteur de ses yeux. C'était une boîte cubique de quinze centimètres de haut avec un toit et un fond solides et des barreaux de bois légers fermant les quatre côtés. Sur l'une des faces, il y avait une porte coulissante. L'oiseau captif était un simple moineau.

« Et si je te laisse partir, reviendras-tu, hein ? Dis-moi ? Es-tu de cette race-là ? Que je voie tes yeux. Te drogues-tu à l'opium ? Vas-tu voler en rond pour rentrer dans ta cage ? Je voudrais le savoir. » L'oiseau le regardait, impassible. Field fit glisser les barreaux mais en restant le visage tout contre la cage, si bien que l'oiseau alla se réfugier au fond. « Tu n'aimes pas les *farang*, hein ? Allons. Donne-moi un baiser avant de te sauver. » Il avança les lèvres à l'intérieur de la cage et émit un léger bruit de baiser vers l'oiseau qui ne bougea pas. « Allons... Oh, tant pis, ça ne fait rien. » Il fit pivoter la cage, l'oiseau battit des ailes, s'envola et disparut dans les arbres au-dessus d'eux.

« Surtout ne reviens pas ! Va-t'en ! Très loin ! » Il chercha des yeux une pierre à lancer, mais il n'y avait que de l'herbe.

Field rendit la cage au jeune garçon que les tentatives de baiser du *farang* avaient fait sourire. Pour l'imiter, le sourd-muet, à son tour, émit des bruits de baiser avec ses lèvres, des bruits mouillés et alanguis, tout en roulant des yeux dans un simulacre de passion. Field se mit à rire et lui donna dix baht de plus avant de descendre à bord de son taxi d'eau.

Chapitre 13

Catherine Laker n'était pas dans son bureau. En bavardant avec son assistant thaï, Field apprit qu'elle n'était pas encore sortie de sa maison, au fond de sa propriété. Apparemment elle y travaillait souvent, envoyant et recevant des messages écrits par le truchement de sa femme de chambre.

Field descendit l'escalier de la vieille maison coloniale et s'avança dans le labyrinthe de tracteurs, de matériaux de construction routière et d'équipements de pose de canalisations. Çà et là, dans la boue, gisaient des fragments de poteries vernissées, des dallages brisés, vestiges de l'ancien jardin. Le mur de béton édifié autour de la maison de Mme Laker formait un carré parfait de dix mètres de côté et quatre mètres de haut, peint en blanc. Les éclats de verre et le fil électrique nu qui coiffait le mur brillaient au soleil. Field en effectua le tour. Il y avait une unique porte d'acier avec des serrures élaborées et sans poignée extérieure. À côté se trouvaient un timbre et un microphone. Au-dessus était suspendue une caméra. Field sortit un bout de papier de sa poche, l'éleva en face de la caméra comme s'il voulait transmettre un message et attendit, la tête tournée de côté. Au bout d'une bonne demi-minute, une voix aux sonorités métalliques résonna dans l'appareil.

« Qui est-ce ?

– J'apporte des documents.

– Je ne vous vois pas. Tournez la tête. »

Field pivota vers la caméra et s'efforça de prendre un air aimable.

« Qu'est-ce que vous voulez, John ?

– Je veux vous parler, Catherine.

– Pas aujourd'hui. Pas maintenant. Je suis malade.

– C'est urgent, Catherine. Il faut que je vous voie.

– À quel sujet ?

– L'affaire du Laos. » Il y eut un silence. Puis Mme Laker demanda :

« Mais encore ?

– Mon expulsion. Ils me foutent dehors, Catherine. » Il attendit, mais il n'y eut pas de réponse. Après quelques instants, il déclara dans le boîtier : « Catherine, je vous en prie, ouvrez. » Elle garda le silence.

Il regarda autour de lui. Trois Thaïs venaient vers lui, sortis de la forêt de tracteurs. C'étaient des manœuvres armés, constata-t-il, de barres de fer. Il les considéra quelques secondes jusqu'à ce qu'il eût la certitude que c'était à lui qu'ils en voulaient. Ils ne se trouvaient plus qu'à une dizaine de mètres. Field commença à battre en retraite à reculons vers la route. Sans courir sur lui, les hommes avaient accéléré l'allure. Il pivota sur les talons et prit le pas de course sur le sol boueux, suivi à distance par les Thaïs.

Comme il atteignait la route, la pluie menaçait et le seul véhicule en vue était un *tuc-tuc*. Il donna en hâte son adresse sans discuter du tarif. Les trois hommes le regardèrent s'éloigner aux limites de la propriété, comme des chiens de garde. Dix minutes après, l'averse s'abattit et Field laissa retomber les rideaux de plastique autour de lui. Ils étaient trop courts et toute l'eau, déviée par le mouvement de la machine, venait obliquement couler sur son siège et, de là, sur le sol. Mais peu lui importait. Le conducteur passait du rock thaï, sur sa radio. Field eut envie de lui demander de l'arrêter, puis il vit que la circulation se paralysait peu à peu autour d'eux jusqu'à ce qu'ils fussent réduits à l'immobilité. « Mets-la plus fort ! » cria-t-il. Durant plus d'un quart d'heure, rien ne bougea.

Parvenu chez lui, Field remarqua deux voitures garées dans l'allée, près du portail. Elles étaient vides d'occupants mais cela ne signifiait rien. Il entra par la porte de la cuisine et réclama une bière qu'il emporta sur la galerie couverte. Le canal commençait seulement à déborder pour la première fois de la journée. Il leva les yeux vers les arbres à la recherche des écureuils blancs, mais ils n'avaient aucune raison de batifoler sous la pluie. Distraitement, il se demanda où ils étaient, puis cria pour réclamer une autre bière. Toute cette histoire était ridicule, ne cessait-il de se répéter. Il rentra et appela Henry Crappe chez lui.

« J'ai tous les éléments, Henry. Tous les noms.

– Pouvez-vous me rappeler plus tard ? J'écris un article.

– Henry, ceci est légèrement plus important que la danseuse la plus baisable de la semaine. »

Crappe dut prendre le temps de réfléchir à la question, car il resta un moment silencieux.

« Un, dit-il avec lenteur, je suis ciseleur de mots. Je peux vous le certifier. Mes articles ne finissent pas au fond des cages à serins. Deux, un autre journaliste a été abattu cette semaine à Chiang Maï. La moyenne nationale annuelle est donc supérieure aux précédentes, et nous ne sommes qu'au neuvième mois. J'aimerais beaucoup entendre votre histoire, John, mais ne comptez pas sur moi. Trois, je subodore que si vous m'appelez, c'est en fait pour négocier à bon compte l'achat de mes stocks de denrées. Et je considère que c'est une exploitation choquante de mon amitié. Pour ces trois raisons, vous m'obligeriez en me rappelant plus tard. »

Field raccrocha violemment, but une troisième bière et regagna la galerie. Tout le terrain environnant était maintenant recouvert par l'eau. Deux cobras sortirent en nageant de dessous la maison et se hissèrent sur les planches à l'extrémité de la galerie. Ils évoluèrent sans hâte pour se placer parallèlement l'un à l'autre face à l'étendue liquide, comme si Field n'avait pas été là.

« Rebonjour, dit-il, vous voulez une souris ou quelque chose ? » Il regarda dans la même direction que les reptiles et distingua un mouvement à travers les arbres, puis il crut reconnaître une silhouette d'homme. Dès qu'elle cessait de bouger, elle devenait invisible. Il se pencha en avant, écarquillant les yeux. Non. Il n'y avait rien. L'instant d'après le mouvement se reproduisit. « Oh, merde ! » murmura-t-il, et il cria en thaï : « Fous le camp ! Va-t'en d'ici ! »

La cuisinière l'entendit et vint lui demander ce qu'il voulait. En apercevant les serpents, elle émit un cri aigu.

« Où est ton fils ? Envoie-le-moi. Allez. Vite. »

Le jeune garçon apparut et alla examiner de près le bouquet d'arbres où il ne trouva rien. Field retourna s'asseoir pour boire jusqu'au moment où il éprouva soudain la sensation très nette qu'il offrait une cible parfaite à l'ennemi. C'était de la folie de rester assis sur cette galerie. Il se leva si brusquement que les cobras plongèrent dans l'eau. Une fois à l'abri d'une paroi vitrée et d'un écran, la même impression persista chez lui. Il n'y avait nulle part de rideaux à tirer. Il considéra les fauteuils autour de lui. Il ne pouvait vraiment pas s'y asseoir en se rendant aussi vulnérable. Il verrouilla donc la porte coulissante, prit quelques bouteilles dans le frigidaire et gagna l'étage. À huit heures, il se fit apporter son dîner au lit par la cuisinière. « C'est grotesque, dit-il à voix haute. Stupide ! »

Il redescendit dans la grande pièce sans lumière qu'il traversa en trébuchant pour aller chercher la photo de son père dans les Rocheuses. Il en distinguait mal la silhouette. Il se dirigea ensuite vers la cuisine, invisible des fenêtres, et alluma au-dessus de l'évier pour examiner de près le cliché. On y voyait un jeune homme au visage ouvert et intelligent. C'était étrange que son père n'eût jamais rien fait de sa vie. Field éleva la photo sous la lumière et y découvrit certains détails qu'il n'avait jamais remarqués. Un petit oiseau derrière son père, sur une branche. Une montre avec sa chaîne semblait enroulée autour de sa main, à demi plongée dans sa poche. Field n'avait aucun souvenir de cette montre. Elle aurait dû lui revenir. Il était enfant unique. Il alla jusqu'au téléphone et, à gestes lents dans le noir, fit le numéro de Barry Davis. Davis avait des invités pour le dîner. D'autres diplomates, sans doute. On entendait leurs voix en fond sonore.

« Je suis mourant, dit Field.

– Venez m'en parler demain. Je suis au bureau à partir de neuf heures.

– Merci, Barry. Je vous enverrai mon fantôme. »

Il y eut un silence. Barry réfléchissait : « Bon, d'accord, dit-il. Venez tout de suite.

– Je ne peux pas, Barry. Il m'est sans doute impossible de sortir. Non, je ne peux pas. Je n'aurais jamais dû rentrer chez moi.

– Vous n'êtes pas ivre, j'espère ?
– Ça ne changerait rien.
– En effet. On dit en ville que vous avez fait du scandale.
– Du scandale ?
– Vous avez manqué de prudence.
– Où avez-vous pris ça ?
– Ne soyez pas stupide, John. C'est un bruit qui court. Vous connaissez Bangkok.
– Et alors, Barry ? »

Il y eut un nouveau silence pendant lequel Barry exhala un soupir. « Bon. Très bien. Je vais venir après mon dîner. Ça va ?
– C'est parfait, Barry. De toute façon, c'est entièrement votre faute. »

Davis raccrocha.

À minuit, Field fut arraché à un sommeil fiévreux par les échos d'une discussion au-dehors. C'était le gardien de nuit qui voulait empêcher Davis de passer. Field lui cria par la fenêtre de laisser entrer le visiteur, puis se remit sous les couvertures, ne fût-ce que pour cacher combien il était mal en point.

Davis monta bruyamment l'escalier et foudroya Field du regard : « Vous avez la voix ferme pour un mourant.
– Il faut que je rentre au pays, Barry.
– Au pays ?
– Oui. Je suis expulsé.
– Eh bien, prenez l'avion.
– Ce n'est pas si simple que ça. Asseyez-vous. »

Lorsqu'il eut fini de s'expliquer, il vit que Davis restait attentif, comme s'il attendait la suite.

« Dans le prochain épisode, je meurs. »

Davis acquiesça : « J'ai appris qu'il y avait eu du grabuge à la maison Laker. Une plainte a été déposée pour viol de domicile. Comme vous êtes canadien, la police nous a prévenus. Apparemment, vous avez menacé Mme Laker. » Il examina la pièce et remarqua les provisions de bière montées par Field. Il en prit une et vint se rasseoir sur le lit. « Il paraît que si elle insiste, ils seront obligés de vous inculper.

– J'en doute. Je pourrais faire des déclarations publiques avant d'être jeté dans une cellule pour y crever.

– Nous pourrions protester aux Affaires étrangères contre votre expulsion.

– En effet. Ça ne donnerait rien de bon, mais vous pourriez le faire. Ce serait un geste amical, une preuve de contrition. Une contrition inutile mais amicale, oui.

– Je suis désolé, John.

– Vous m'avez déjà dit ça à votre dernière visite. Maintenant, si je pars, je ne suis pas seul. Nous sommes trois. Je veux emmener ma fille.

– Vous avez un enfant ?

– Exact. Et ces amis que je me suis faits grâce à vous sont déjà allés la voir.

– Qui est la mère ?

– Une Thaïe.

– Et quel âge a-t-elle ?

– Dix-huit ans. Je veux l'adopter et l'emmener.

– Pas question, John. Je regrette. D'après la vieille loi sur l'immigration, elle est thaïe quoi que vous fassiez et, d'après la nouvelle, vous pourriez l'adopter mais pas à cet âge. Et vous voulez aussi emmener la mère ?

– Seigneur, non ! Écoutez, cette fille est à Chulalongkorn. Nous ne parlons pas d'une danseuse quelconque de Patpong.

– Mais elle vit avec sa mère ?

– Bien sûr, je les entretiens toutes les deux.

– Et cette fille veut partir ? »

Field haussa les épaules : « Je ne sais pas. Je ne le lui ai pas demandé. Elle n'a guère le choix, n'est-ce pas ? Elle n'a rien de suicidaire.

– Taisez-vous et écoutez-moi. Elle n'a sans doute pas de passeport. Il faut donc lui en faire établir un. Vous l'amenez au bureau avec sa mère. Avec, vous comprenez. Et la mère dit qu'elle peut partir.

– Je ne peux rien obtenir de cette vieille garce.

– Il le faut pourtant, sinon nous risquerions d'être accusés de kidnapping et ainsi de suite... Donc, vous les amenez au bureau et je lui donnerai un sauf-conduit du ministre. C'est une mesure d'exception que je peux prendre en cas d'urgence. Grâce à quoi, elle échappera au contrôle des services d'immigration pour un an. Vous pourrez faire les dernières démarches une fois rentré chez vous.

– Nous serons revenus ici avant.

– Très bien. Qui est l'autre ? »

Field affecta un air nonchalant : « Une fille. Dix-sept ans.

– Un autre enfant à vous ?

– Non, une amie.

– Elle est quoi, au juste ?

– Je vous l'ai dit. Une amie.

– Et ? »

Field se sentait ridicule. Il leva la tête. Davis le dévisageait avec l'expression d'un inquisiteur professionnel. Soudain, le ton de la conversation lui parut intolérable. « C'est une petite putain, Barry ! Voilà ce qu'elle est.

– Eh bien, personne ne lui fera de mal. Pas pour une histoire de drogue, en tout cas.

– Je sais. Mais elle a besoin de moi. Alors, je tiens à l'emmener.

– Pas avec mon aide. »

Field déclara, aussi calmement qu'il le pouvait : « Ne me faites pas le coup de l'Irlandais du Nord, Barry. Je veux l'emmener.

– Écoutez-moi. Je pourrais vous tenir un discours moral à propos d'un vieux débauché qui s'est envoyé toutes les danseuses de la ville. La seule différence entre les autres et celle-ci, c'est qu'elle est la dernière. Et quand il lui aura fait traverser le Pacifique et sera fatigué d'elle, qu'est-ce qui se passera ? Une fois par semaine, nous recevons à l'ambassade un idiot quelconque sur le retour dans votre genre avec sa petite poupée chérie qu'il aimerait bien emmener dans ses bagages.

– Vous ne comprenez pas. Ce n'est pas une poupée.

– Ça ne m'intéresse pas, John. Une personne de cette catégorie ne peut entrer que grâce à la loi sur l'immigration. Elle n'a pas de famille pour la parrainer. Elle n'a aucune qualification professionnelle, à part écarter les jambes et onduler du nombril. Et elle échoue à l'enquête de moralité. Par-dessus le marché, je n'ai aucun pouvoir discrétionnaire parce que son cas ne présente pas la moindre circonstance atténuante. C'est simplement la dernière nana de John.

– Pas du tout ! s'écria Field. Vous ne comprenez pas. »

Il resserra son drap autour de lui et alla chercher l'enveloppe avec les papiers d'Ao pour prouver à Barry qu'elle se trouvait dans une situation très particulière.

Davis se mit à crier : « Si vous y tenez tellement, épousez-la. Je ne peux pas vous empêcher de partir avec votre femme.

– L'épouser ? » Field s'immobilisa sur le seuil de la porte et se retourna.

« Mais oui. Épousez-la. Voyons. Je viens d'établir votre nouveau passeport. Vous avez quarante-quatre ans. Ça ne fait que vingt-sept ans de différence.

– Allez vous faire foutre, Barry.

– Épousez-la, je vous dis. Ensuite, vous pourrez la ramener avec un passeport thaï. En tant que son mari, vous pouvez la cautionner, vous en porter garant. Il y a un petit entretien prévu à l'ambassade : café, gâteaux secs, questions polies : Votre situation de famille, mademoiselle. Excusez-moi, madame. Du riz, dites-vous ? Votre éducation ? Vous donnez des bains aux gens ? Très intéressant. Tout ce qu'il nous faut, c'est un examen médical pour vérifier qu'elle n'est pas truffée de maladies vénériennes, et hop ! C'est dans la poche, l'heureux couple rentre au pays pour la cueillette des pommes.

– Je vois. » Field se tenait toujours debout, immobile. Il resserra le drap autour de lui. « C'est une bonne idée. Je vais l'épouser. »

Davis paraissait sur le point de s'étrangler avec sa bière. « Le divorce est un peu plus compliqué au Canada qu'ici, vous savez.

– Nous parlons de mariage, Barry. Pas de divorce.

– Je n'arrive pas à y croire. Vous. Une pute de dix-sept ans. Les filles comme ça, vous pouvez les acheter par contrat. Pas la peine de les épouser.

– C'est la même chose, remarqua Field.

– Hein ?

– La même chose, oui. C'est toujours un contrat. »

Davis se leva : « Amenez les deux filles au bureau, je m'en réjouis d'avance. »

Tôt le vendredi matin, Field sortit de la propriété. Personne n'était en vue dans l'allée. Il s'éloigna sans hâte vers Sukhumwit Road en jetant de temps en temps un coup d'œil derrière lui et, parvenu à la rue, il leva la main pour arrêter un taxi. Tandis qu'il négociait le prix du trajet jusqu'au Country Club de Paga, un homme surgit tout près de lui. Field pivota brusquement sur lui-même.

L'homme parut surpris et s'éloigna. Field se retourna vers le taxi ; il était parti. Le chauffeur avait certainement interprété cette violente volte-face comme un refus du tarif qu'il proposait. Field inspecta à nouveau les environs. L'homme remontait la rue sans se retourner. « Du calme, murmura Field. Du calme », et il fit signe à un autre taxi.

Il arriva des heures plus tard au club-house de Paga dont il trouva le fils en train de jouer aux cartes devant une table avec Ao. Ils étaient seuls dans le *sala* et riaient comme des enfants. Field les observa de l'entrée, cherchant entre eux quelque signe d'une complicité dépassant un simple jeu. Le jeune garçon était inexistant. Quiconque aurait pu s'en apercevoir ; l'ombre de sa mère tout au plus. Ao leva les yeux et vint en courant l'enlacer.

« Où toi être, John ? Pourquoi pas revenir ?

– Je suis revenu.

– Longtemps, John. Paga et moi inquiètes. »

Il contempla son visage métamorphosé par son sourire. Il n'y avait rien de caché derrière. Rien qu'il pût détecter du moins. Le seul plaisir sincère de le voir. « Viens, Ao. Il faut que je te parle. » Il l'entraîna au-delà du bouquet d'eucalyptus vers la digue courant autour du golf et ils en gagnèrent la crête. Au-delà, les rizières étaient à tel point inondées qu'on ne distinguait plus sous l'eau le tracé des murets de boue qui les séparaient. Field avança de quelques pas, puis se retourna. Ao sur ses talons tenait ses sandales à la main, les orteils écartés pour assurer son équilibre.

« C'est comme ton village ? demanda Field.

– Mon village pas comme ça, John. Jamais inondations.

– Tu aimerais y retourner ? »

Ses yeux brillèrent : « Nous allons faire visite ?

– Non. Je veux dire : aimerais-tu vivre là-bas ?

– Non ! » Elle frappa violemment le sol de son pied nu. « Trop de boue. Pas voitures. Pas jolies salles de bains. » Elle regarda autour d'elle, comme pour chercher des arguments propres à la sauver. « Pas ventilateurs, John. Pas docteur. Toi pas me renvoyer. »

Field sentit toute la force du soleil matinal sur sa tête. Il aimait sentir sa chaleur lui pénétrer la peau, les cheveux, les vêtements et jusqu'à la carcasse à travers sa chair.

« Alors, aimerais-tu te marier avec moi ? »

Ao le regarda comme s'il était fou : « Pourquoi vouloir marier ? »

Cette question l'exaspéra : « Parce que, c'est tout. »

Elle ne se montra nullement troublée par sa réponse : « Toi pas besoin marier moi. Avoir contrat.

– Je veux un contrat meilleur. »

Elle hocha la tête ; cette explication avait un vague sens pour elle.

« Pourquoi, John ? Moi malade. Toi malade. Docteur dit impossible avoir bébé. Qu'est-ce que tu veux ?

– Je veux t'avoir auprès de moi.

– O.K., John. Moi partir nulle part. »

Il se demanda si elle plaisantait, mais non, Ao avait l'air tout à fait sérieuse. « Moi, si, je pars, Ao. Je rentre dans mon pays. Et si tu veux venir avec moi, il faut qu'on se marie.

– Ton pays ?

– Oui. »

Elle esquissa un signe de tête affirmatif. « Je connais Canada. C'est près États-Unis. Nous parler quelquefois à l'hôtel avant toi me prendre. Il y a des filles mariées avec *farang* et parties avec eux. C'est joli, là-bas ?

– Bien sûr. Du moins, ça l'était il y a vingt ans. Des

grandes montagnes, Ao. C'est là que nous irons. Tu vois l'eau plate autour de nous. Eh bien, nous irons dans un endroit qui est exactement l'opposé. Des centaines d'énormes montagnes. Et tout y est neuf.

– Neuf », fit-elle en écho comme si le mot avait une résonance magique.

Field se mit à rire : « Des baignoires neuves. Des voitures neuves. Des climatiseurs neufs. Tout est neuf. Tout est propre.

– Quand nous partir, John ?

– Dès que nous serons mariés.

– O.K., nous partir maintenant ? » Elle rit à son tour et descendit en courant le remblai de terre.

Field dévala la pente après elle, la rattrapa sur le fairway et la jeta par-dessus son épaule. « Tout de suite. Je vais te porter là-bas. »

Elle continua à rire en se débattant et lui étreignit la nuque. Un bruit leur fit tourner la tête. Paga venait de surgir au volant d'un cart électrique. Ao courut à sa rencontre. Field les regarda parler avec animation, puis leur dialogue tourna à la discussion et il s'éloigna vers le club-house. Paga le rattrapa dans son cart avec Ao sur le siège du passager.

« Tu ne peux pas faire ça, dit Paga. Il te faut la permission de ses parents.

– Quoi ! » Field s'immobilisa brusquement. « Vous avez des millions de gosses dans les usines, des filles de douze ans dans les bordels. Des contrats sur la vie des enfants et moi, il me faudrait la permission de ses putains de parents !

– Je sais, John. Tu oublies. J'ai organisé beaucoup de voyages de groupes pour les Allemands avec baise et mariage au programme. Les filles au-dessous de vingt ans ont besoin d'une autorisation. C'est une formalité. Je pourrais, en payant, changer son âge sur les nouvelles cartes d'identité, mais elle a l'air trop jeune. Ne te fais pas de souci. J'irai négocier ça pour toi à son village. Pas trop cher. Si tu y vas, toi, très cher.

– Ils m'expulsent, Paga. Jeudi matin.

– D'accord. Pas de problème. Mon fils nous conduira là-bas pendant le week-end. On a tout le temps. Tu n'as qu'à rester ici. »

Elles partirent en fin de journée pour éviter de rouler douze heures dans la chaleur. Field mangea seul son déjeuner dans le *sala* vide, puis, assailli par les moustiques, il se réfugia dans sa cellule de moine. Pas un bruit ne s'élevait des plates-formes autour de lui. Peut-être les moines avaient-ils un secret pour dormir dans le silence. À moins que cela ne tînt au renoncement à tous les désirs. Étendu, immobile, Field tendait l'oreille aux sons venant du dehors. Il n'y trouvait aucun plaisir. Le moindre mouvement devenait pour lui celui d'un tueur lancé à ses trousses. Aucune voiture ne l'avait suivi le long de la route, semblait-il, mais qu'était-il capable de voir ? Et que pouvait-il savoir ? Plus il pensait à la précipitation manifestée par Paga pour emmener Ao, plus il se demandait s'il ne s'était pas fait piéger. Y avait-il une nouvelle machination en cours ? Montée par Paga, par exemple. Ou Davis. Que faisait Davis, au juste ? Field réfléchit. Pourquoi était-il le seul diplomate resté en poste à Bangkok pendant si longtemps ?

Field dormit mal. À deux reprises, dans ses rêves, lui apparut Mme Laker, les cheveux tirés en arrière, hautaine, menaçante, et il se réveilla en sursaut le matin pour trouver le père de Paga debout devant sa cellule, sa tête rasée au niveau du plancher, considérant fixement le *farang* étendu. C'était un regard indéchiffrable. Field se mit sur son séant et leva les mains pour faire le signe du *waï* au vieillard qui se détourna et s'en alla.

Des petits groupes de golfeurs apparurent durant le week-end, suscitant chez Field une telle nervosité qu'il fut incapable de dormir. Le lundi matin, Paga et Ao n'ayant pas reparu, il laissa un message au vieux moine et, par le chemin de terre, marcha jusqu'à la grand-route où il prit un bus pour regagner la ville.

Chapitre 14

« Le vieux colonial qui ne fait jamais la queue. Tu arrives à point, mon vieux. » Woodward indiqua un amoncellement de paquets sur son bureau. « Ton salut, peut-être, mais n'y compte pas trop. J'ai jeté un coup d'œil là-dedans et je n'y ai rien trouvé de très différent de ce qu'a déjà ingurgité ton système pourri.

– Alors, tu as repris le collier, Michael ? »

Woodward eut un sourire indulgent : « Quelques jours en prison ne font pas de vous un chômeur. Ni la réputation... J'étais un régicide en puissance. Aujourd'hui, je suis un héros. Je suppose qu'ils se figurent m'avoir acheté et que, maintenant, je vais rester dans le droit chemin. Un bon petit garçon docile. Pourtant, dès demain, ils vont revenir de leurs illusions et je serai de nouveau considéré comme un emmerdeur. Il paraît que tu as assisté au numéro de mon père. Une comédie de grand style, à ce que tout le monde m'a dit.

– Absolument, déclara Field, mais la comédie est plus difficile à jouer que la tragédie. Et la tragédie ne convient pas à cette situation, en tout cas pas à Krit.

– De toute façon, le pauvre vieux est au lit depuis, avec ses huit filles et ma femme qui lui dorlotent son ego. Un antidote merveilleux contre la maladie et la mort. L'ego, je veux dire. Allez, déculotte-toi. » Il pointa son Coton-Tige sur le pantalon de Field. Après un bref coup d'œil aux taches vertes sur son caleçon, il ajouta : « Toi aussi ça ne te ferait pas de mal, une bonne dose d'ego. » Il introduisit son coton en tournant. « Il paraît qu'on te fout à la porte ? Avec ma nouvelle gloire, je pourrais peut-être faire annuler cette décision.

– J'en doute, Michael. Il va me falloir quelque chose de bien plus problématique : un certificat médical pour Ao. Je l'emmène avec moi.

– Voilà qui est bizarre, mon vieux.

– Je l'épouse.

– Vraiment ? Eh bien, je dois te prévenir qu'il n'y a guère d'espoir de vous donner le feu vert à tous les deux. Autrement dit, j'ai du mal à entrevoir à l'horizon la classique félicité charnelle matrimoniale. Ça m'ennuie de dire ça, avec mon optimisme devant l'efficacité de la médecine, mais tu es parti, mon vieux, et elle aussi. Mis à part sa stérilité que je n'ai pas besoin de te confirmer.

– Tu me feras les certificats ?

– Pas à moins d'y être forcé.

– Eh bien, je t'y force. Le parjure médical n'est rien à côté du régicide. Sinon, je ne peux pas l'emmener avec moi.

– Je ne vois pas très bien en quoi c'est indispensable. Et ta fille ?

– Je l'emmène aussi.

– Ça me fait l'effet d'un parfait prélude au désastre.

– Enfin, tu vas me les faire ?

– Je suppose, oui. »

Field eut un sourire de soulagement. « Tu vois, Michael, comme s'enracine l'habitude du crime.

– Je vais donner quelques coups de fil à propos de ton expulsion.

– D'accord. » Field jugeait ces démarches inutiles. « Dis donc, tu as vu ce gosse mongolien pendant l'incendie, celui qui courait sans arrêt pour sauver les affaires des autres. Il s'en est tiré ?

– Tak ? Bien sûr, je l'ai vu. C'est un héros, aujourd'hui. Souviens-toi que nous parlions de ceux qui rataient le moment essentiel dans la vie. Lui, il a su le saisir. Il restera éternellement un héros là-bas.

– Très bien. » Field s'assit avec précaution au bord de sa chaise.

« Qu'est-ce qui t'arrive ?

– À vrai dire, je suis un peu déboussolé. J'ai peur de rentrer à la maison. Je ne peux, en réalité, aller nulle part ailleurs. Il y a cette vieille poufiasse bouclée dans sa forteresse qui tire Dieu sait quelles ficelles. Je parle de ces fumiers que je vois derrière chaque arbre sans même savoir s'ils sont vraiment là. »

Woodward prit un air compatissant : « Disons que tu es malade. Je te donnerai une chambre ici, mais nous n'inscrirons pas ton nom sur le tableau d'honneur, à l'entrée. »

Field se rendit avec soulagement à la chambre qui lui avait été assignée au premier étage et alla s'asseoir dans un fauteuil d'osier sur le balcon pour y attendre les pluies de l'après-midi et le retour d'Ao. Il fut arraché à sa somnolence par quelque chose qui lui chatouillait le nez. Il eut un sursaut et se couvrit le visage pour se protéger.

« Je l'ai, John.

– Ne me fais pas des peurs pareilles. » Il vit Ao qui lui souriait. Elle était éclaboussée des pieds à la tête, simplement pour avoir couru dans l'eau de la voiture au perron. « Où est Paga ? ajouta-t-il.

– Elle dit au revoir. Elle pas aimer hôpital. Pas aimer Bangkok. Elle obtenir bon prix. » Ao lui tendit le papier avec lequel elle l'avait réveillé. « Elle payer mon père pour moi. Elle te faire cadeau. Deux mille baht. »

Sa totale confiance dissipa la peur de Field ou, du moins, son abattement qui était pire que la peur. Soudain, il eut la conviction que toutes les décisions avaient été prises. Il pouvait maintenant faire face aux événements.

Tôt le mardi matin, il se rendit avec Ao à la maison d'Amara. Pour la première fois depuis le début des inondations, tout son quartier avait été asséché. Ils suivirent un domestique sous la passerelle et traversèrent le rez-de-chaussée ouvert où les peintures murales et le carrelage avaient été détruits. Amara arriva en courant de sa chambre : « Ahha, mon Johnny. Tu es venu pour chercher ton trésor ? » Puis elle reconnut Ao et perdit beaucoup de son enthousiasme.

Field lui montra le sol asséché. « Plus d'eau. »

Amara retrouva son humour : « Le miracle de la main tendue et des pompes. Ahha ! Pas un baht sorti de ma poche ! Oh non ! Quand le cher général Krit s'est retrouvé tout seul pour dîner, j'ai appris qu'en tout cas son ami Pong s'était déjà mis en quête de sang frais. La nouvelle génération, tu comprends. Et surprise, surprise, j'ai un cousin, un petit brigadier, qui est tout à fait médiocre et radin. Tout le monde dit que c'est un chef-né. Un homme de l'avenir. Si bien qu'il est quasiment inapprochable. Ou plutôt, hors de prix, peut-être ? En tout cas, très pompeux. Et il a toujours dit qu'il n'aimait pas les banquiers chinois. Sans doute n'en avait-il jamais trouvé un assez généreux à son goût. Alors, moi, inquiète pour mes fondations et mes carrelages, je l'ai appelé et l'ai invité à déjeuner au Polo avec Pong Hsi Kun. Bassinant, Johnny, bassinant. Les banquiers et les soldats ne brillent pas par l'esprit.

Je crois qu'une partie de leurs cervelles est accaparée par des rêves d'argent et que le reste est vide. Toujours est-il que le jour suivant les pompes ont commencé leur travail. Songlin ! cria-t-elle.

– Il faut que je lui parle seul, Amara.

– Ahha. Encore du drame dans l'air. Passionnant. Dans ce cas-là, je ferais bien d'emmener ton amie d'ici pour lui offrir des biscuits. Aimes-tu les biscuits, chérie ? »

Ao eut un sourire joyeux : « Tu as du Coca ?

– J'en vis. C'est très bon pour la courante, mais on prend vite le pli. Songlin ! » Elle prit Ao par le bras, descendit l'escalier avec elle et l'entraîna vers un pavillon près du *klong*.

Songlin apparut quelques instants plus tard dans son uniforme bleu et blanc et leva ses mains jointes. Field alla droit vers elle, lui saisit les bras avec douceur et la relâcha. « J'ai quelque chose à te demander », dit-il.

Elle le coupa avec une assurance qu'il ne lui connaissait pas : « Amara m'a parlé de tous tes problèmes. Elle dit qu'on te chasse du pays parce que tu es honnête.

– Plus ou moins. Elle est déjà au courant ?

– Elle dit aussi que tu es trop buté. »

Field la considéra avec curiosité : « Peut-être, dit-il. Enfin, une fois parti, je serai très loin. Dans les Rocheuses, je pense, en Alberta, et les mêmes bandits risquent de continuer à te vouloir du mal. À moins qu'ils n'y renoncent. Après tout, qu'est-ce que ça peut leur faire maintenant ? Mais je ne veux pas que tu coures de risques.

– Et si je partais avec toi...

– Ce n'était pas dans mes projets. Tu devrais rester ici. »

Songlin ne releva pas cette remarque. « Ensuite, je reviendrai, dit-elle. Quand partons-nous ?

– Écoute, il y a encore autre chose. Cette fille. Tu l'as rencontrée ?

– Ao. Je l'ai vue chez toi le jour où tu m'as mise dehors.

– Oui. Bon, eh bien, elle vient aussi. En fait, il faut que je l'épouse pour la faire entrer au Canada. »

Le masque de la certitude adolescente se décomposa sur le visage de Songlin. Puis, faisant un effort, elle demanda : « C'est la seule raison ?

– Eh bien, non, dit Field avec lenteur. Il me semble que, de toute façon, c'est une bonne idée.

– C'est soulageant, dit Songlin, s'efforçant de se ressaisir. Quand partons-nous ?

– Jeudi matin.

– Dans deux jours ! Il me faudra un passeport. » Elle s'élança vers l'escalier et le descendit en courant.

« Entre autre chose », dit Field, mais elle était déjà partie.

Amara remonta, ramenant les deux filles.

« Quelle idée merveilleuse. Quelle fille charmante. » Elle considéra Ao avec un plaisir sincère. « Quant à ton âge, je ne m'inquiéterais pas trop.

– Je ne m'inquiète pas, répliqua Field.

– Les filles commettent de telles erreurs en épousant des jeunes gens qui sont encore sous la coupe d'Éros. Ahha ! Éros. Les pulsions animales mènent les hommes, les rendent intéressants, passionnés, attentifs. C'est ce qu'aiment les filles en eux. Ahha ! Mais ces pulsions masquent aussi la personne réelle, la déguisent, la cachent. Et alors, quand tout est consommé et qu'un certain nombre d'années ont passé, la pulsion animale se dissipe comme un nuage balayé par le vent. Et qu'est-ce qui reste ? Ahha. Je peux te le dire. Pas grand-chose. Maturité est un mot stupide. Ça signifie simplement que l'homme ne peut plus avoir cinq orgasmes par jour. Pourquoi ? Parce que son esprit s'est clarifié. Donc, tant mieux pour Ao. Elle vivra la réalité.

– Absolument », approuva Field.

Amara résolut de tout régler personnellement. Elle annula ses rendez-vous de la journée et donna des instructions à son chauffeur pour qu'il les conduisît au bureau des passeports, près du palais royal. Devant le bâtiment, des milliers de personnes faisaient la queue sous un auvent, chargées de provisions destinées à restaurer leurs forces. Certains semblaient avoir dormi sur place. Tous étaient des ouvriers émigrants qui partaient pour aller construire des routes au Moyen-Orient, travailler dans des hôtels ou effectuer d'autres tâches subalternes. Les étudiants et les bourgeois suivaient un circuit moins impersonnel. Amara avait un neveu au service des passeports et il obtint les documents pour les deux filles en moins d'une heure.

« Et maintenant, nous allons convoler, dit Amara dans la voiture. Ahha, oui, mon Johnny, convoler ! »

Ils roulaient depuis un moment vers les bureaux du gouvernement sur Sukhumwit où Field était inscrit et devait, par conséquent, se marier, quand Ao murmura timidement à Amara : « Vous connaître Khun Veectoreea ?

– Quoi ?

– Khun Veectoreea ?

– Elle tient un salon de massage ? demanda Field.

– Les filles à l'hôtel dire elle fameuse pour faire des enfants. Elle avoir statue à Bangkok. Je veux donner quelque chose.

– Ahha ! s'exclama Amara. La reine Victoria ! Oui, oui, bien sûr.

– Vous la connaître ?

– Je connais la statue.

– On peut aller d'abord ? »

Amara, sans tenir compte des protestations de Field, contempla la jeune fille avec une sincère curiosité : « Tu n'as pas besoin d'elle pour être grosse. Ahha !

– Ça ne fait rien, intervint Field. Arrêtons-nous près de la grille. »

Aux feux de croisement suivants, Ao se coucha à demi par-dessus Field pour baisser la vitre de la voiture et crier quelque chose aux enfants qui couraient çà et là avec des guirlandes à vendre. Elle fit acheter à Field une douzaine des plus longues et, en un instant, ils se retrouvèrent submergés, dans la cabine exiguë du véhicule, par la senteur sucrée et hypnotique des fleurs de jasmin. Dès qu'ils furent arrêtés devant la grille du jardin de l'ambassade, Ao repoussa Field de côté et bondit au-dehors. Un factionnaire gurkha la considéra d'un œil soupçonneux, tandis qu'elle pressait son visage entre les barreaux. La statue se trouvait à mi-distance de l'élégante allée menant à la résidence de l'ambassadeur.

« Je veux entrer », dit Ao. Personne ne paraissait l'entendre, elle se tourna vers Amara qui la regardait de la voiture. « S'il vous plaît, je peux entrer ? »

Songlin descendit et déclara en thaï : « Entrons. Je n'y suis jamais allée. Je vous en prie, Amara.

– Pourquoi pas ? Pourquoi pas ? » Amara griffonna un message pour la femme de l'ambassadeur et le tendit au gurkha à travers les barreaux. Dix minutes plus tard, la grille s'ouvrait. Ao courut sur la pelouse jusqu'au piédestal de la statue qui était presque aussi haut qu'elle.

Quelques guirlandes humides étaient enroulées autour du cou de la reine, et une autre accrochée à son globe. La réputation de déesse de Victoria tenait essentiellement à son globe et à son sceptre. Il ne fallait pas une grande imagination pour y voir des symboles sexuels ; encore qu'une plaisanterie circulât sur la grosseur du globe dans sa main gauche, excessive par contraste avec la minceur du sceptre-phallus qu'elle tenait dans la droite. Le mot de la fin, c'était qu'il fallait bien qu'il soit gros puisqu'elle n'en avait qu'un. Selon une autre version plus sérieuse, la reine Victoria détenait le pouvoir de la fécondité mais pas celui du plaisir. Le sceptre n'était qu'un instrument utile. C'était le vaste globe solitaire qui engendrait les semences des enfants.

« Moi trop petite, John. Toi le faire pour moi. » Elle criait, tournée vers Field et les deux femmes qui venaient vers elle.

Field haussa les épaules, prit les guirlandes et grimpa sur le socle de pierre. Comme il s'étirait pour placer les fleurs par-dessus la tête de Victoria, il aperçut quelqu'un qui l'observait d'une fenêtre du premier étage de la résidence. « Pourquoi pas, au fond ? » dit-il, et il se hissa en équilibre sur le genou de bronze pour projeter les guirlandes par-dessus la couronne. Lorsqu'il redescendit, Ao regardait toujours la statue, la mine déçue.

« Qu'est-ce qui ne va pas ?

– Seulement des fleurs, dit-elle. Moi dois apporter plus.

– Les Anglais aiment beaucoup les fleurs.

– Pas assez, John. Donner encore plus.

– Tiens. » Amara arracha d'un doigt de sa main droite un anneau d'or qu'elle tendit à Ao. « Donne-lui ça. Ahha ! Vas-y. Je crois qu'elle aime l'or aussi. Vas-y. Ça peut tout changer. »

Ao prit l'anneau et entreprit de grimper sur la statue. « Aide-moi, John, aide-moi. » Il lui imprima une poussée qui lui donna accès au sommet du socle mais, comme elle s'efforçait de se hisser plus haut, elle glissa brusquement en arrière et s'effondra comme un bébé dans les bras de Victoria. Elle fit alors une nouvelle tentative, debout cette fois sur les épaules de Field et se tenant à un bras de bronze pour garder son équilibre. Sa tête se trouva ainsi juste en dessous de celle de la reine. Elle brandit l'anneau pour le montrer à la statue, puis se laissa redescendre au niveau de la large main potelée qui, paume en l'air, soutenait le globe royal. Ao réussit à placer l'anneau à l'extrémité de l'annulaire. Field lança un nouveau coup d'œil vers la résidence. À l'une des fenêtres de l'étage se pressaient plusieurs têtes encadrées de cheveux tirés en arrière. Toutes ressemblaient à Mme Laker. Field eut un sursaut d'étonnement et Ao, sur ses épaules, laissa échapper un petit cri. « Hé, John ! Arrête ! » Il regarda encore une fois la fenêtre. Naturellement, à cette distance, il était le jouet de son imagination. Mme Laker, en tout cas, ne sortit pas déjeuner. Elle ne mangea même pas. Mais les silhouettes entrevues restèrent présentes à l'esprit de Field après qu'Ao fut redescendue pour dire quelques prières au pied de la statue. D'ailleurs, songea Field, que Mme Laker sortît ou non, qu'y aurait-il de changé ? Il lui suffisait de téléphoner de son blockhaus. Ils pourraient le tuer aussi bien que l'expulser. Elle n'avait pas besoin de bouger de chez elle.

« Ça devrait suffire comme ça », dit Amara, et elle fit un signe de la main à l'intention des têtes groupées à la fenêtre, qui disparurent brusquement.

La pluie de l'après-midi commença au moment où ils parvenaient au quartier administratif. Sur Sukhumwit, près de *soï* 54. Amara refusa d'entrer pour assister à la cérémonie et garda Songlin avec elle.

Le bureau des mariages se trouvait dans l'angle d'une vaste salle du premier étage où six ventilateurs au plafond entretenaient un bruissement permanent parmi les papiers empilés sur toutes les tables. Deux jolies employées assuraient le service. Elles classèrent tous les documents que Field leur tendit et entreprirent de les recopier dans leurs registres. Ao, assise devant eux, suivait avec attention les moindres mouvements de leurs plumes, tandis que John, relégué dans le coin de la pièce, contre un classeur métallique rouillé, considérait fixement, sur la table, un bouquet de quatre chrysanthèmes dans un petit vase. Les fleurs lui rappelèrent Mme Laker. Il ne voulait pas quitter Bangkok. À côté de lui, Ao était excitée comme une enfant. Il ne voyait pas d'objection à l'épouser, mais il ne voulait pas partir. Les formalités finies, ils durent signer une déclaration attestant qu'ils étaient célibataires et un chef de bureau quelconque supervisa tous les papiers avant de leur souhaiter : *Yu dee mee suke*.

Ao prit discrètement la main de Field tandis qu'ils redescendaient l'escalier mais il se dégagea bientôt. Étrangement, il se sentait soudain libre, comme s'il avait fait pour les autres tout ce qu'il pouvait et souhaitait maintenant être seul. Il fit donc remonter Ao dans la voiture avec Songlin et demanda à Amara de veiller sur elles jusqu'au mercredi matin où ils se retrouveraient à l'ambassade.

Il les quitta, pour aller négocier avec la mère de Songlin dont il fallait encore obtenir l'autorisation, et la rencontre fut aussi déplaisante qu'il le redoutait. Il lui promit tout : un soutien financier permanent, un règlement en liquide, il essaya même de lui expliquer ce qui se passait, mais elle ne pouvait lui pardonner d'avoir fait d'elle la victime de sa propre innocence, dix-huit ans plus tôt. Et maintenant, il lui donnait le coup de grâce en faisant ce qu'elle avait toujours redouté : il lui enlevait sa fille.

Après lui avoir arraché la promesse, répétée jusqu'à ce qu'il en eût la certitude, qu'elle viendrait le lendemain matin à l'ambassade, il alla retrouver son lit au Centre hospitalier de Bangkok où il se laissa envahir par le sentiment de culpabilité que la mère de Songlin avait éveillé en lui.

La rencontre à l'ambassade se révéla sans douleur, en partie parce que Amara avait insisté pour être présente et avait imposé son autorité à la mère de Songlin. Il n'y eut ni larmes, ni revirements soudains. Elle séduisit également Barry Davis qui, comme la plupart des garçons protestants bien élevés, était particulièrement sensible à la beauté d'une femme encore mieux née que lui et d'une élégance sans défaut.

Encore une fois, Field demanda à Amara de garder les deux filles pour le reste de la journée et la nuit suivante. Il les retrouverait le lendemain matin à l'aérodrome. Lorsqu'elles eurent disparu dans la voiture d'Amara, il se sentit brusquement seul sans réel désir de l'être. Il déambula au milieu de la circulation de Silom Road qu'il traversa pour s'aventurer dans les ruelles, de l'autre côté. Pris de fringale, il acheta une crêpe à la noix de coco à un vendeur ambulant et reprit sa marche. Non sans étonnement, il se retrouva à l'improviste dans Sathorn, juste en face de la propriété de Mme Laker. Il suivit l'avenue assez loin pour la traverser sur un passage surélevé et s'approcha avec précaution de la propriété. Aucun gardien n'était en vue. Il hâta le pas jusqu'à la passerelle, la traversa en courant et s'avança dans le chantier où s'amoncelaient les diverses conduites destinées au transport du gaz.

Un long moment il attendit. Personne ne vint. Il n'y avait pas un bruit. Pas un écho de voix. Field regarda autour de lui et s'aventura avec lenteur vers le blockhaus. Les tracteurs lui fournissaient une protection efficace. Derrière un rouleau compresseur, il s'arrêta. De là, il distinguait clairement le mur entourant la maison et son unique entrée. Elle se trouvait à quinze mètres environ. Il considéra les éclats de verre et le fil électrique défendant le faîte du mur. Il n'y avait personne en vue. Il s'accroupit sur le sol boueux et attendit encore. Une vingtaine de minutes s'écoulèrent, puis un jeune homme en chemise blanche et cravate apparut, venant du bureau. Field reconnut l'un des secrétaires chargés des transports. Il tenait un dossier à la main. Parvenu à la porte, il actionna la sonnette. Presque aussitôt, la voix de Mme Laker s'éleva dans l'audiophone, le priant de patienter. Il eut un sourire docile à l'adresse de la caméra. Après une minute de silence, la porte d'acier s'ouvrit et une servante thaïe plantureuse s'encadra sur le seuil. Elle avait plus de soixante ans. Elle prit le dossier et bavarda quelques instants avec le jeune homme ; sans doute respirait-elle sa première bouffée d'air frais de la journée.

Field sortit vivement de sa cachette, si vivement que les autres ne le virent qu'au dernier instant. Il saisit la servante par le cou, la projeta à l'extérieur, puis s'engouffra dans la maison dont il referma la porte. Le fil commandant la sonnette longeait le mur au-dedans. D'une violente secousse, Field l'arracha. Toute l'opération ne lui avait pas pris plus de dix secondes. Derrière la porte, deux voix étouffées discutaient avec animation.

Une sorte de couloir circulaire d'un mètre de large courait entre le mur et la maison, également faite de ciment peint en blanc et sans fenêtres. Là aussi, une seule porte donnait accès à l'intérieur. Il pénétra à pas prudents dans un petit salon et referma la porte. Les appels étouffés au-dehors n'étaient plus perceptibles. Le décor de la maison était entièrement américain et à base de matériaux synthétiques : une symphonie en polyester. Les murs étaient tapissés de panneaux en faux bois. Deux bouquets de fleurs en plastique étaient disposés sur des tables basses. Des lampes aux abat-jour revêtus de cellophane baignaient d'une lumière douce le décor, condamné à une nuit permanente.

Il y avait deux portes dans la pièce, l'une et l'autre ouvertes. Une voix lui parvint par celle qui se trouvait en face de lui. Une voix féminine et enfantine. Field franchit celle de gauche et déboucha dans une salle à manger-cuisine si propre que personne, semblait-il, n'y avait jamais préparé un repas ou mangé. Il revint sur ses pas en direction de la voix.

« Oui, bien sûr, très cher. Je suis tout à fait d'accord. Je m'en occupe cet après-midi. »

Il y eut un silence. Field s'avança sans bruit. Par la porte, il aperçut un immense portrait d'un homme élégant et fluet, un large sourire aux lèvres, avec une expression affable qui forçait l'attention en dépit de la facture déplorable du tableau et de son cadre de faux bois moucheté. Deux projecteurs fixés au plafond étaient braqués sur le tableau. De côté trônait, au milieu d'une table, l'urne d'argent contenant les cendres de celui qui, selon Catherine Laker, n'était pas son mari.

« Je n'avais pas pensé à ça, dit la voix. Quelle idée merveilleuse. »

Field se déplaça latéralement pour se rendre compte de la disposition des lieux et vit la porte d'une salle de bains. Celle-ci devait compléter l'ensemble du logement. Il s'immobilisa un bref instant, puis pénétra résolument dans la pièce. Catherine Laker, assise sur le lit en déshabillé de satin nylon bleu bordé de fanfreluches, avait les yeux fixés sur le tableau. Elle était seule. Comme elle tournait la tête, une lueur fugitive de crainte effleura son visage.

« Qu'est-ce que vous faites ici ? » Sa voix avait perdu toute intonation puérile.

« Il faut que je vous parle.

– Allez m'attendre au bureau.

– Non.

– Où est ma femme de chambre ?

– Dehors. Enfermée dehors. »

Elle resta un instant silencieuse, le dévisageant avec circonspection : « Voyons, John. De quoi s'agit-il ?

– À qui parliez-vous ?

– À Norman.

– Norman ? »

Elle désigna de sa main pâle le tableau : « Norman.

– Oh, je vois. Il va bien ? Comment trouve-t-il le Brésil ?

– Le Pérou. Il se porte comme un charme. En fait, il va beaucoup mieux depuis que je l'ai libéré de cette enveloppe organique imposée. Il aime voir ses cendres près de lui ; elles lui rappellent sa liberté. Je vous suis très reconnaissante, John, de m'avoir tant aidée dans cette affaire. Norman aussi vous est reconnaissant.

– Parfait. » Field considéra le tableau. Ce n'était manifestement pas le portrait de l'homme vert qu'il avait vu dans le cercueil. « Dites-moi, vous êtes souvent en communication tous les deux ?

– Tous les matins. Nous avons toujours une bonne conversation après le petit déjeuner. C'est grâce à ses conseils que la East-West Trading fonctionne toujours. » Elle prit un accent romantique : « Vous savez, cette compagnie est vraiment notre enfant. » Elle leva les yeux, l'air interrogateur, puis sa voix se durcit : « Alors, John, qu'est-ce que vous voulez ? »

Il dégagea son pistolet de sa ceinture et le jeta sur le lit : « Je veux que vous me tiriez dessus. »

Elle considéra l'arme à côté d'elle sur le drap de nylon rose : « Je ne comprends pas.

– Tuez-moi. Vos associés, à Vientiane, ont assassiné mes deux amis. Vos associés ici ont essayé de me supprimer. Vous aussi. Et maintenant, vous me faites expulser du pays. Eh bien, je ne veux pas partir. En fait, je ne partirai pas. Donc, tuez-moi. »

Elle tendit une main vers le pistolet mais la retira au dernier instant, désorientée.

« Vous voulez des conseils, Catherine. Très bien. Demandez à Norman des instructions. C'est un homme efficace. Il vous dira de me tuer. »

Elle leva les yeux vers le tableau, puis les rabaissa sur l'arme.

« Je ne vous ai jamais vue si calme, Catherine. Peut-être ne parlez-vous pas à des étrangers dans votre boudoir. Vous êtes timide. Vous voulez que je me retourne pour pouvoir me tirer dans le dos. C'est ça ?

– Cessez de m'asticoter, John. » Elle s'ébroua. « Je n'ai rien fait de ce que vous dites, je ne suis pour rien dans ces histoires. Vous êtes si maladroit. Vous êtes toujours dans les pattes des gens. Jamais vous ne regardez où vous marchez. Il y a vingt ans que vous êtes ici et vous accumulez toujours les gaffes comme si vous veniez de descendre de l'avion. Je n'ai pas à vous tuer. Quelqu'un d'autre s'en chargera. Maintenant, sortez. Et reprenez votre pistolet. »

Field se pencha pour ramasser son arme. Le métal lui parut frais sous ses doigts après son contact avec le nylon. Il alla jusqu'au bout du lit et examina le portrait avec attention. Puis il souleva le couvercle de l'urne. Alors seulement il se rendit compte qu'il tremblait, qu'il tremblait même si violemment que le couvercle lui échappa des mains et tomba sur le tapis. Il jeta un coup d'œil à l'intérieur de l'urne. Des débris d'os étaient visibles parmi les cendres. Mais ses tremblements s'étaient propagés à travers tout son corps et, soudain, sa vue se brouilla. Une éruption de douleur se déclencha dans son esprit et il revit Diana gisant, massacrée, sur le sol, sa chair sanglante et déchiquetée. Pris de hoquets, il pivota brutalement sur lui-même pour réprimer son envie de vomir. « Inutile de prendre des grands airs, Catherine. Vous devriez parler plus simplement aux gens. » Il saisit l'urne par sa base et, sans la lâcher, en projeta le contenu sur Mme Laker. Lorsque le nuage se dissipa, elle et son dessus-de-lit étaient couverts d'une fine couche de cendres.

L'air égaré, jetant autour d'elle des regards affolés, elle se mit à pousser des hurlements, des hurlements aigus, prolongés, puis, avec des gestes frénétiques, elle tenta de se débarrasser de la cendre qui poudrait sa chevelure et ses vêtements. L'écho de ses cris se réverbérait contre les quatre murs épais. À genoux sur le lit, elle s'efforçait de rassembler en pile le contenu dispersé de l'urne. Parmi les débris d'ossements, on pouvait reconnaître des vestiges de fémur ou de crâne – l'un d'eux était pris dans ses cheveux. « Arrêtez, John ! Arrêtez tout de suite ! Sortez ! Sortez ! » Elle continuait à hurler, mais sans relever les yeux. Elle était trop occupée à recueillir les cendres.

Field laissa tomber l'urne sur le tapis. « D'abord, dites-moi quel est votre problème. » Il dégagea le cran de sûreté du pistolet, le braqua sur le tableau, visa un œil et tira. L'explosion se répercuta dans toute la maison et Mme Laker se remit à crier. Field enfonça le doigt dans le trou laissé par la balle et, d'un coup sec, déchira la toile vers le bas, fendant le visage en deux.

« Norman n'était pour rien là-dedans ! Laissez-le tranquille ! Oh ! » Mme Laker hurlait toujours, poussant les débris poudreux du bout des doigts. « Oh, il faudra que nous partions d'ici, vous savez. Oui, nous serons obligés de partir. Regardez ce que nous avons fait dans ce pays. Regardez comme j'ai travaillé dur. Mais les Vietnamiens vont venir. Oh oui, ils vont venir. Et quand ils viendront, très vite ils seront à Bangkok. Et les Thaïs ne résisteront pas, je le sais. Ils collaboreront tout comme ils l'ont fait avec les Japonais. Et nous aurons tout perdu, John. Nous laisserons tout aux communistes, les rois du mensonge, vous le savez. Alors pourquoi, dites-le-moi ? Je savais depuis longtemps comment tout ça finirait. Norman m'avait prévenue. Après l'offensive du Têt, souvenez-vous. Nous avons gagné l'offensive du Têt. Je n'aime pas la guerre, mais ça a été une grande victoire et nos propres journaux en ont fait une défaite. Maintenant, dites-moi pourquoi, John. Qu'y a-t-il de mal à gagner ? Et ces communistes, regardez-les. » Ses lèvres esquissèrent une moue haineuse. « Ils veulent nous vendre toute cette héroïne, six tonnes par an. Quand j'ai appris ça, j'ai su quoi faire. Il me fallait une preuve. Une preuve que même nos journaux ne pourraient laisser de côté.

– Vous vous êtes lancée dans le trafic de drogue pour compromettre le communisme.

– Et ces Thaïs. Ces Thaïs prêts à vendre leur pays aux Vietnamiens. Tous. Tous corrompus, pourris, ignobles. Les gens ne comprennent pas ça, John. Toute cette ignominie. Oui, nous allons tout perdre. »

Field s'approcha d'elle et s'assit sur le lit, séparé de Mme Laker par le petit tas de cendres. Elle en avait encore les cheveux et les sourcils imprégnés. Même ainsi, sans sa façade réservée au public, elle était très belle. Il retira le débris d'os accroché à sa chevelure.

« Écoutez-moi bien, Catherine. Je ne veux pas partir.

Je veux rester ici. Voulez-vous faire annuler mon expulsion ?

– Nous partons tous ! répliqua-t-elle. Vous ne comprenez pas.

– Pour l'instant, Catherine, dit-il aussi calmement que possible. Jusqu'à l'arrivée des Vietnamiens, rien de plus. Ensuite, nous partirons tous. Je peux compter sur vous ?

– Impossible. Ce n'est pas moi. Je ne peux rien faire !

– Allez vous faire foutre ! » Il bondit sur ses pieds. « Demain matin, tout Bangkok connaîtra votre fameux plan. Si je dois partir, vous partirez avec moi.

– Vous ne comprenez pas.

– Vous avez raison, je ne comprends pas. » Il lança de nouveau le pistolet sur le lit. « Alors, si vous ne voulez pas me tuer, tuez-vous vous-même. »

Sans lui accorder un dernier regard, Field courut jusqu'à la porte d'entrée et la referma derrière lui. De l'autre côté du mur d'enceinte s'élevait un brouhaha de voix. Field ouvrit brutalement la porte extérieure et la foule recula. Il y avait là tous les employés des bureaux, le personnel de manutention et, bien entendu, la servante. En tout, de trente à quarante personnes. Field laissa la porte se refermer dans son dos. Ils se ruèrent en avant pour retenir le panneau, mais trop tard. Apparemment, aucun ne possédait de clef. Dans la confusion, Field se fraya un passage parmi eux et courut vers la rue. Tandis qu'il accélérait, il perçut l'écho amorti d'une détonation et se rendit brusquement compte qu'il n'était plus armé. « Dommage, songea-t-il, dommage. »

Il sauta dans un taxi et se fit conduire jusqu'au fleuve où il sauta sur le bateau express naviguant vers l'amont. Penché sur l'eau au-dessus du bastingage, le visage inondé de soleil et d'écume, il remonta jusqu'au terminus du trajet. Et quand commença la pluie de l'après-midi, il ne fit aucun effort pour se mettre à l'abri tandis que claquaient au vent les pans de toile du taud pour les fentes desquels la mousson trempait les passagers. Le retour au fil du courant sans heurts et trop aisé lui fit l'effet d'une lugubre glissade, comme si les volontés conjuguées du fleuve et de la marée le chassaient de plus en plus vite pour le refouler jusqu'au golfe du Siam et le rejeter inexorablement loin de l'Orient, mais l'express fit un arrêt près du nouveau pont et Field, descendu du bateau, se fit conduire en taxi jusqu'au Grand Prix où il but une dernière bière sans se dire que c'était en effet la dernière, après quoi il prit un autre taxi et demanda simplement au chauffeur de rouler au petit bonheur à travers la ville sans jamais s'arrêter. Il circula ainsi toute la nuit, éveillé la plupart du temps, arraché de loin en loin à de brèves somnolences par le chuintement des pneus sur la chaussée inondée ou par une explosion de klaxons à un carrefour assailli de voitures.

Dans la nuit noire, il se fit ramener à sa demeure pour la dernière fois et demanda au taxi d'attendre. Une fois de plus, il eut l'impression que des êtres rôdaient autour de chez lui, que les mouvements des branches étaient suspects, mais il s'enferma à double tour et monta à l'étage. À peine était-il dans sa chambre qu'il se demanda pourquoi il était venu. Il n'y avait rien autour de lui qu'il souhaitât emporter. Rien. Il erra dans la pièce comme aurait pu le faire un intrus, puis redescendit bruyamment l'escalier. Rien. À la dernière seconde, il revint dans la pièce principale et contempla un long moment la photographie de son père. Puis il la saisit brutalement et brisa le cadre contre l'étagère. Le verre vola en éclats et les dentelures de bois baroques fendues en deux tombèrent sur le sol. Il se pencha et ramassa avec précaution la photo parmi les débris. Puis il la glissa dans une enveloppe avec ses papiers et sortit pour rejoindre le taxi.

Il était déjà à l'aérodrome lorsque Ao et Songlin arrivèrent. Amara n'était pas venue. Elle n'aimait pas les gares aériennes. Elle n'en avait pas moins accompagné dans les magasins les deux filles qui, dans leurs nouvelles robes de coton légères, paraissaient bien loin de leurs uniformes bleu et blanc. Field alla s'assurer des réservations de leurs trois billets pour le vol de Hong Kong. Ils y feraient une escale d'un jour, le temps pour lui de régler ses problèmes d'argent ; ensuite, ils s'envoleraient pour Vancouver et Calgary.

Une cloison basse échancrée de trois ouvertures séparait la zone de contrôle du comptoir des vérificateurs de passeports. Field poussa les deux filles devant lui dans une file d'attente. Deux japonais les précédaient. Il jeta un coup d'œil en arrière vers le hall où se bousculaient les voyageurs – une cohue typique de Bangkok. Songlin franchit le portillon, son passeport timbré, et les employés s'occupaient des papiers d'Ao quand Field, se détournant à nouveau, vit un homme d'aspect misérable qui se frayait un passage à travers le hall dans sa direction. Il reconnut aussitôt le type du personnage, maigre, le visage morose, les vêtements informes ; une étrange démarche, comme s'il était invisible. Field se contraignit à ne pas le regarder. Les formalités achevées, Ao passa à son tour au-delà du comptoir et rejoignit Songlin avec laquelle elle se mit à bavarder en riant. Field lança son passeport et son acquit fiscal sur le comptoir. L'employé étudia avec attention les documents. Il consulta ses registres où, sans nul doute, il trouva une référence à l'expulsion de Field car, levant brusquement la tête, il le toisa d'un air hostile et se remit à examiner les papiers, à les scruter avec une minutie redoublée. C'était un fonctionnaire de police tiré à quatre épingles, les cheveux plaqués, arborant des lunettes de soleil qui, dans cette lumière, ne pouvaient que le handicaper. Field songea un instant à lui expliquer qu'il ne quittait le pays que contraint et forcé et que, si ses papiers rendaient son départ impossible, il serait ravi de rester.

Comme il regardait à nouveau en arrière, il constata que l'homme venait de franchir une des ouvertures dans la cloison et ne se trouvait plus qu'à quelques mètres de lui. Il portait une chemise blanche fripée qui flottait sur son pantalon et, de la main droite, tenait dans son dos un objet dissimulé sous le tissu. Field se retourna comme pour demander assistance à l'employé, mais des yeux cachés derrière les lunettes noires il n'y avait aucun secours à espérer. Il regarda autour de lui, prêt à crier, mais déjà l'homme était contre lui. Field leva les mains pour saisir l'objet caché.

« Khun Field, lui murmura l'homme à l'oreille. Le Dr Meechaï ne pouvait pas venir. Il vous envoie ça. » Et il tendit à Field une épaisse enveloppe.

Field tremblait tellement qu'il eut peine à la tenir dans ses doigts. Avec violence, il déchira l'enveloppe et en sortit deux feuillets. L'un contenait une liste des résultats de ses derniers antibiogrammes. Sur l'autre était griffonné un mot écrit à la hâte :

Bonne nouvelle, mon vieux. Les expulsés ne le sont plus. Tout est pardonné. On fêtera ça au déjeuner. Je t'attendrai au Centre. Tendresses.

Michael.

Il relut le billet et considéra l'employé qui venait de timbrer son passeport, puis regarda Songlin et Ao qui l'attendaient. Secouant la tête, il se pencha sur le comptoir pour écrire au bas de la feuille : « Trop tard. Le voile est déchiré. À bientôt. » Il rendit le papier à l'homme et reconnut soudain en lui son gardien de l'abattoir. « Pour le docteur, dit-il. Pour Khun Meechaï. »

L'homme prit la lettre, tira de sa ceinture un paquet enveloppé de journal et le tendit à Field avec un sourire d'encouragement.

« Merci. » Field prit le paquet, rassembla ses papiers et franchit le portillon.

C'était une journée nuageuse, la première où les pluies de la mousson tombaient le matin, et elle ne s'éclaircirait sûrement pas dans l'après-midi. L'appareil s'éleva dans le ciel avec le début des cataractes. Field, renversé en arrière sur son fauteuil, avait fermé les yeux.

Le signal des ceintures de sécurité venait de s'éteindre quand une hôtesse de l'air se pencha sur lui et le tira de sa torpeur : « Excusez-moi, monsieur. Un passager de première classe aimerait vous parler. »

Field passa devant Songlin et suivit l'allée centrale, songeant trop tard que si quelqu'un désirait le voir, ils pourraient revenir en classe touriste. C'était George Espoir, plongé dans le *London Times.*

« John ! s'exclama-t-il, retenant son souffle comme s'il était surpris de le voir. C'est merveilleux ! Tenez, asseyez-vous donc. » La cabine était presque vide. « Que voulez-vous boire ? Champagne ? »

Field secoua la tête.

« Eh bien, j'y suis arrivé. J'ai récolté tout ce que je voulais grâce à vous et à votre étrange, si vous permettez l'expression, votre étrange ami. Je regrette de n'avoir pas pu me servir de votre histoire. Elle était excellente, mais figurez-vous que les journaux ne veulent plus de reportages sur la drogue, plus un seul. Il y a d'autres sujets à traiter.

– Bien sûr. Ce n'est pas un problème. » Field se leva pour s'en aller.

« Mais je crois que je pourrai donner à mon livre une résonance inhabituelle, quelque chose de vraiment différent. Qui dénoncera le mal de notre époque. La confusion. L'écroulement des valeurs morales. Au fait, voulez-vous un de ces gâteaux ? » Il sortit un paquet de galettes aux durions. L'odeur âcre du fruit était à peine perceptible.

« Trop tôt.

– Vous aimez ça, hein ?

– Bien sûr. »

Cette réponse parut rasséréner Espoir. « Dites donc, je vous ai vu passer au contrôle. Il me semble que vous avez un petit supplément de bagages.

– Quoi ?

– Deux filles. Haha. Vous comptez rester un peu à Hong Kong ? J'ai quelques recherches à y faire. Vous n'y connaissez personne du Jockey Club, par hasard ? Il faut que je me renseigne là-dessus. »

Field secoua la tête.

« Peu importe. Je suis en terrain familier là-bas. Beaucoup d'entre nous sont restés sur place. Allons. Voulez-vous goûter ? Non ? » Il porta un gâteau à sa bouche et mordit dedans avec délicatesse. « Très étrange. Voyons. Je suppose que vous n'êtes pas libre ce soir. Pour le dîner. Non ? Amenez vos deux sauterelles. Pour un homme seul, deux c'est trop, qu'en pensez-vous ? Je me taperais volontiers l'une ou l'autre. »

Field le pria de l'excuser et regagna son siège. Assis entre les deux filles, il envisagea d'envoyer Ao rejoindre Espoir aux toilettes. Ainsi pourrait-elle le contaminer. Puis il pensa aux galettes de durions. Si l'on buvait de la bière avec des fruits de durion frais, l'estomac pouvait gonfler et exploser, à moins qu'il ne fût déjà perforé. Il se demanda s'il y avait assez de durions dans le gâteau pour engendrer au moins une indigestion. Il lui suffisait de retourner en première classe et de proposer à Espoir de boire une bière ensemble. Tandis qu'il réfléchissait, il vit Espoir qui s'approchait d'eux le long de l'allée.

« Bonjour, les filles, dit-il. Elles sont ravissantes, John. Allons, ne soyez pas égoïste. Je vous invite tous à dîner. Ensuite nous pourrons diviser ce petit harem en deux et nous retirer dans des lieux discrets. »

Songlin regarda Espoir penché sur elle et dans un anglais un peu compassé mais sans une ombre d'accent déclara :

« Vous adressez-vous à mon père ou à ma belle-mère ?

– Quoi ?

– De toute façon, un homme de votre âge devrait être plus conscient du ridicule dont il se couvre. Maintenant, allez-vous-en. Partez. »

Espoir avait battu en retraite derrière son rideau avant même que Field eût pris Songlin par le bras.

« Tu parles anglais ?

– Naturellement. Comme tout le monde. Je regrette, mais cela ne rimait à rien de t'obéir.

– Non, dit Field en riant. À rien du tout, en effet. Alors te voilà déjà adaptée.

– Je resterai quelque temps avec toi pour t'aider à t'installer. Ensuite nous verrons.

– D'accord. »

L'appareil perça le plafond des nuages pour pénétrer dans un ciel parfaitement bleu. Ao, qui n'avait jamais pris l'avion, n'avait pas quitté le hublot des yeux.

« Voyez ! s'exclama-t-elle avec un sursaut. Le soleil ! Le soleil ! »

Et elle continua à regarder fixement. Le disque rouge était énorme sur l'horizon.

Field se releva et suivit l'allée pour se rendre aux toilettes. Il avait pris avec lui l'enveloppe contenant ses papiers. De l'autre main il tenait le paquet que lui avait remis l'homme de l'abattoir. Au fond de l'avion, il demanda à une hôtesse des allumettes et attendit devant la rangée de stalles déjà occupées. De légères turbulences faisaient osciller l'appareil et il se tenait les jambes écartées.

L'hôtesse vint vers lui, l'air soucieux.

« Il est interdit de fumer aux toilettes, monsieur.

– Mais bien sûr, répondit-il. Je fais seulement collection de boîtes d'allumettes. »

Un Indien sortit de la stalle devant lui et Field prit sa place. Le siège était souillé de traces de semelles boueuses.

« Merde ! »

Field se préparait à nettoyer le siège, puis soudain il se ravisa et ôta son pantalon qu'il accrocha à la patère fixée contre la porte. Il grimpa sur le siège et s'y tint en équilibre, plaçant ses pieds dans les empreintes laissées par son prédécesseur. Une fois accroupi, il sortit de l'enveloppe ses papiers et la photo de son père qu'il posa sur la tablette. Il les examina un à un jusqu'à ce qu'il trouvât le document attestant l'achat de Ao. Il gratta une allumette et mit le feu au contrat juste au-dessous de la pancarte « Défense de fumer ». C'était un mauvais papier jaunâtre qui se consuma en quelques secondes. Il déplia ensuite le feuillet contenant les derniers résultats des analyses médicales que lui avait remis l'envoyé de Woodward. Tous les résultats étaient mauvais. Il avait absorbé la totalité des antibiotiques disponibles. Au bas de la feuille, Woodward avait écrit : « Désolé. » Field haussa les épaules. Il s'y attendait.

Field déballa le paquet de papier journal apporté par

l'homme de l'abattoir. À l'intérieur, il trouva une poignée de lanières de porc grillé. Il les posa sur la tablette près de la cuvette, ramassa la photo de son père et se perdit dans la contemplation du cliché tout en mangeant, une à une, les lanières de peau craquante.

Rivages poche / Bibliothèque étrangère

Harold Acton
Pivoines et poneys (n° 73)

Sholem Aleikhem
Menahem-Mendl le rêveur (n° 84)

Kingsley Amis
La Moustache du biographe (n° 289)

Jessica Anderson
Tirra Lirra (n° 194)

Reinaldo Arenas
Le Portier (n° 26)

James Baldwin
La Chambre de Giovanni (n° 256)

Melissa Bank
Manuel de chasse et de pêche à l'usage des filles (n° 326)

Quentin Bell
Le Dossier Brandon (n° 102)

Stefano Benni
Baol (n° 179)

Ambrose Bierce
Le Dictionnaire du Diable (n° 11)
Contes noirs (n° 59)
En plein cœur de la vie (n° 79)
En plein cœur de la vie, vol. II (n° 100)
De telles choses sont-elles possibles ? (n° 130)
Fables fantastiques (n° 170)
Le Moine et la fille du bourreau (n° 206)

Elizabeth Bowen
Dernier automne (n° 265)

Paul Bowles
Le Scorpion (n° 3)
L'Écho (n° 23)
Un thé sur la montagne (n° 30)

Emily Brontë
Les Hauts de Hurle-Vent (n° 95)

Louis Buss
Le Luxe de l'exil (n° 327)

Robert Olen Butler
Un doux parfum d'exil (n° 197)
Étrange murmure (n° 270)
La Nuit close de Saigon (n° 296)

Calamity Jane
Lettres à sa fille (n° 232)

Peter Cameron
Week-end (n° 245)
Année bissextile (n° 303)

Ethan Canin
L'Empereur de l'air (n° 109)
Blue River (n° 157)

Truman Capote
Un été indien (n° 9)

Willa Cather
Mon ennemi mortel (n° 74)
Une dame perdue (n° 101)
Destins obscurs (n° 117)
La Mort et l'Archevêque (n° 144)
Mon Ántonia (n° 159)
La Maison du professeur (n° 217)
L'Un des nôtres (n° 285)
Des ombres sur le rocher (n° 337)

Gaetano Carlo Chelli
L'Héritage Ferramonti (n° 290)

Rafael Chirbes
Tableau de chasse (n° 316)

Fausta Cialente
Les Quatre Filles Wieselberger (n° 10)

Barbara Comyns
Les Infortunes d'Alice (n° 94)

Joseph Conrad
Le Duel (n° 106)

Lettice Cooper
Une journée avec Rhoda (n° 137)
Fenny (n° 264)

Giuseppe Culicchia
Patatras (n° 227)
Paso Doble (n° 309)

Silvio D'Arzo
Maison des autres (n° 78)

Robertson Davies
L'Objet du scandale (n° 234)
Le Manticore (n° 260)
Le Monde des Merveilles (n° 280)

Angela Davis-Gardner
Un refuge en ce monde (n° 118)
Felice (n° 203)

Andrea De Carlo
Oiseaux de cage et de volière (n° 178)

Walter de la Mare
L'Amandier (n° 108)
Du fond de l'abîme (n° 141)
À première vue (n° 219)

Daniele Del Giudice
Le Stade de Wimbledon (n° 209)

Erri De Luca
Une fois, un jour (n° 119)
Acide, arc-en-ciel (n° 201)
En haut à gauche (n° 251)
Tu, mio (n° 315)

Alfred Döblin
L'Assassinat d'une renoncule (n° 25)

Heimito von Doderer
Un meurtre que tout le monde commet (n° 14)

Michael Dorris
Un radeau jaune sur l'eau bleue (n° 121)

John Meade Falkner
Le Stradivarius perdu (n° 153)

Eva Figes
Lumière (n° 5)

Ronald Firbank
La Fleur foulée aux pieds (n° 304)
Les Excentricités du cardinal Pirelli (n° 305)

Rudyard Kipling
Le Miracle de saint Jubanus (n° 85)
Fatos Kongoli
Le Paumé (n° 271)
L'Ombre de l'autre (n° 301)
Mirko Kovač
La Vie de Malvina Trifković (n° 111)
Gavin Lambert
Le Crime de Hannah Kingdom (n° 104)
Ella Leffland
Rose Munck (n° 134)
David Lodge
Jeu de société (n° 44)
Changement de décor (n° 54)
Un tout petit monde (n° 69)
La Chute du British Museum (n° 93)
Nouvelles du Paradis (n° 124)
Jeux de maux (n° 154)
Hors de l'abri (n° 189)
L'homme qui ne voulait plus se lever (n° 212)
Thérapie (n° 240)
Rosetta Loy
Les Routes de poussière (n° 164)
Un chocolat chez Hanselmann (n° 255)
Madame Della Seta aussi est juive (n° 318)
Alison Lurie
Les Amours d'Emily Turner (n° 7)
La Ville de nulle part (n° 21)
La Vérité sur Lorin Jones (n° 32)
Des gens comme les autres (n° 38)
Conflits de famille (n° 46)
Des amis imaginaires (n° 71)
Comme des enfants (n° 107)
Femmes et Fantômes (n° 182)
Liaisons étrangères (n° 207)
Ne le dites pas aux grands (n° 279)
Un été à Key West (n° 300)
Norman Maclean
Montana, 1919 (n° 140)

Noces de faïence (n° 125)
Une saison d'été (n° 155)
La Bonté même (n° 190)
Le Papier tue-mouches (n° 250)
Une partie de cache-cache (n° 273)
Le Cœur lourd (n° 307)

Gore Vidal
Un garçon près de la rivière (n° 269)

Alberto Vigevani
Le Tablier rouge (n° 136)
Un été au bord du lac (n° 195)

Evelyn Waugh
Trois nouvelles (n° 138)

Fay Weldon
Copies conformes (n° 128)

Paul West
Le Médecin de Lord Byron (n° 50)

Rebecca West
Femmes d'affaires (n° 167)

Joy Williams
Dérapages (n° 120)

Tim Winton
Cet œil, le ciel (n° 225)
La Femme égarée (n° 262)

Banana Yoshimoto
N•P (n° 274)

Evguéni Zamiatine
Seul (n° 16)
Le Pêcheur d'hommes (n° 19)

Achevé d'imprimer en mars 2001
sur les presses de l'Imprimerie Maury-Eurolivres
45300 Manchecourt
pour le compte
des Éditions Payot & Rivages
106, bd Saint-Germain - 75006 Paris

Dépôt légal : avril 2001
N° d'imprimeur : 86130